HANS BERCKHEMER

GRUNDLAGEN DER GEOPHYSIK

HANS BERCKHEMER,
Professor em. für Geophysik
an der Universität Frankfurt a. M.

# GRUNDLAGEN DER GEOPHYSIK

Berckhemer, Hans
Grundlagen der Geophysik

Unveränderter Nachdruck der
2. Auflage

Veröffentlichung des Fachbereichs
Geowissenschaften der Johann Wolfgang
Goethe Universität, Institut für Meteorologie
und Geophysik,
Frankfurt, 2005

Druck und Einband: Druckservice, Uwe Grube,
63697 Hirzenhain
Lieferbar nur durch: Institut für Geowissenschaften
Facheinheit Geophysik
Altenhöferallee 1
60438 Frankfurt a.M.

# INHALT

# VORWORT

Ziel dieses Buches ist die Vermittlung eines Grundverständnisses für die physikalische Betrachtung des Erdkörpers, sowohl seines strukturellen Aufbaus wie der dynamischen Vorgänge im Erdinnern. Es ist aus der Einführungsvorlesung des Verfassers an der Universität Frankfurt hervorgegangen und richtet sich demgemäß in erster Linie an Studierende der Naturwissenschaften. In diesem Buch wird versucht, auch solchen Studenten einen Zugang zum Verständnis der Geophysik zu ermöglichen, die Geophysik nicht im Hauptfach studieren wollen und die nur auf eine durchschnittliche mathematische und physikalische Schulausbildung zurückgreifen können. Es wird deshalb weitgehend auf mathematische Darstellungen verzichtet zugunsten der Vermittlung eines anschaulich physikalischen Verständnisses. Wo mathematische Begriffe benötigt werden, die über Schulkenntnisse hinausgehen, werden sie erläutert.

Es wird hier bewußt keine Trennung in allgemeine und angewandte Geophysik vorgenommen, um klarzumachen, daß beide auf denselben physikalischen Grundlagen beruhen und auch historisch eng verbunden sind. Der hier behandelte Stoff entspricht etwa dem, was man aus dem Bereich der Geophysik in eine für alle Studenten der Geowissenschaften gemeinsame Basisausbildung einbringen sollte. Es wurde versucht, den Umfang der Darstellung der Teilbereiche in einem ausgewogenen Verhältnis zu ihrer Bedeutung für die allgemeine und angewandte Geophysik zu halten. Für Geophysikstudenten kann in weiterführenden Vorlesungen auf diesen Grundlagen aufgebaut werden. Um den Zugang zu der meist englischsprachigen Fachliteratur zu erleichtern, sind wichtige Spezialtermini auch in Englisch im Text vermerkt.

Der Nachdruck wurde 2005 veranlaßt, weil der 2. Band vergriffen und insbesondere in Bezug auf den neuen, einheitlichen „Studiengang Geowissenschaften“ Bedarf bei den Studenten vorhanden war.

# 1. WAS IST GEOPHYSIK?

Kaum ein Laie kann mit dem Begriff Geophysik klare Vorstellungen verbinden, aber erstaunlicherweise haben auch die Fachleute damit ihre Probleme. Geophysik im weitesten Sinn ist die Wissenschaft von der Erforschung und Beschreibung der Erde mit den Methoden der Physik. Geophysik gehört vom Forschungsobjekt her gesehen also zu den Geo- oder Erdwissenschaften wie z. B. Geologie und Petrologie (Gesteinskunde), von der Wissenschaftsmethodik her aber zur Physik und dabei vorwiegend zur klassischen und angewandten Physik. Wegen dieser Zwitternatur und der unterschiedlichen Akzentsetzung sind auch die geophysikalischen Hochschulinstitute in der Bundesrepublik teils in den geowissenschaftlichen, teils in den physikalischen Fachbereichen angesiedelt.

Da die Erde nicht nur aus dem eigentlichen, unterhalb der festen Erdoberfläche beginnenden Erdkörper besteht, sondern zwei Drittel ihrer Oberfläche von Ozeanen bedeckt sind, außerdem die Erde von einer Atmosphärenhülle umgeben ist und schließlich der Einfluß- und Einzugsbereich der Erde mehrere Erdradien weit in den interplanetarischen Raum hinausreicht, läßt sich der Begriff Geophysik im weiteren Sinne in die folgenden Teilgebiete gliedern:

Physik des Erdkörpers oder Geophysik im engeren Sinn
Physik der Hydrosphäre oder Ozeanographie (Meeresforschung) und Hydrologie (Gewässer und Grundwasserkunde)
Physik der Atmosphäre oder Meteorologie
Physik der Hochatmosphäre und der Magnetosphäre oder Aeronomie.

Im Sinn dieser Begriffsbestimmung wollen wir weiterhin unter Geophysik die Geophysik im engeren Sinne, d. h. die **Physik des Erdkörpers**, verstehen. Übrigens ist die im Kontrast zur flüssigen und gasförmigen Erdhülle naheliegende und früher auch gelegentlich benutzte Bezeichnung „Physik der festen Erde“ nicht streng korrekt, wie wir später sehen werden.

Die Physik des Erdkörpers gliedert sich ihrerseits in folgende klassische Teildisziplinen:

| **Bezeichnung** | **Aufgaben** |
|---|---|
| **Physikalische Geodäsie und Gravimetrie** | Bestimmung der Gestalt des Erdkörpers und seines Schwerefeldes durch Messungen am Erdboden und mit Hilfe von Satelliten |

| | |
|---|---|
| **Seismologie und Struktur des Erdinnern** | Erforschung des Vorgangs im Erdbebenherd und der Ausbreitung seismischer Wellen im Erdkörper |
| **Erdmagnetismus** | Messung des Magnetfeldes der Erde und Erforschung seiner intra- und extraterrestrischen Ursachen |

Dazu treten als modernere Gebiet noch die

| | |
|---|---|
| **Gesteinsphysik** | Labormessungen und Festkörperphysik |
| **Geodynamik** | Bewegungsvorgänge im Erdinnern |

Dem entspricht auch die Gliederung der internationalen Dachorganisation für die Koordination globaler Forschungsprojekte auf dem Gebiet der Geophysik (im weiteren Sinne), der „**I**nternational **U**nion of **G**eodesy and **G**eophysics" **(IUGG)** in folgende 7 Assoziationen:

| | |
|---|---|
| **I**nternational **A**ssociation of **G**eodesy | **IAG** |
| **I**nternational **A**ssociation of **S**eismology and **P**hysics of the **E**arth's **I**nterior | **IASPEI** |
| **I**nternational **A**ssociation of **V**olcanology and **C**hemistry of the **E**arth's **I**nterior | **IAVCEI** |
| **I**nternational **A**ssociation of **G**eomagnetism and **A**eronomy | **IAGA** |
| **I**nternational **A**ssociation of **M**eterology and **A**tmospheric **P**hysics | **IAMAP** |
| **I**nternational **A**ssociation of **H**ydrological **S**ciences | **IAHS** |
| **I**nternational **A**ssociation for the **P**hysical **S**ciences of the **O**cean | **IAPSO** |

Dabei ist die Gesteinsphysik bei IASPEI angesiedelt, und die Geodynamik berührt die vier ersten Assoziationen.

Die Geophysiker der Bundesrepublik Deutschland sind in der **Deutschen Geophysikalischen Gesellschaft** vereinigt.

**Merke:** Geophysik im engeren Sinne (auch im Sinne dieser Einführung) ist die Physik des Erdkörpers, d. h. die Erforschung des strukturellen Aufbaus und der Vorgänge im Erdkörper mit physikalischen Methoden.

# 2. ARBEITSMETHODIK DER GEOPHYSIK

Das Charakteristikum der Arbeitsweise des Geophysikers ist es, daß er durch Vermessung physikalischer Felder an oder oberhalb der Erdoberfläche (Schwerefeld, Deformation der Erdoberfläche, Magnetfeld, elektrisches Feld, natürliche oder künstliche seismische Wellenfelder, Temperaturfeld und Wärmestrom) auf physikalische Vorgänge und auf die räumliche Verteilung physikalischer Eigenschaften im Erdinnern, wie Dichte, Elastizität, Viskosität, Magnetisierung, elektrische Leitfähigkeit, elastische Spannungen, Druck und Temperatur schließen kann. Hierauf beruht nicht zuletzt die große volkswirtschaftliche Bedeutung der Geophysik bei der Auffindung und Vermessung geologischer Lagerstätten. Wurden zusätzlich die physikalischen Eigenschaften von Gesteinsproben unter den Bedingungen der Tiefe, d. h. Druck und Temperatur, im Labor untersucht, so können durch Vergleich auch Aussagen über die mögliche stoffliche Zusammensetzung der Materie im Erdinnern gemacht werden.

In Abb. 2.1 ist schematisch der Weg skizziert, der von der Messung an der Erdoberfläche schließlich bis zur Aussage über das Erdinnere führt.

Was bedeuten die einzelnen Stationen auf diesem Weg?

*1. Schritt: Die Feldmessungen*

Die Messungen an der Erdoberfläche werden entweder an wenigen Punkten über lange Zeit ausgeführt, wenn es sich um zeitlich veränderliche Felder handelt, z. B. an seismologischen oder magnetischen Observatorien, oder aber möglichst gleichzeitig an vielen Punkten, die flächenhaft verteilt sind oder auf Profillinien liegen, wenn es sich um räumliche Vermessungen von Strukturen im Untergrund handelt. In jedem Fall muß sichergestellt sein, daß das Meßinstrument auch tatsächlich die gewünschte physikalische Größe mißt. Diese Bemerkung mag trivial klingen, ist es aber keineswegs. Zum Beispiel können bei Neigungsmessungen der Erdoberfläche Sonneneinstrahlung und Niederschläge die gesuchten geodynamischen Effekte total verfälschen. Ähnliches gilt für den Einfluß von Luftdruckschwankungen oder Magnetfeldstörungen auf hochempfindliche Seismometer. Die Meßinstrumente müssen stets vor Störeinflüssen geschützt werden, erforderlichenfalls durch Aufstellung in Kavernen oder in Bohrlöchern wie etwa beim Seismologischen Zentralobservatorium im Fränkischen Jura.

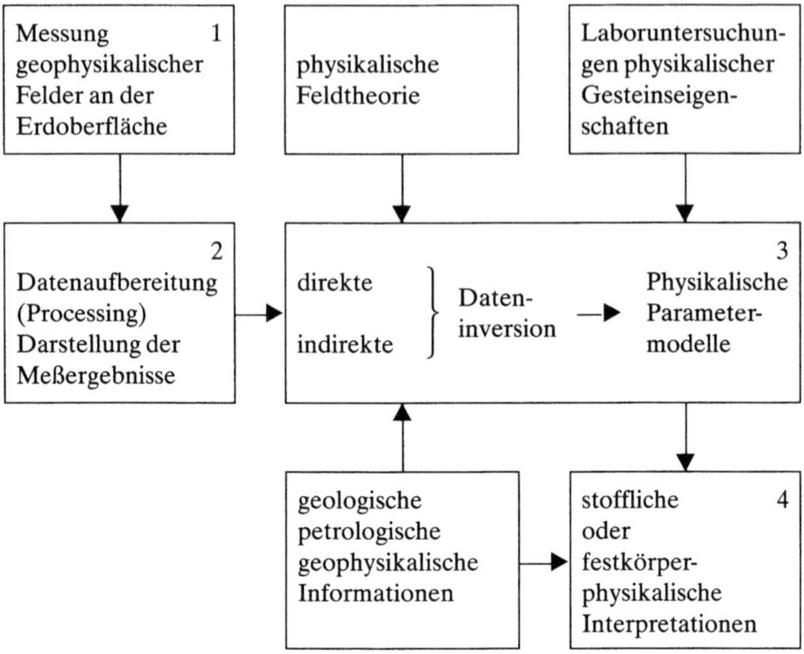


Abb. 2.1 Arbeitsmethodik der Geophysik.

Räumliche Vermessungen physikalischer Felder sollten stets mit hoher Stationsdichte ausgeführt werden, um später lokale Unregelmäßigkeiten des Feldes mit geeigneten mathematischen Verfahren ausglätten zu können. Bei der sprengseismischen Erdölexploration werden z. B. gleichzeitig bis zu 2000 seismische Empfänger (Geophone) in engem Abstand im Meßgebiet angeordnet. Meist stehen jedoch für flächenüberdeckende Feldvermessungen nur ein oder wenige Meßgeräte (z. B. Magnetometer oder Gravimeter) zur Verfügung. Um dabei zeitliche Änderungen der Meßgröße während der Durchführung des Meßprogramms, z. B. den tageszeitlichen Gang des Magnetfeldes oder des Schwerefeldes, eliminieren zu können, wird entweder ein registrierendes Meßgerät ortsfest aufgestellt, oder es werden in geeignetem Zeitabstand, z. B. alle 2–3 Stunden, Wiederholungsmessungen an bereits vermessenen Punkten (Basispunkten) ausgeführt. Einige Feldgrößen, z. B. Magnetfeld und künstliche elektromagnetische Felder werden oft mit Vorteil vom Flugzeug aus vermessen. Die Flugbahnen von Satelliten geben selbst Informationen über das großräumige Schwerefeld der Erde.

*2. Schritt: Die Datenaufbereitung*

Bei flächenhaften Feldvermessungen müssen zunächst die Meßwerte vergleichbar gemacht werden, d. h. zum Beispiel auf einheitliche Stationshöhe und geographische Breite bezogen werden. Die dazu erforderlichen Korrektionen müssen insbesondere bei Schweremessungen sehr sorgfältig durchgeführt werden (vergleiche Kap. 4.5). Zur kontinuierlichen flächenhaften Darstellung der Meßergebnisse in Form von Profilschnitten oder Karten gleicher Meßwerte (Isanomalenkarten) müssen die Meßwerte interpoliert und eventuell durch Filterprozesse so behandelt werden, daß das Verhältnis der gesuchten Information zum unerwünschten Störpegel (engl.: signal/noise ratio) optimiert wird. Größere Datenmengen werden hierzu heute meist in digitale Form gebracht und im Computer bearbeitet. In der kommerziellen Prospektionsseismik – wo ohnehin nur noch digital registriert wird – werden für das sehr hoch entwickelte sogenannte "data processing" schnelle Spezialrechenanlagen eingesetzt. Häufig kann der erfahrene Fachmann direkt aus den so aufbereiteten Profilschnitten oder Isanomalenkarten Schlüsse auf die Ursache der Anomalie ziehen.

**Merke:** (1) Nur einheitliche Meßdaten lassen sich simultan auswerten.
(2) Durch geeignete Datenaufbereitung läßt sich das Verhältnis von gesuchter Information zum Störpegel verbessern.

*3. Schritt: Die Dateninversion*

Hinter diesem interessant klingenden Begriff steht das Bestreben, aus den aufbereiteten Meßdaten im Rahmen bestimmter Modellstrukturtypen ein quantitatives Abbild der physikalischen Untergrundstruktur des Meßgebiets zu gewinnen. Es können natürlich in solchen Strukturmodellen nur diejenigen physikalischen Parameter enthalten sein, die das gemessene Feld verursacht bzw. beeinflußt haben. Jedes Inversionsverfahren basiert auf einer physikalischen Feldtheorie, die bestimmte Klassen von mathematischen Lösungen (z. B. zweidimensionale, langgestreckte Körper, ebene Schichten usw.) beinhaltet. Es muß hier klar ausgesprochen werden, daß bei den natürlichen physikalischen Feldern der Erde mit räumlich verteilten Quellen prinzipiell eine Vielzahl von Quellverteilungen genau dasselbe Feld an der Erdoberfläche erzeugen kann und damit die Inversion keine eindeutige Lösung hat. In der Regel läßt sich jedoch aus geologischen Gründen die Zahl der mathematisch möglichen Lösungen auf wenige „wahrscheinliche" einschränken. Ein vulkanischer Basaltschlot mag z. B. geologisch sinnvoll durch einen senkrecht stehenden, nach unten unbegrenzten Kreiszylinder modelliert werden, weniger gut jedoch durch eine kugelförmige Einlagerung. Das Problem stellt sich nicht in dieser grundsätzlichen Form, wenn die Quelle bekannt ist, wie dies z. B. bei der Ausbreitung seismischer Wellen von einem Sprengpunkt oder bei der elektrischen Widerstandssondierung mit künstlich über Elektroden der Erde zugeführtem Strom der Fall ist. Darauf, und auf ihrem hohen Auflösungsvermögen, beruht die besonders große Aussagekraft seismischer und geoelektrischer Strukturuntersuchungen.

Es gibt Inversionsverfahren, welche bei Eingabe der Meßwerte unmittelbar die physikalischen und geometrischen Parameter des Strukturmodells liefern, z. B. Schichtdicken und zugehörige elektrische Widerstandswerte, allerdings sind bei diesen sog. **direkten Inversionsverfahren** die Modelltypen in ihrer Vielfalt sehr eingeschränkt und geometrisch sehr einfach. Solche Verfahren werden gerne zur Gewinnung einer ersten Näherungslösung benutzt.

Auch für kompliziertere Strukturmodelle lassen sich, sozusagen im Vorwärtsverfahren, die zugehörigen physikalischen Felder berechnen und mit den Meßwerten vergleichen. Die Modellparameter werden nun in einem empirischen oder auch automatisierten Annäherungsverfahren schrittweise (iterativ) so lange variiert, bis die theoretische Lösung innerhalb vorgegebener Grenzen mit den Meßwerten übereinstimmt. Man spricht von **indirekter Dateninversion.** Wichtig, und meist nicht hinreichend geprüft, ist hier die Frage nach der Stabilität der Lösungen, d. h. wie weit ein bestimmter Parameter (z. B. die Dichte einer Schicht) auf Kosten eines anderen Parameters (z. B. der Schichtdicke) variiert werden kann, ohne mathematische Verschlechterung der Lösung.

**Merke:** (1) Lösungen für die Quellverteilung geophysikalischer Felder sind in der Regel vieldeutig. Geologische oder andere geophysikalische Informationen erleichtern die Auswahl realistischer Lösungen.

(2) Die mathematisch-physikalische Interpretation von Feldmessungen (Dateninversion) ermöglicht nur Aussagen im Rahmen des vorgegebenen Typus des physikalischen Parametermodells und ist daher nur eine mehr oder weniger vereinfachte Näherung für die tatsächliche physikalische Struktur.

*4. Schritt: Stoffliche oder festkörperphysikalische Interpretation*

In den letzten Jahren hat die Hochdruck- und Hochtemperaturtechnik große Fortschritte gemacht. Zwischen Diamantstempeln können Drucke erzeugt werden, die denen im Erdkern entsprechen, allerdings bei nur einigen Milligramm Probemenge. Dennoch lassen sich in diesen Diamantzellen z. B. Kristallstruktur, Dichte, Elastizität und elektrische Leitfähigkeit bestimmen. Unter der größten Presse, die für Forschungszwecke gebaut wurde und eine Preßkraft von 50000 t hat, können Probenvolumina von einigen hundert Kubikzentimetern bei über 1000 °C auf Druck von mehr als 10 GPa (= 100 kbar) gebracht werden, entsprechend Tiefen des oberen bis mittleren Erdmantels. Die Presse steht übrigens im Forschungszentrum Troitskoje unweit von Moskau. Werden unter solchen Umgebungsbedingungen die physikalischen Eigenschaften von Mineralen und Gesteinen gemessen, so lassen sich durch Vergleich von Labordaten und solchen aus „in situ"-Messungen (in natürlicher Lage) Schlüsse auf die stoffliche Beschaffenheit und den physikalischen Zustand entsprechender Zonen des Erdinnern ziehen (vergleiche Kap. 5.9 und 6.). Jedoch auch hier ist zumeist keine eindeutige Zuordnung möglich. Es bedarf ergänzender petrologischer und geochemischer Kriterien. Es sei hier bemerkt, daß viele Minerale und Mineralkombinationen mit zunehmendem Druck nicht nur gleichmäßig verdichtet werden, sondern bei gewissen kritischen Drucken spontan in neue Kristallstrukturen mit dichterer Atompackung übergehen (Phasentransformation). Auch der Einfluß beginnender Schmelze auf die physikalischen Gesteinseigenschaften sowie das Bruch- und Fließverhalten können im Labor studiert werden.

# 3. MATERIE UND KRÄFTE

Stellen wir uns die ganz elementare Frage, womit wir es in der Geophysik zu tun haben, so lautet die Antwort: mit Materie, aus der der Erdkörper aufgebaut ist, und mit Kräften, die ihn zusammenhalten bzw. Veränderungen in seinem Innern hervorrufen. Wir wollen deshalb zunächst in knapper Form das gegenwärtige Bild von der Struktur der Materie und ihrer Entstehung skizzieren.

## 3.1 Die elementaren Bausteine der Materie

Vom Standpunkt der Chemie sind die **Atome** die elementaren Bestandteile der Materie. Im Sinne der klassischen Elementarteilchenphysik bestehen die Atomkerne etwa paritätisch aus **Protonen** mit positiver elektrischer Einheitsladung (+e) und den gleich schweren elektrisch neutralen **Neutronen.** Die Gesamtzahl dieser sogenannten **Nukleonen** bestimmt das Atomgewicht m einer Atomart A, die Zahl der Protonen ihre Kernladungs- oder Ordnungszahl z im Periodischen System der Elemente. In der symbolischen Schreibweise $^{m}_{z}A$ hat z. B. das häufigste stabile Sauerstoffisotop die Bezeichnung $^{16}_{8}O$. Im elektrisch neutralen Zustand ist der Kern (Durchmesser $\approx 10^{-14}$ m) von einer gleichen Zahl von **Elektronen** mit negativen elektrischen Einheitsladungen (−e) umhüllt, wobei die Elektronen nach den Gesetzen der Quantenmechanik in diskreten Abständen (Elektronenschalen) den Kern umkreisen. Es ergeben sich so Atomradien von $\approx 10^{-10}$ m (= 1 Ångström [Å]). Die Besetzung der äußeren Elektronenschalen bestimmt die chemische Reaktionsfähigkeit eines Atoms und seine Stellung in den Gruppen des Periodischen Systems.

Mit den wachsenden experimentellen Möglichkeiten der Hochenergie-Elementarteilchenphysik wurden die Atomkerne in immer neue elementare Bestandteile zerlegt. So ergibt sich, zusammen mit den fortschreitenden Erkenntnissen in der Quantentheorie der Atomkerne, gegenwärtig etwa folgendes Bild (H. Schopper 1981): Die Materie besteht aus 6 schweren „unteilbaren" Bausteinen mit Ladung ⅔ bzw. ⅓, den sog. **Quarks** (von denen allerdings bisher erst 5 gefunden wurden), und 6 leichten Teilchen, den **Leptonen.** Zu den Leptonen gehört als bekanntester Vertreter das Elektron, aber auch sein positiv geladenes Gegenstück, das **Positron** ($e^+$), und leichte neutrale Teilchen, die **Neutrinos** (ν).

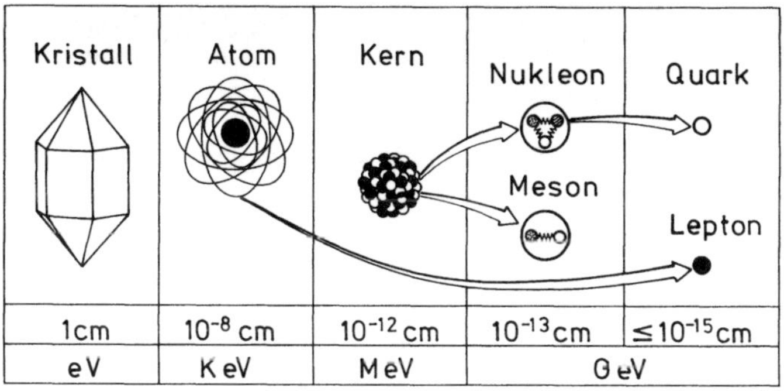


Abb. 3.1 Elementarbausteine der Materie
(nach Schopper 1981).

Ein Nukleon setzt sich aus 3 Quarks zusammen und die bei Kernreaktionen freiwerdenden **Mesonen** aus 2 Quarks (Abb. 3.1). Die Vermutung, daß es sich hier wirklich um die letzten elementaren Bausteine der Materie handeln könnte, wird durch die ungeheuer hohe Quarkbindungsenergie nahegelegt. Nach dem fundamentalen, von Einstein im Zusammenhang mit der speziellen Relativitätstheorie gefundenen Naturgesetz der Äquivalenz von Ruhemasse m und Energie $E = m c^2$ (c = Lichtgeschwindigkeit) muß starke Bindung durch Massenverlust gekennzeichnet sein. Tatsächlich geht bei der Bildung von Nukleonen der größte Teil der Quarkmasse in Bindungsenergie über. Dadurch erscheint eine Grenze erreicht zu sein, jenseits derer man nicht mehr von Materie reden kann.

## 3.2 Häufigkeitsverteilung und Ursprung der Elemente

Die Häufigkeitsverteilung der Elemente in den oberflächennahen Gesteinsschichten der Erde, die uns unmittelbar zugänglich sind, kann wegen der im Laufe der Erdentwicklung stattgefundenen **Differentiationsprozesse** (Absinken schwerer Elemente in die Tiefe und Konzentration leichterer Elemente und deren Verbindungen in der Erdkruste) nicht repräsentativ für die Erde als Ganzes und noch viel weniger für die kosmische Häufigkeitsverteilung der Elemente sein.

Die wichtigste Informationsquelle für die Häufigkeit nicht flüchtiger Elemente stellen die verschiedenen Arten von **Meteoriten** dar, die allerdings fast ausschließlich Bruchstücke von Himmelskörpern aus unserem Sonnensystem sein dürften. Tatsächlich gehören davon nur etwa 5 % zur Klasse der in den Museen meist ausgestellten **Eisenmeteoriten,** die vorwiegend aus metallischen Eisen-Nickel-Verbindungen bestehen, während mehr als 90 %

nur wenig oder kein freies Eisen enthalten und als **Steinmeteoriten** bezeichnet werden. Letztere enthalten häufig kugelförmige hellere Einschlüsse (Chondren), die sich stofflich aber nur wenig von ihrer Umgebung unterscheiden, und werden deshalb als **Chondrite** bezeichnet. Die Chondrite bestehen aus relativ eisenreichen Silikaten und Oxiden. Sie haben die Vorstellungen von der Zusammensetzung des Erdmantels, der 85 % des Erdvolumens ausmacht, wesentlich beeinflußt. Die Eisenmeteoriten dagegen werden als Kandidatenmaterial für den Erdkern angesehen.

Abschätzungen über die Verteilung der häufigeren Elemente im Erdkörper führen etwa zu folgendem Ergebnis (P. J. Wyllie 1971).

Tab. 3.1 Elementhäufigkeit in der Erde (Gewichtsprozente). Die eingerahmten Elemente treten neben Sauerstoff mit großer Häufigkeit auf

| **Element** | **Kontinentale Kruste** | **Mantel** | **Kern** |
|---|---|---|---|
| O | 47 % | 44 % | |
| Si | 28 | 23 | |
| Al | 8 | | |
| Fe | 5 | 10 | 86 % |
| Ca | 4 | 2 | |
| Na | 3 | | |
| K | 3 | | |
| Mg | 2 | 19 | |

In der Kruste und im Mantel sind die Elemente in Form von Silikaten und Oxiden enthalten. Wegen des relativ hohen Si- und Al-Gehalts der kontinentalen Erdkruste wird diese in einem pauschalen petrologischen Sinn auch als **Sial** und der (obere) Erdmantel als **Sima** bezeichnet (eingeführt 1909 durch den österreichischen Alpengeologen E. Sueß). Echte ozeanische Kruste (siehe Kap. 5.9) ist dem Sima zuzuordnen. Die Frage von Beimengungen möglicher leichterer Elemente im Erdkern wird derzeit noch lebhaft diskutiert und soll deshalb hier offenbleiben.

Über die kosmische Häufigkeitsverteilung, besonders der leichten oder chemisch nicht gebundenen Elemente, geben die **Sonnen- und Sternspektren** Auskunft. Im kontinuierlichen Hochtemperatur-Emissionsspektrum der Sonne erscheinen die dunklen Absorptionslinien (Fraunhofersche Linien) der Elemente in der äußeren solaren Gashülle. Nach Eichung kann aus der Linienstärke die relative Konzentration bestimmt werden. Die Ähnlichkeit der Häufigkeitsverteilung mit derjenigen in Chondriten ist dabei erstaunlich groß mit Ausnahme der leichten Elemente H, He, O, C, N, die in der Sonnenatmosphäre dominieren, aber den Meteoriten und der Erde weitgehend verlorengegangen sind. Eine Darstellung der kosmischen

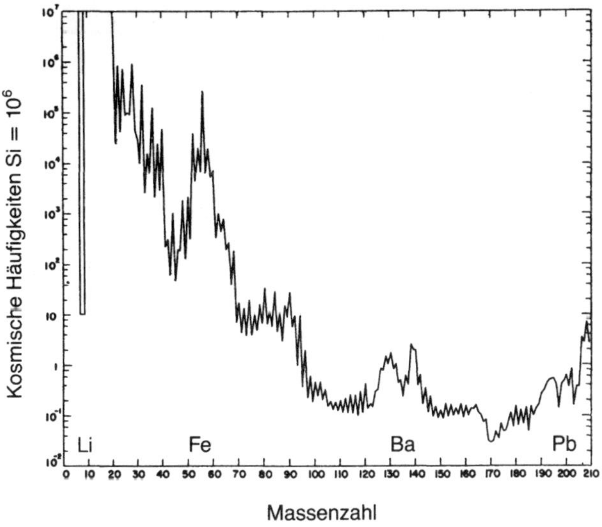


Abb. 3.2 Relative kosmische Häufigkeit der Elemente bezogen auf $10^6$Si-Atome (Cameron 1959).

Atomhäufigkeitsverteilung bezogen auf $10^6$Si-Atome (nach A. G. W. Cameron 1959) zeigt Abb. 3.2.

Es ist ein systematischer Abfall mit zunehmender Massenzahl bis m ≈ 100 und dann ein etwa gleichbleibendes Niveau zu erkennen. In diesem allgemeinen Trend fallen Häufigkeitsspitzen von Fe, Ba und Pb auf, deren Kerne besonders stabil sind. Umgekehrt korrespondiert das Minimum zwischen m = 6–9 mit den instabilen Li- und Be-Kernen.

Hinsichtlich der **Entstehung der Elemente** gehen die meisten neueren Hypothesen von einer **Wasserstoff-Urmaterie** aus, aus der sich im Laufe der Evolution des Kosmos durch **thermonukleare Fusionsprozesse** die schweren Elemente gebildet haben. Als Brutstätte für die Elemente kommt das Innere der Sterne in Frage, wo sehr hohe Temperaturen und Drucke herrschen. Der Materieaustausch mit dem interstellaren Raum ist z. B. durch Sternexplosionen (Supernovae) denkbar. Kernreaktionsprozesse können auch ohne hohe Temperaturen im Teilchenbeschleuniger studiert werden und sind deshalb gut bekannt.

Der erste Schritt der thermischen Kernfusion, aus der die Sonne ihre Strahlungsenergie bezieht und um deren Nachvollziehung man sich in mehreren Großlaboratorien intensiv bemüht, ist die **Wasserstoff-Fusion** zu Helium. Ab $2 \cdot 10^7$ °C können sich auf verschiedenen Wegen 4 Wasserstoffkerne (Protonen) zu einem Heliumkern (= α-Teilchen) vereinen, wobei sehr energiereiche Positronen, Neutrinos und γ- oder Wellenstrahlung emittiert wird.

$$4\,{}^{1}_{1}H \rightarrow {}^{4}_{2}He + 2e^{+} + \nu + \gamma$$

Bei etwa $2 \cdot 10^{8}\,°C$ schließen sich 2 Helium-Kerne zu dem allerdings unter diesen Bedingungen instabilen Beryllium zusammen

$$2\,{}^{4}_{2}He \rightleftharpoons {}^{8}_{4}Be$$

wonach bei weiter steigenden Temperaturen durch **α-Einfangprozesse** der Aufbau bis zum besonders stabilen Si-Kern fortschreiten kann

$$
\begin{aligned}
{}^{8}_{4}Be + \alpha &\longrightarrow {}^{12}_{6}C \\
{}^{12}_{6}C + \alpha &\longrightarrow {}^{16}_{8}O \\
&\ \ \vdots \\
{}^{24}_{12}Mg + \alpha &\longrightarrow {}^{28}_{14}Si
\end{aligned}
$$

Oberhalb $10^{9}\,°C$ schließlich reicht die Energie aus, um aus den vorhandenen Kernen Partikel herauszubrechen und anderen Kernen anzulagern, wobei solche **Gleichgewichtsreaktionen** zugunsten der stabilsten Kerne, z. B. Eisen, enden.

Beim weiteren Aufbau der Kerne muß vorsichtiger vorgegangen werden, da die schweren Kerne weniger stabil sind und zum Zerfall neigen. Hier hilft das Bombardement mit **langsamen Neutronen,** die etwa bei gewissen α-Einfangprozessen und ca. $10^{8}\,°C$ entstehen können (z. B. ${}^{13}_{6}C + \alpha \rightarrow {}^{16}_{8}O + n$). Man weiß aber, daß die Kerne nur in einem engen Bereich des Proton-Neutron-Verhältnisses stabil sind, deshalb muß dem Kern Zeit gelassen werden, eine negative Ladung (β-Teilchen) spontan abzustoßen. Da dies oft erst mit langer Verzögerung geschieht, braucht der Aufbau schwerer Kerne viel Zeit. Die Voraussetzungen sind in gewissen Phasen der Sternentwicklung in deren Innerem gegeben. Die Häufigkeitsverteilung dürfte sich also langsam weiter zugunsten schwerer Elemente verschieben, jedoch setzt die **Instabilität** der Transurane nach oben eine natürliche Grenze. Eine Erzeugung schwerer Elemente in direktem Zusammenhang mit dem sogenannten **Urknall** vor etwa 10 Milliarden Jahren ist aus den genannten Gründen unwahrscheinlich.

**Merke:** Die Bildung von Elementen höherer Ordnungszahl aus Wasserstoff-Urmaterial erfolgte durch Kernfusionsprozesse bei sehr hohen Temperaturen im Sterninnern und setzt sich fort. Informationen über die kosmische Element-Häufigkeitsverteilung von Meteoriten und aus Sternspektren stimmen bis auf einige flüchtige Elemente gut überein. Chondritische (Stein-)Meteoriten werden als repräsentativ für die Materie des Erdmantels angesehen; Eisenmeteoriten für die des Erdkerns.

## 3.3 Bindungsenergien und Kraftfelder

Da sich gleichnamige elektrische Ladungen, entsprechend dem Coulombschen Gesetz, mit einer Kraft abstoßen, die umgekehrt proportional zum Quadrat des Abstandes wächst, ist schon aus klassisch physikalischen Gründen einsichtig, daß sehr große Kräfte erforderlich sind, um die sich abstoßenden Protonenladungen im Atomkern auf kleinstem Raum zusammenzuhalten. Dies gilt erst recht für die Quarkbindung innerhalb der Nukleonen. In Wirklichkeit sind die Bindungskräfte meist um ein Vielfaches höher, als zur Überwindung der elektrostatischen Abstoßung erforderlich wäre. Sie bewirken die Stabilität der Nukleonen und der Atomkerne.

Die Ursache für diese starken Bindungskräfte versucht die Quantendynamik zu erklären. Die Größe der **Bindungsenergie** E kann aus dem (meßbaren) **Massenverlust** $\Delta m = E/c^2$ (siehe Einsteinsches Äquivalenzgesetz S. 9) beim Zusammenschluß der Teilchen ermittelt werden. Als Maßgröße für die Bindungsenergie dient die Einheit Elektronenvolt (eV), die angibt, wie groß die Bewegungsenergie eines Teilchens mit der Elektronen-Einheitsladung ist, wenn es in einem elektrischen Feld mit der Spannung V (Volt), etwa zwischen geladenen Kondensatorplatten, beschleunigt worden ist. Die Reichweite der Bindungskräfte liegt in der Größenordnung des Teilchenabstandes.

Geordnet nach zunehmender Reichweite und abnehmender Stärke ergibt sich schematisch folgendes Bild:

Tab. 3.2 Bindungsenergie der Materie

| **Bindungskraft** | **Energie** eV | **Massendefekt** $\Delta m/m$ | **Reichweite** m |
|---|---|---|---|
| 1. Quarkbindung im Nukleon (sehr starke quantendynamische Wechselwirkung) | $10^9$ | $\approx 1$ | $10^{-15}$ |
| 2. Nukleonenbindung im Atomkern (starke quantendynamische Wechselwirkung) | $10^6$ | $10^{-2}$ | $10^{-14}$ |
| 3. Elektronenbindung im Atom (quantenelektrische Wechselwirkung) | $10^3$ | | $10^{-10}$ |

Tab. 3.2 (Forts.)

| **Bindungskraft** | **Energie** eV | **Massen-defekt** Δm/m | **Reichweite** m |
|---|---|---|---|
| 4. Atombindung im Kristallgitter, chemische Bindung (elektrostatische Ionenbindung, homöopolare Bindung durch Elektronenaustauschwechselwirkung, metallische Bindung, zwischenmolekulare Bindung) | 10 | $10^{-10}$ | $10^{-9}$ |
| 5. Gravitative Massenanziehung | $10^{-35}$* | | $10^{12}$ |

* Gravitative Massenanziehung zweier Atome im Kristallgitter.

Mit Ausnahme der Quarkbindung haben alle Bindungsarten unmittelbare Bedeutung für die Geophysik. Energien in der Größenordnung von MeV werden beim natürlichen, spontanen Zerfall unstabiler Kerne (radioaktive Isotope) frei und tragen wesentlich zum Wärmehaushalt der Erde bei (vgl. Kap. 7.1). Die Atombindung im Kristallgitter und die gravitative Massenanziehung erfordern wegen ihrer weitreichenden Bedeutung für die Geowissenschaften eine ausführlichere Darstellung.

## 3.3.1 Bindung der Atome im Kristall

Der Aufbau der Elektronenhülle der Atome ist durch die Gesetze der Quantenmechanik bestimmt. Das Prinzip der chemischen Bindung zwischen Atomen besteht darin, daß jedes Atom aus energetischen Gründen bestrebt ist, seine äußeren Elektronenschalen durch Aufnahme oder Abgabe von Elektronen (Bindungs- oder Valenzelektronen) in einen abgeschlossenen, in der Regel mit 8 Elektronen besetzten Zustand zu bringen. Dieses Ziel kann auf unterschiedliche Weise erreicht werden:

1. durch Abgabe oder Aufnahme der erforderlichen Zahl von Valenzelektronen. Dadurch verliert das Atom seine elektrische Neutralität. Es wird zum elektrisch geladenen Ion. Der Sauerstoff z. B. nimmt bei diesem Prozeß 2 Elektronen auf und besitzt dann die Ionenladungszahl $Z = -2$, symbolisiert durch $O^{--}$, während Magnesium durch Abgabe von 2 Elektronen eine abgeschlossene äußere Elektronenschale erhält und zum Ion $Mg^{++}$ wird. Die Anziehung von Ionen entgegengesetzter Ladung wird als **Ionenbindung** oder **heteropolare Bindung** bezeichnet und ist mit den Gesetzen der klassischen Elektrostatik zu verstehen.

2. Gleichartige Atome können nur dadurch gebunden werden, daß Valenzelektronen paarweise den äußeren Schalen von zwei Atomen gleichzeitig

angehören, um den vollbesetzten Zustand zu erreichen. Diese Bindungsart wird als **kovalente** oder **homöopolare Bindung** bezeichnet. Sie ist nur auf quantentheoretischer Grundlage zu verstehen. Im Gegensatz zur Ionenbindung zeigen hier die Bindungskräfte oft ausgesprochene Richtungsbevorzugung.

Fast alle Atombindungen im Kristall sind Mischbindungen und liegen zwischen diesen beiden Extremen.

Daneben können noch schwächere **van-der-Waalssche Bindungen** auftreten, an denen keine Valenzelektronen beteiligt sind. Diese dokumentieren sich im Kristall durch Flächen leichter Spaltbarkeit, z. B. beim Glimmer.

Einige wichtige Aspekte der physikalischen und geometrischen Eigenschaften des Kristallgitters sollen nun am Beispiel der Ionenbindung aufgezeigt werden.

Zwischen 2 Ionen entgegengesetzter Polarität wirken elektrostatische Anziehungskräfte, d. h. chemische Bindungskräfte, die durch das **Coulombsche Gesetz**

$$K^{+} \sim Z_1 Z_2 \frac{e^2}{s^2} \qquad 3.1$$

ausgedrückt werden, wobei e die elektrische Elementarladung, $Z_1$ und $Z_2$ der Ionisiationsgrad oder die chemische Wertigkeit beider Ionen und s ihr Mittelpunktabstand ist. Kommt es zur Berührung der Elektronenhüllen, so reagieren diese mit starken **Abstoßungskräften**, die durch ein Potenzgesetz

$$K^{-} \sim \left(\frac{s_0}{s}\right)^n \qquad 3.2$$

beschrieben werden können, wobei $s_0$ der Gleichgewichtsabstand unter Normalbedingungen ist und die Abstoßungspotenz n zwischen 7 und 12 liegt.

In Abb. 3.3 ist dies am Beispiel eines $Na^+Cl^-$-Ionenpaars illustriert. Die ausgezogene Kurve stellt die Resultierende K(s) aus Anziehungs- und Abstoßungskräften dar. Für $s = s_0$ besteht Gleichgewicht, d. h. $K(s_0) = 0$. Werden beide Ionen durch äußere Kräfte P gegeneinander gedrückt, so verlagert sich der Gleichgewichtsabstand zu kleineren Werten von s. Für nicht zu große Abstandsänderungen gilt in linearer Näherung

$$\frac{\Delta s}{s_0} = \frac{1}{C} P \qquad 3.3$$

Die Proportionalitätskonstante C = dK/ds ist die Steigung der Tangente an die resultierende Kraftkurve im Punkt $s = s_0$. Gl. 3.3 ist aber genau das **Hookesche Gesetz** der linearen Elastizitätslehre, dem alle Festkörper innerhalb gewisser Grenzen folgen. C ist ein Maß für den Widerstand gegen Deformation oder für die Steife.

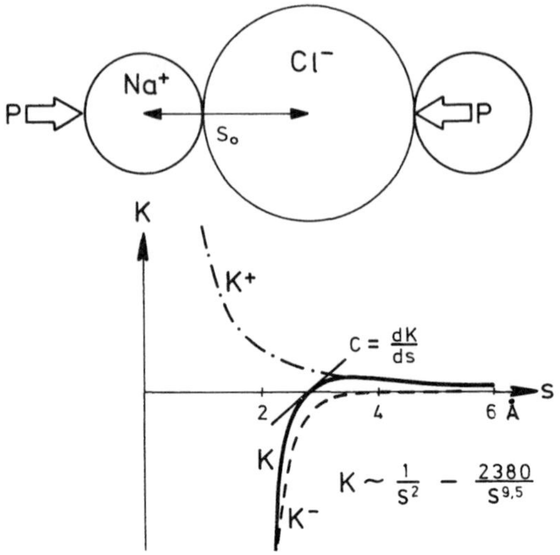


Abb. 3.3 Kräfte im $Na^+Cl^-$-Ionenpaar.

Eine weitere wichtige Eigenschaft von Festkörpern, die aber gerade in der Nichtlinearität, d. h. in der Krümmung der K(s)-Kurve, begründet liegt, ist die **thermische Ausdehnung.** Wärmeenergie ist Schwingungsenergie der Atome im Kristallgitter. Wegen des elastisch weicheren Verhaltens der Bindung für wachsende s-Werte werden die Schwingungsausschläge in dieser Richtung größer sein als in Gegenrichtung. Damit wird sich mit zunehmender Schwingungsamplitude der mittlere Atomabstand gegenüber der Ruhelage vergrößern. Dies bedeutet Ausdehnung mit steigender Temperatur.

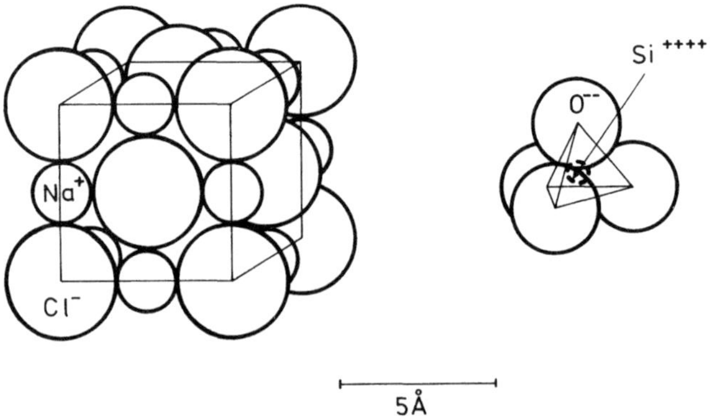


Abb. 3.4 Anziehungs- und Abstoßungskräfte im $Na^+Cl^-$-Ionenpaar.
Die Kreise entsprechen den Ionenradien.

Wie wir gesehen haben, verhalten sich die Ionen bei Berührung wie ziemlich harte elastische Kugeln. Falls die zwischenatomaren Bindungskräfte keine Richtung bevorzugen, ordnen sich die **Ionenkugeln** im Kristallgitter so an, daß sie einen minimalen Raum einnehmen. Die Geometrie und Symmetrie des Atomverbands im Kristallgitter hängt dann weitgehend von den Radienverhältnissen der beteiligten Ionen ab. Als Beispiel ist in Abb. 3.4 das NaCl-(Steinsalz-)Kristallgitter gezeigt, wo mit dem Ionenradienverhältnis von ca. 0,56 jedes Ion von 6 nächsten Nachbarn der anderen Spezies umgeben ist (**Koordinationszahl** 6) und die Atome demzufolge 2 ineinander gestellte kubisch-flächenzentrierte Raumgitter bilden. Im zweiten Beispiel, dem Grundbaustein fast aller Silikatminerale, ist das Ionenverhältnis von $Si^{++++}$ zu $O^{--}$ ca. 0,28. Das kleine Si-Ion umgibt sich im Abstand von 1,63 Å mit 4 nächsten Sauerstoffnachbarn (Koordinationszahl 4), welche ein Tetraeder bilden, das mit 4 freien negativen Valenzen vielseitige Verbindungen eingehen kann. Hier handelt es sich allerdings um eine Mischform heteropolarer und homöopolarer Bindung.

Die Vielfalt der Verbindungsmöglichkeiten der **$SiO_4$-Bausteine** mit anderen Ionen wird in der Tat nur noch von den Kohlenwasserstoffverbindungen der organischen Chemie übertroffen. Die Bedeutung der Silikate für die Geowissenschaften ergibt sich schon aus der Tatsache, daß 87% der Gesteine der Erdkruste und wahrscheinlich der ganze obere Erdmantel aus Silikaten bestehen. Die wichtigsten **Silikatstrukturtypen** zeigt Abb. 3.5.

Zu den Inselsilikaten gehören Olivine und Granate. Zu den Kettensilikaten zählen die Pyroxene. Doppelketten oder Bänder bilden Amphibole und Asbest. Zu den Schichtsilikaten gehören die Glimmer (Muskovite, Biotite). Gerüstsilikate sind die Feldspäte und der Quarz.

Sind die zwischenatomaren Bindungskräfte deutlich richtungsorientiert, wie dies besonders bei kovalentem Bindungscharakter der Fall ist, so weichen die tatsächlichen Gitterstrukturen mehr oder weniger von Kugelmodellen ab und sind meist lockerer aufgebaut. Unter zunehmendem Umgebungsdruck werden aber nach dem Prinzip des kleinsten Zwanges dichte Kugelpackungen immer mehr bevorzugt, was zu spontanen Umordnungen im Gitterbau **(polymorphe Phasenumwandlungen)** führen kann.

**Merke:** Die Atomanordnung im Kristallgitter wird bestimmt durch die „Größe“ der Ionen und ihre Bindungskräfte, die Elastizität des Kristallgitters jedoch durch die Abstoßungskräfte zwischen den Atomen.

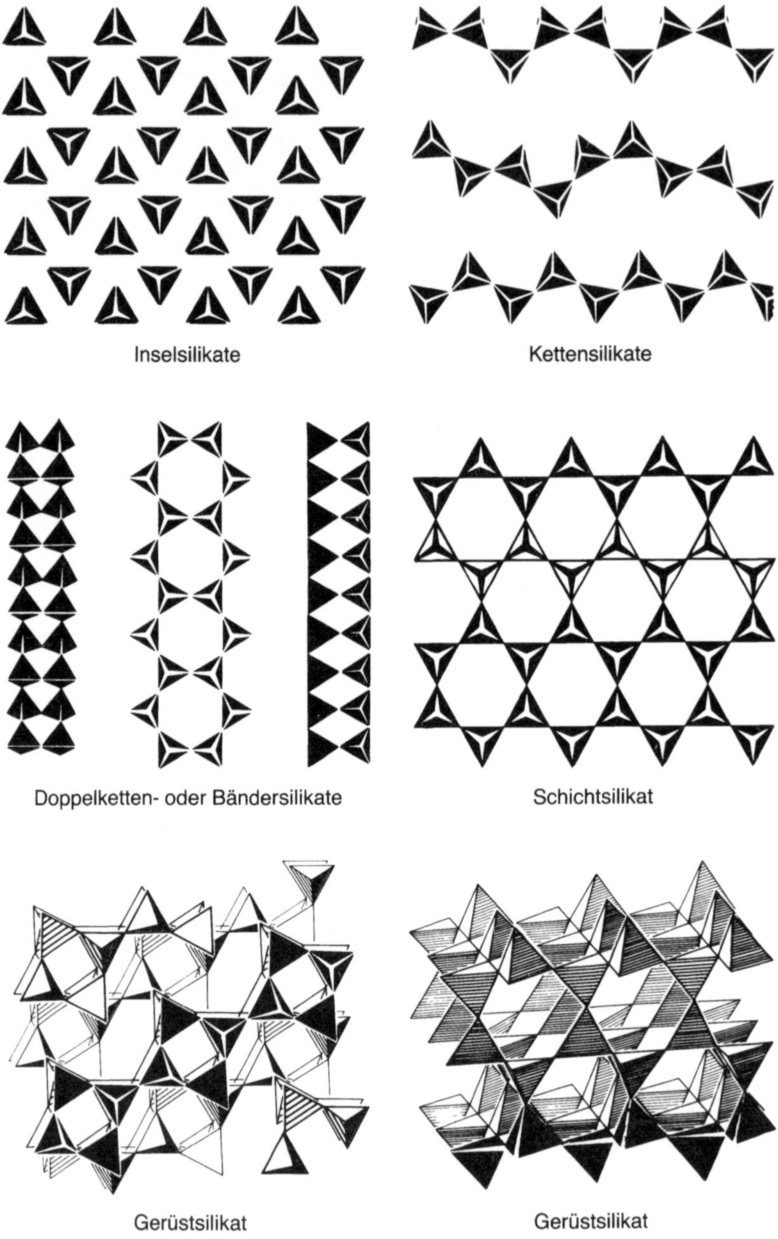


Abb. 3.5 Silikatstrukturtypen nach Liebau (1985). Gezeichnet sind nur die $SiO_4$-Tetraeder in ihrer Verbindung.

### 3.3.2 Massenanziehung oder Gravitation

Von den in Tabelle 3.2 aufgeführten Bindungskräften ist die an letzter Stelle stehende allgemeine Massenanziehung die bei weitem wichtigste und alles dominierende im Bereich der Geophysik, obwohl z. B. die Massenanziehung zwischen zwei Atomen um den unvorstellbaren Faktor von $10^{36}$ kleiner ist als die entsprechende chemische Bindungskraft. Dabei haben das Coulombsche Gesetz der elektrostatischen Anziehung und das Massenanziehungsgesetz die gleiche mathematische Form mit derselben Entfernungsabhängigkeit. Der Grund für die dennoch so hohe Effizienz der an sich so schwachen Gravitation liegt darin, daß es im Gegensatz zu elektrischen Ladungen nur Massen eines Vorzeichens gibt, deren Gravitationswirkungen sich gleichsinnig addieren, während im elektrisch neutralen Körper die elektrostatischen Felder schon innerhalb weniger Atomabstände durch entgegengesetzte Ladungen neutralisiert werden. Aus demselben Grunde ist es aber auch nicht möglich, Gravitationsfelder abzuschirmen, d. h. zu neutralisieren. Von den vielfältigen Auswirkungen gravitativer Kräfte auf unseren Planeten seien hier nur einige der wichtigsten aufgeführt: die Ausbildung der Gestalt des Erdkörpers, der Zustand der Materie im Erdinnern unter der gravitativen Auflast des Überlagernden, die stoffliche Trennung (Differentiation) der Materie entsprechend ihrer Dichte, besonders in früheren Entwicklungsstadien der Erde, konvektive Massenumwälzungen im Erdinnern, die zwar durch thermische Energie gespeist, aber durch gravitative Kräfte bewegt werden, Antriebskräfte tektonischer Prozesse, Einstellung des Schwimmgleichgewichts von Krustenschollen im Erdmantel (Isostasie), Gezeitenbewegungen.

In der allgemeinen Massenanziehung erkannte *Isaac Newton* nicht nur den tieferen Grund für die von *Kepler* aufgedeckten Gesetze der Planetenbewegungen, sondern zugleich auch für die auf der Erdoberfläche wirkende Schwerkraft. Er formulierte 1687 das **Gravitationsgesetz**

$$\boxed{K = G\,\frac{m\,m^*}{s^2}} \qquad 3.4$$

wobei K die Kraft ist, mit der sich zwei (punktförmige) Massen m und m* anziehen, wenn ihr Abstand s beträgt. Der Proportionalitätsfaktor G heißt **Gravitationskonstante.**

Die Gravitation ist eine Feldwirkung, d. h., durch die Gegenwart der (ortsfesten) Masse m werden die Eigenschaften des umgebenden Raumes dahingehend verändert, daß auf eine bewegliche Probemasse m* die Kraft $\vec{K}$ ausgeübt wird. Die auf die Masseneinheit bezogene Kraft

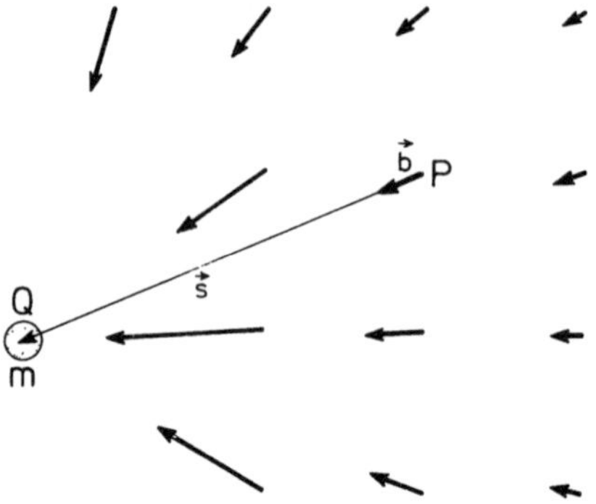


Abb. 3.6 Gravitationsfeld einer punktförmigen Masse m.
Die Pfeile geben Richtung und Stärke des Gravitationsfeldes an.

$$\boxed{\vec{b} = \frac{\vec{K}}{m^*}} \qquad 3.5$$

wird als **Gravitationsfeldstärke** bezeichnet oder auch als **Gravitationsbeschleunigung,** welche eine frei bewegliche Probemasse im Gravitationsfeld erfahren würde. Diese Doppelbedeutung von $\vec{b}$ beruht auf der Gleichsetzung von **schwerer und träger Masse,** zweier an sich durchaus verschiedener Eigenschaften von „Masse". $\vec{b}$ ist eine Vektorgröße mit Betrag b und Richtung $\vec{e} = \vec{b}/b$. $\vec{e}$ ist der Einheitsvektor in Richtung $\vec{b}$. Jedem Punkt des Raumes kann ein Gravitationsfeldvektor $\vec{b}$ zugeordnet werden. Wird das Gravitationsfeld durch eine konzentrierte Einzelmasse m erzeugt, so ist mit 3.4 und 3.5 die Gravitationsfeldstärke $\vec{b}$ im Punkt P (Aufpunkt) sofort anzugeben als

$$\boxed{\vec{b} = \frac{\vec{K}}{m^*} = G\frac{m}{s^2}\frac{\vec{s}}{s}} \qquad 3.6$$

wobei $\vec{s}$ der vom Aufpunkt P zum Quellpunkt Q reichende und mit $\vec{b}$ gleichgerichtete Abstandsvektor ist (Abb. 3.6).

Ist die Quelle des Gravitationsfeldes ein räumlich ausgedehnter Körper der Masse m, so läßt sich entsprechend 3.6 die Feldstärke $\vec{b}$ in P näherungsweise berechnen, wenn m in n Massenelemente $m_i$ aufgeteilt und über deren Beiträge summiert wird (Abb. 3.7).

$$\vec{b} = G\sum_{i=1}^{n}\frac{m_i}{s_i^3}\,\vec{s}_i \qquad 3.7$$

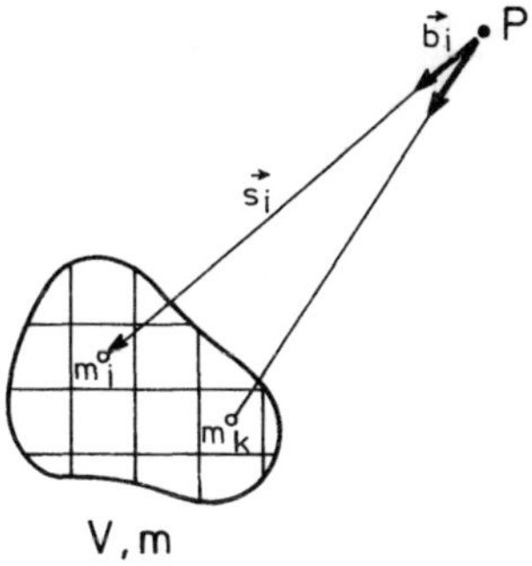


Abb. 3.7 Gravitationsfeld eines ausgedehnten Körpers mit den Masseelementen $m_i$.

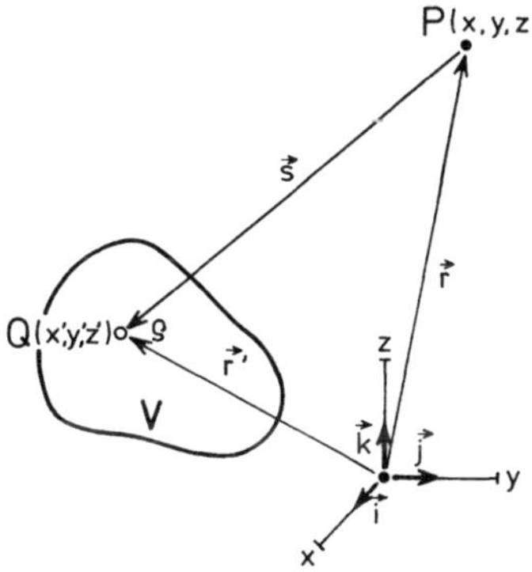


Abb. 3.8 Gravitationsfeld eines ausgedehnten Körpers mit kontinuierlich variabler Dichte.

Zum Grenzübergang nach immer kleineren Quellelementen ΔV führen wir die **Dichte** ein:

$$\varrho = \lim_{\Delta V \to 0} \frac{\Delta m}{\Delta V} \tag{3.8}$$

Damit geht die Summation in 3.7 in eine Integration über:

$$\vec{b} = G \int_V \frac{\varrho(Q)}{s^3} \vec{s}\, dV \tag{3.9}$$

ϱ kann innerhalb des Quellgebietes variieren.

Im konkreten Fall ist bei Darstellung der Vektoren durch ihre Komponenten in rechtwinkligen kartesischen Koordinaten x, y, z mit den Basiseinheitsvektoren $\vec{i}$, $\vec{j}$, $\vec{k}$ (Abb. 3.8) in 3.7, 3.8, 3.9 einzusetzen:

$$\vec{b} = \vec{b}_x + \vec{b}_y + \vec{b}_z = \vec{i}\, b_x + \vec{j}\, b_y + \vec{k}\, b_z$$

oder kurz $\vec{b} = (b_x, b_y, b_z)$

und entsprechend

Ortsvektor zum Aufpunkt P: $\vec{r} = (x, y, z)$
Ortsvektor zum Quellpunkt Q: $\vec{r}\,' = (x', y', z')$

Vektoraddition ergibt (siehe Abb. 3.8)

$$\vec{r} + \vec{s} = \vec{r}\,'$$
$$\vec{s} = (x' - x, y' - y, z' - z)$$
$$s = |\vec{s}| = (s_x^2 + s_y^2 + s_z^2)^{1/2} = ((x' - x)^2 + (y' - y)^2 + (z' - z)^2)^{1/2}$$

und damit ist z. B. in 3.9 die z-Komponente von $\vec{b}$:

$$b_z = G \iiint_V \frac{\varrho\,(x', y', z')\,(z' - z)}{((x' - x)^2 + (y' - y)^2 + (z' - z)^2)^{3/2}}\, dx'\, dy'\, dz' \qquad 3.10$$

Ob das Integral 3.9 analytisch lösbar ist, hängt von Form und Dichteverteilung im Quellgebiet ab. Wichtigstes Resultat ist:

Das Gravitationsfeld von kugelförmigen Massen mit radialsymmetrischer (speziell homogener) Dichteverteilung ist im Außenraum der Kugel ebenso groß, wie wenn die Gesamtmasse im Kugelmittelpunkt vereinigt wäre (Massenpunkt).

Aus Labormessungen der Massenanziehung ergibt sich der Wert der **Gravitationskonstanten**

$$\boxed{G = 6{,}672 \cdot 10^{-11}\ \mathrm{N\, m^2\, kg^{-2}}}$$

Die Frage, ob G überhaupt eine Konstante, oder aber eine veränderliche Größe ist, ist noch umstritten. Wenn, einer Hypothese des Physikers *P. Dirac* zufolge, G mit dem Alter der Welt abnehmen würde, so hätte dies für die Entwicklung unseres Planeten entscheidende Konsequenzen. Die Abnahme der Selbstkompression der Erde im eigenen Schwerefeld hätte, unterstützt durch polymorphe Phasenumwandlungen von Mineralien im Erdinnern bei Druckentlastung (vgl. Kap. 3.3.1), zu einer Expansion der Erde mit entsprechenden Auswirkungen auf die Erdkruste geführt (siehe hierzu z. B. P. Jordan 1966). Die heutigen geowissenschaftlichen Befunde sprechen jedoch dafür, daß während der umwälzenden Veränderungen der äußeren Erdhülle in den letzten 500 Millionen Jahren der Erdradius sich nur wenig verändert haben kann.

Wenn Gravitation eine Feldwirkung ist, so wäre nach der Einsteinschen Allgemeinen Relativitätstheorie zu erwarten, daß Gravitationsfelder nicht momentan entstehen, sondern sich entsprechend elektrischen und magnetischen Feldern durch Gravitationswellen mit Lichtgeschwindigkeit aufbauen. Der sichere experimentelle Nachweis von Gravitationswellen steht noch aus. Erfolgsmeldungen aus den USA Anfang der 70er Jahre konnten einer kritischen Überprüfung nicht standhalten.

**Merke:** Die dominierende Wirkung der Massenanziehung für alle Geoprozesse im Vergleich zu den ungeheuer viel stärkeren zwischen- und inneratomaren Bindungskräften beruht darauf, daß das Gravitationsfeld nur Quellen eines Vorzeichens, die Masse, kennt und sich daher alle Feldwirkungen gleichsinnig verstärkend überlagern.

# 4. DAS SCHWEREFELD UND DIE FIGUR DER ERDE

## 4.1 Definition der Schwere

Als Folge der Eigenrotation der Erde wirkt an jedem Ort zusätzlich zur **Gravitationsbeschleunigung** senkrecht von der Rotationsachse nach außen gerichtet die **Zentrifugalbeschleunigung**

$$\vec{z} = \omega^2 \vec{d} \qquad 4.1$$

wobei $\omega = 2\pi/T$ die Winkelgeschwindigkeit der Erdrotation und d der senkrechte Abstand von der Rotationsachse ist. Die Rotationsperiode T ist dabei auf ein im Raum ruhendes Bezugssystem, den Fixsternhimmel, zu beziehen (1 Sterntag = 0,997 Sonnentage = 86140 s).

An den Rotationspolen verschwindet also die Zentrifugalbeschleunigung, am Äquator erreicht sie ihren Höchstwert.

Die vektorielle Summe von Gravitationsbeschleunigung $\vec{b}$ und Zentrifugalbeschleunigung $\vec{z}$ ist die **Schwerebeschleunigung** $\vec{g}$ oder kurz die **„Schwere“** (Abb. 4.1).

$$\boxed{\vec{g} = \vec{b} + \vec{z}} \qquad 4.2$$

Als Einheit für g wird in der Geophysik das Gal bzw. mGal verwendet (in Erinnerung an *G. Galilei,* 1564–1642)

$$1\,\text{Gal} = 10^{-2}\,\text{m/s}^2$$
$$1\,\text{mGal} = 10^{-3}\,\text{Gal} = 10^{-5}\,\text{m/s}^2$$

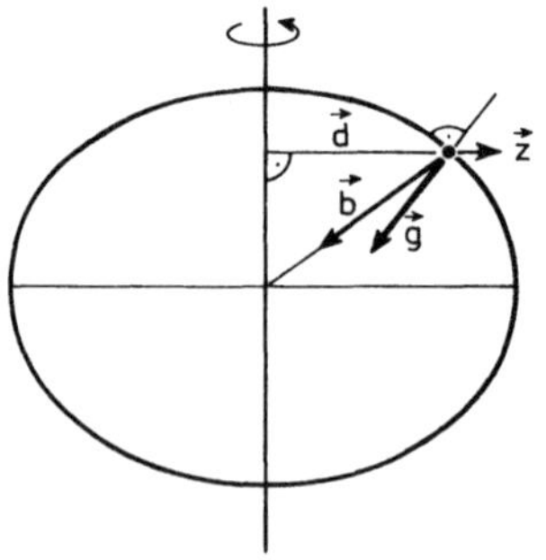


Abb. 4.1 Zusammensetzung des Schwerevektors $\vec{g}$ aus Gravitationsbeschleunigung $\vec{b}$ und Zentrifugalbeschleunigung $\vec{z}$.

Die Schwerewerte liegen zwischen 978 Gal am Äquator und 983,3 Gal an den Polen.

**Merke:** Die Schwere setzt sich zusammen aus Gravitationsbeschleunigung und Zentrifugalbeschleunigung.

## 4.2 Das Schwerepotential

Die etwas mühsame Berechnung der drei Feldvektorkomponenten (vgl. Kap. 3.3.2) läßt sich vereinfachen durch Einführung einer skalaren, nur durch einen Zahlenwert gekennzeichneten Feldgröße, das **Potential.** Dieses hat, neben seinen mathematischen Vorteilen, auch eine ganz konkrete anschauliche Bedeutung. Es ist das Vermögen des Feldes, Arbeit zu leisten. Wird die Masse m* im Schwerefeld längs des Weges I bewegt (Abb. 4.2), so ist für die Zurücklegung des Wegelementes dl gegen das Schwerefeld die Arbeit

$$dA = K\,dl = -\,m^*g\cos\alpha\,dl = -\,m^*\,\vec{g}\cdot\vec{dl}$$

zu leisten und für den Weg von $P_1$ nach $P_2$ (in kartesischen Koordinaten)

$$A = -\,m^*\int_1^2 \vec{g}\cdot\vec{dl}$$

$$A = -\,m^*\int_1^2 (g_x dx + g_y dy + g_z dz) \qquad 4.3$$

Umgekehrt kann dieser Betrag beim Durchlaufen des Wegs von $P_2$ nach $P_1$ wieder zurückgewonnen werden.

Es ist einleuchtend, daß der Arbeitsaufwand, um von $P_1$ nach $P_2$ längs der Wege I oder II zu gelangen, gleich groß sein muß, denn sonst könnte bei

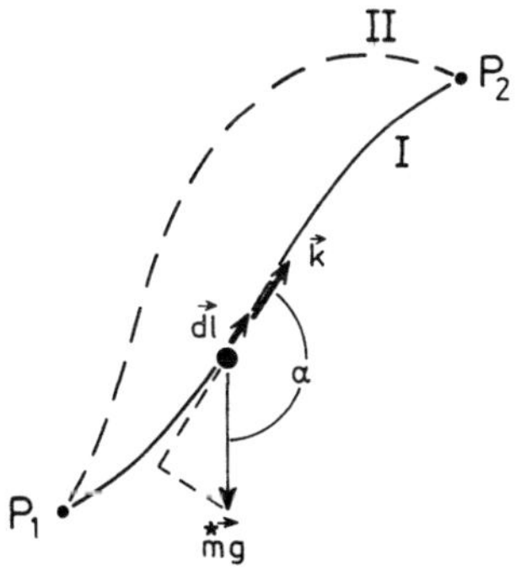


Abb. 4.2 Zur Definition des Schwerepotentials.

einem geschlossenen Umlauf der Masse m* im Schwerefeld Energie $A_I - A_{II} = \Delta A$ gewonnen werden, was einem „perpetuum mobile 1. Art“ entsprechen würde, das es bekanntlich nicht gibt. Damit ist aber hinsichtlich eines vorgegebenen Bezugspunktes das Schwerefeld an jedem Punkt des Raumes eindeutig durch einen Zahlenwert A gekennzeichnet. Es sei vermerkt, daß nicht alle Vektorfelder diese Eigenschaft besitzen.

Die Arbeit, die gegen das Schwerefeld geleistet werden muß, um die Masseneinheit m* = 1 aus dem feldfreien Raum (s = ∞) zum Feldpunkt P zu bewegen wird als das Schwerepotential

$$W = A/m^* \qquad 4.4$$

bezeichnet.

Aus 4.3 und 4.4 folgt unmittelbar durch partielle (individuelle) Ableitung von W nach den Ortsvariablen x, y, z im Punkt P

$$\frac{\delta W}{\delta x} = - g_x, \quad \frac{\delta W}{\delta y} = - g_y \quad \frac{\delta W}{\delta z} = - g_z$$

oder, symbolisch und allgemein, durch Bildung des **„Potentialgradienten“** grad W

$$\boxed{\vec{g} = - \text{grad}\, W} \qquad 4.5$$

wobei

$$\vec{\text{grad}}\, W = \left(\frac{\delta W}{\delta x}, \frac{\delta W}{\delta y}, \frac{\delta W}{\delta z}\right) \qquad 4.6$$

Aus dem Potentialfeld läßt sich also durch die einfache Differentialoperation der Gradientbildung das Vektorfeld zurückgewinnen.

Anmerkung: In der Geodäsie wird W meist mit umgekehrtem Vorzeichen definiert. Damit geht aber die physikalisch anschauliche Bedeutung des Potentialbegriffs verloren.

Feldpunkte mit gleichem Potentialwert können durch **Äquipotentialflächen** verbunden werden (Abb. 4.3). Bei Verschiebung von Massen längs Äquipotentialflächen ist keine Arbeit gegen das Schwerefeld zu leisten, d. h. $\cos \alpha \, dl = 0$ oder $\cos \alpha = 0$, $\alpha = 90°$. Der Schwerevektor steht also senkrecht („in Richtung der Lotlinie“) auf der Äquipotentialfläche. Der Gradient weist in Richtung des steilsten Potentialanstiegs, $\vec{g}$ in Richtung des stärksten Poten-

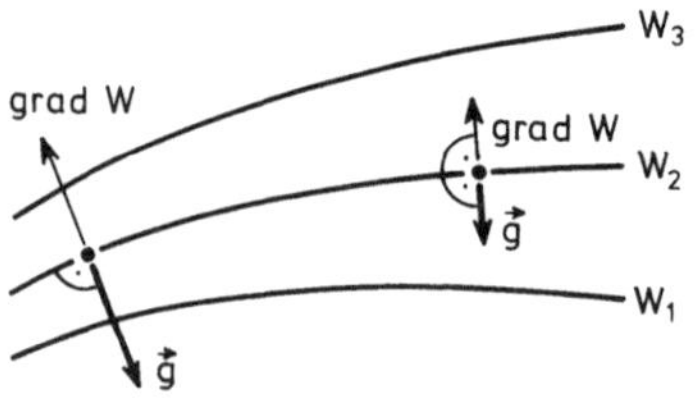


Abb. 4.3 Äquipotentialflächen und Schwerevektor $\vec{g}$.

tialgefälles. Der Betrag ist umgekehrt proportional zum Abstand der Äquipotentialflächen. Die Schwere kann also längs einer Äquipotentialfläche sehr wohl unterschiedliche Werte annehmen (vgl. Abb. 4.3). Höhenlinien auf der topographischen Karte sind Schnittlinien von Äquipotentialflächen mit der Geländeoberfläche. Zunehmende Höhe bedeutet zunehmendes Potential. Die Oberflächen ruhender Ozeane und Seen sind Äquipotentialflächen.

Die Summe der Potentiale des Gravitationsfeldes V (x, y, z) und des Feldes der Zentrifugalbeschleunigung Z (x, y, z) bilden das **Potential des Schwerefeldes**

$$\boxed{W = V + Z} \qquad 4.7$$

Für den Massenpunkt m ist

$$V = -G\frac{m}{s} \qquad 4.8$$

(Beweis durch Gradientbildung unter Verwendung von Gl. 3.6, 3.10, 4.5 und 4.6 als Übungsaufgabe.)

Das Potential der Zentrifugalbeschleunigung lautet

$$Z = -\frac{1}{2}\omega^2 d^2 \qquad 4.9$$

(Beweis durch Gradientbildung, wobei $d^2 = x^2 + y^2$, wenn die z-Achse = Rotationsachse der Erde ist.)

**Merke:** Das (vektorielle) Schwerefeld kann gleichwertig durch das mathematisch einfachere (skalare) Potentialfeld dargestellt werden. Um eine Masse von einem Punkt niederen Potentials auf einen Punkt höheren Potentials anzuheben, ist Arbeit zu leisten, ergo, entlang Äquipotentialflächen können Massen ohne Arbeitsleistung gegen das Schwerefeld bewegt werden. Durch „Gradientbildung" kann aus dem Potentialfeld das Schwerefeld zurückgewonnen werden.

## 4.3 Die Figur der Erde als Äquipotentialfläche

Es ist ein universelles Naturprinzip, daß physikalische Systeme, die sich selbst überlassen sind (abgeschlossene Systeme), den Zustand stabilen Gleichgewichts anstreben, wenn auch nicht immer erreichen. Stabiles **Gleichgewicht** bedeutet aber Minimum der potentiellen Gesamtenergie.

$$\boxed{E_{pot} \rightarrow Min} \qquad 4.10$$

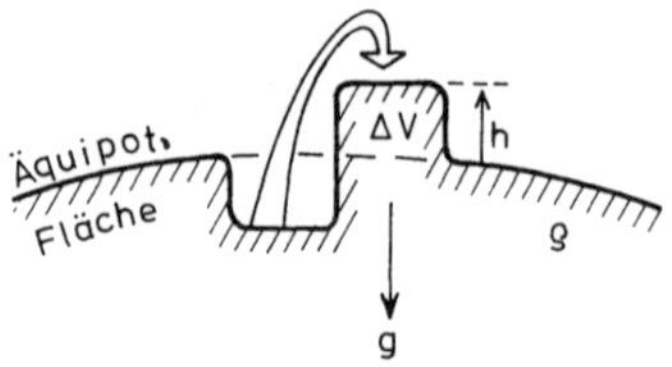


Abb. 4.4 Erhöhung der potentiellen Energie durch Verstärkung des Oberflächenreliefs.

Die Oberfläche eines Körpers, der außer der Schwerkraft keinen anderen Kräften unterliegt, ist eine Äquipotentialfläche. Würde nämlich in Abb. 4.4 die Masse $\varrho\Delta V$ um den Höhenunterschied h angehoben und zu einem Berg aufgehäuft, so wäre dazu die Arbeit $A = \varrho\Delta V g h$ zu leisten, um die sich die potentielle Gesamtenergie des Systems erhöhen würde (Reliefenergie). Umgekehrt liegt in Gl. 4.10 die Ursache für die Einebnung von Gebirgen durch Abtragung oder Erosionen.

Aus den zuvor genannten Gründen ist es physikalisch sinnvoll, auch die Gestalt der Erde durch die Form einer Äquipotentialfläche zu beschreiben. Es wird hierfür die im mittleren ruhenden Meeresniveau mit der Oberfläche der Ozeane übereinstimmende und unter den Kontinenten durch ein System von Verbindungskanälen fortgesetzt gedachte Äquipotentialfläche $W = W_G = \text{const}$ gewählt. Sie wird als das **Geoid** bezeichnet. Das Geoid hat einen sehr viel gleichmäßigeren und glatteren Verlauf als die tatsächliche physische Erdoberfläche mit ihren Bergen, Tälern, Tiefseerinnen, wird aber durch die geophysikalisch interessierenden Dichteunregelmäßigkeiten im Erdkörper deformiert.

Wir wollen jetzt die Erde als Gleichgewichtsfigur betrachten und uns in 4 Schritten an die Gestalt des Geoids herantasten.

1. Näherung:

*Nicht rotierende, flüssigkeitsähnliche Erde homogener Dichte* $\bar{\varrho}$. Ihre Gleichgewichtsfigur ist eine **Kugel** vom Radius R, deren Masse M hinsichtlich der Gravitationswirkung im Kugelmittelpunkt vereinigt gedacht werden kann. Jede andere Gestalt hätte eine größere potentielle Energie. Bei Massen- und Volumgleichheit mit der Erde ergeben sich:

| | |
|---|---|
| mittlerer Erdradius | $R = 6371{,}01$ km |
| Masse | $M = 5{,}974 \cdot 10^{24}$ kg |
| mittlere Dichte | $\bar{\varrho} = 5{,}52$ g/cm$^3$ $= 5{,}52 \cdot 10^3$ kg/m$^3$ |

Dieses einfache Kugelmodell ist bereits eine recht gute Näherung. Die Abweichungen von der wahren Erdgestalt liegen innerhalb ± 2‰.

2. Näherung:
*Rotierende, flüssigkeitsähnliche Erde homogener Dichte* $\bar{\varrho}$. Ihre Gleichgewichtsfigur ist ein an den Polen abgeplattetes **Rotationsellipsoid** mit der äquatorialen Halbachse a, der polaren Halbachse c und der **Abplattung**

$$f_h = \frac{a - c}{a} = 1/230$$

3. Näherung:
Die Gleichgewichtsfigur einer *rotierenden, flüssigkeitsähnlichen Erde mit Dichtezunahme nach der Tiefe* entsprechend der später zu besprechenden tatsächlichen Dichteverteilung in der Erde führt ebenfalls zu einer rotationssymmetrischen Äquipotentialfläche als Oberfläche, deren Form mit Methoden der Potentialtheorie berechnet werden kann und wegen ihrer Kugelähnlichkeit als **Rotationssphäroid** bezeichnet wird. Die Abplattung wird hier aus den auf „Normalbedingungen" (siehe Kap. 4.5) reduzierten Schwerewerten $g_0^c$ und $g_0^a$ am Pol bzw. Äquator mit Hilfe des bereits 1742 von *A. C. Clairaut* aufgestellten und nach ihm benannten Theorems berechnet:

$$\boxed{f_g = \frac{a - c}{a} = \frac{5}{2}\,n - \frac{g_0^c - g_0^a}{g_0^a}} \qquad 4.11$$

wobei $n = \dfrac{a\,\omega^2}{MG/a^2}$ das recht genau angebbare Verhältnis von Zentrifugalbeschleunigung und Massenanziehung am Äquator ist. Auf diese Weise erhält man den Wert

$$f_g = 1:299{,}7$$

Der sehr signifikante Unterschied von $f_h$ und $f_g$ rührt davon her, daß in der Erde die Dichte mit der Tiefe zunimmt, und dient umgekehrt als Bedingung, die von jedem Dichtemodell erfüllt werden muß. Sonst hat das Rotationssphäroid wegen seiner sehr komplizierten mathematisch-geometrischen Form nur wenig praktische Bedeutung.

4. Wahre Gestalt:
*Das Geoid.* Zur einheitlichen Beschreibung der Form des Geoids, aber auch für Höhenangaben der physischen Erdoberfläche ist es notwendig, eine mathematisch einfache Bezugsfläche zu definieren, die das Geoid hinreichend gut annähert. Als solche dient das sogenannte **Referenzellipsoid,** das entsprechend den jeweils verfügbaren geodätischen, astronomischen und gravimetrischen Daten mehrfach verbessert wurde. Das von der Internationalen Union für Geodäsie und Geophysik (siehe Kap. 2) 1967 eingeführte Referenzellipsoid hat die Parameter

$$a = 6\,378\,160 \text{ m}$$
$$c = 6\,356\,775 \text{ m}$$
$$f = 1/298{,}25$$

Im geophysikalischen Sinne ist das Referenzellipsoid nicht einfach eine geometrische Fläche, sondern eine Potential-Bezugsfläche mit dem Normal-Schwerepotentialwert $U_0 = -6{,}264 \cdot 10^7 \text{ m}^2\text{s}^{-2}$. Dieser Fläche sind damit Normalschwerewerte $\gamma(\varphi)$ zugeordnet. Die zuvor genannte Internationale Union hat hierfür 1930 die Einführung der folgenden **Normalschwereformel** beschlossen

$$\boxed{\gamma_0 = 978{,}0490\,(1 + 0{,}0052884 \sin^2\varphi - 0{,}0000059 \sin^2 2\varphi) \text{ Gal}} \qquad 4.12$$

wobei $\varphi$ die geographische Breite ist (siehe Abb. 4.5).

Entsprechend Gl. 4.5 gilt für den Betrag $\gamma_0$ des Normalschwerevektors $\vec{\gamma}_0$

$$\gamma_0 = |\,\vec{\gamma}_0\,| = |\,\text{grad } U(0)\,| = \left(\frac{dU}{dN}\right)_0 \qquad 4.13$$

wobei N die Höhe über dem Referenzellipsoid ist.

Unterscheidet sich das tatsächliche Schwerepotential W auf dem Referenzellipsoid vom Normalpotential $U_0$ um den Betrag T, d. h.

$$W(0) = U_0 + T \qquad 4.14$$

so liegt die tatsächliche Geoidfläche mit dem Schwerepotential $W(N) = U_0$ in der Höhe N über dem Referenzellipsoid. Dort ist aber näherungsweise

$$U(N) = U(0) + \left(\frac{dU}{dN}\right)_0 N \qquad 4.15$$

Mit Gl. 4.13, 4.14 und 4.15 gilt dann

$$W(N) = U_0 = U(N) + T = U_0 + \left(\frac{dU}{dN}\right)_0 N + T = U_0 + \gamma_0 N + T$$
$$N = -\,T/\gamma_0 \qquad 4.16$$

Das Restglied T und damit die **Geoidhöhe N** für einen Ort auf dem Referenzellipsoid kann nach einem Verfahren von Stokes aus den sogenannten Schwereanomalien

$$\Delta g = g_0 - \gamma_0 \qquad 4.17$$

Abb. 4.5 Geoidhöhe N und Schwerepotential W.

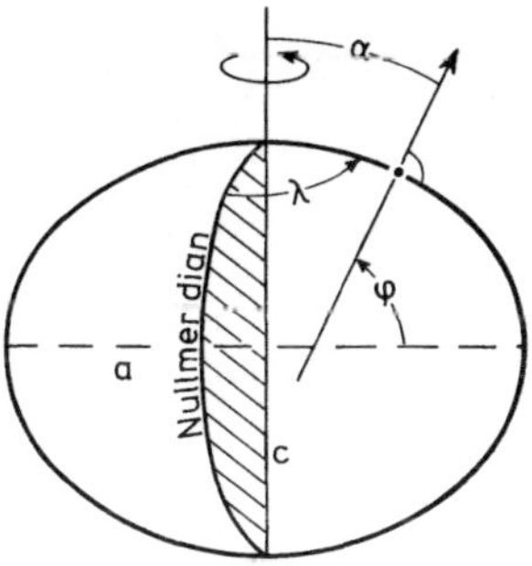


Abb. 4.6 Geographische Koordinaten: Geographische Breite φ bzw. Poldistanz α und Geographische Länge λ.

nämlich der Differenz der wahren Schwere und der Normalschwere bestimmt werden. Diese müssen dazu jedoch in einem sehr weiten Umkreis um den betreffenden Ort bekannt sein.

Die immer genauere Vermessung der Erde ist die Aufgabe der **Geodäsie** und kann nicht Gegenstand dieser Einführung sein. (Literatur hierzu: W. Torge [1975].) Es sei nur in Stichworten angedeutet, welcher Methoden sich die Erdmessung bedient:

Die **geographischen Koordinaten** eines Punktes der Erdoberfläche werden astronomisch bestimmt. Die **geographische Breite φ** ist der Winkel zwischen der Lotrichtung am Meßpunkt und der Äquatorebene. Tatsächlich gemessen wird der Ergänzungswinkel $\alpha = 90 - \varphi$ zwischen Lotrichtung und Erdrotationsachse (scheinbarer Rotationspol des Fixsternhimmels [Abb. 4.6]). Die **geographische Länge λ** ist der Winkel zwischen dem Ortsmeridian (Großkreis durch Rotationspol und Meßpunkt) und dem Nullmeridian, der durch das astronomische Observatorium in Greenwich bei London geht. Diese Messung erfolgt als Zeitdifferenzmessung der Meridiandurchgänge geeigneter Fixsterne (360° ≙ 1 Sterntag).

Der Abstand zwischen Punkten an der Erdoberfläche wird durch elektronische **Abstandsmessungen** und **Winkelmessungen** entweder entlang der Erdoberfläche oder mit Hilfe von Satelliten als Hilfspunkte bestimmt. Die erreichbaren Genauigkeiten liegen bei Distanzen von kontinentalen Dimensionen derzeit im Bereich eines Dezimeters, bei kleinräumigen Vermessungen etwa bei 1 mm/km Meßstrecke. Dies zu wissen ist wichtig, um beurteilen zu können, ob zeitliche Abstandsänderungen im Zusammenhang mit geodynamischen Prozessen meßtechnisch erfaßt werden können.

Die **Höhe N des Geoids** bezüglich des Referenzellipsoids steht, wie zuvor geschildert, in direktem Zusammenhang mit den Anomalien des Schwerefeldes. Informationen über das Schwerefeld, sein Potential und damit das

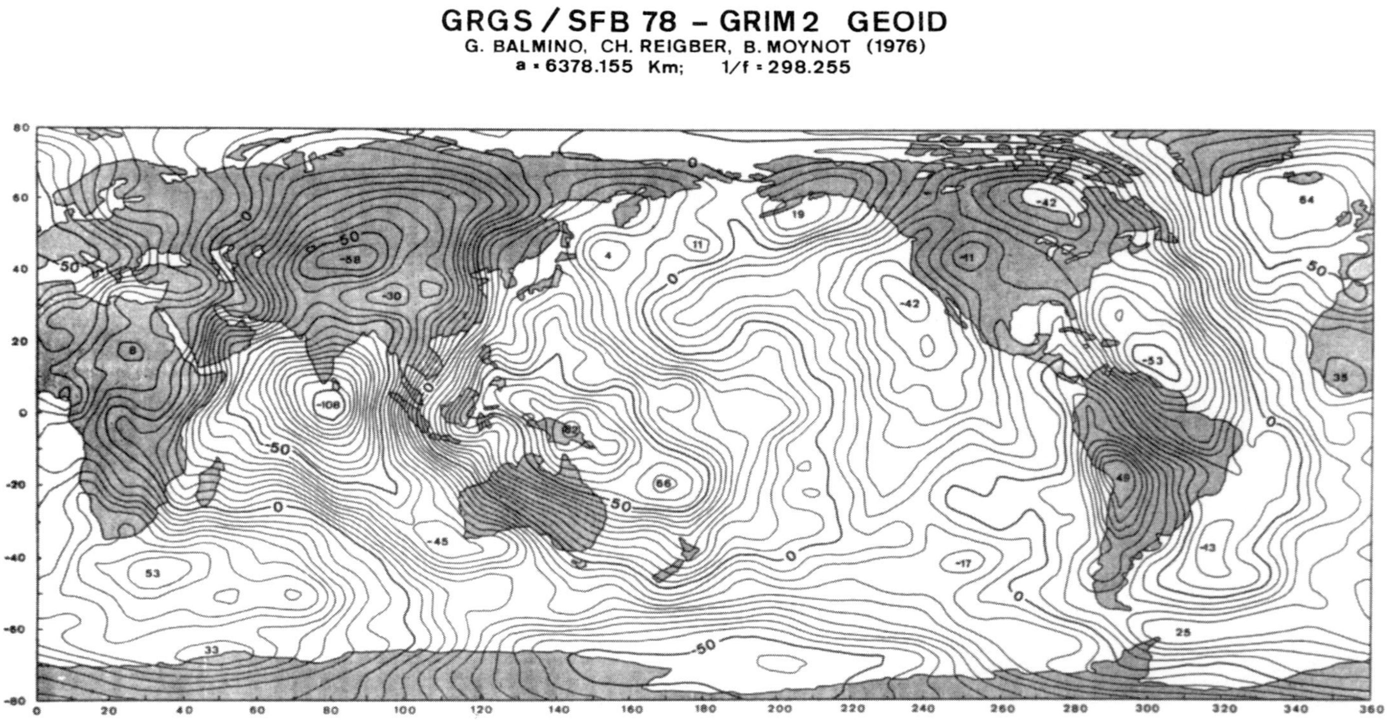


Abb. 4.7 Höhen des Geoids GRIM 2 über dem Referenzellipsoid. Höhenlinienabstand 5 m (Balmino u. a. 1976).

Geoid können aber nicht nur durch **Schweremessungen** an Land und auf See erhalten werden, sondern werden in globalem Maßstab insbesondere aus den **Bahndaten der Satelliten** errechnet, worauf hier nicht näher eingegangen werden kann. Neuerdings lassen sich Geoidundulationen mit hervorragender räumlicher Auflösung, allerdings nur über ozeanischen Gebieten, durch Radarhöhenmessung von Satelliten aus bestimmen **(Satellitenaltimetrie).**

Abbildung 4.7 zeigt in einer globalen Darstellung die Höhenlinien des Geoids (in 10-m-Intervallen) über dem Referenzellipsoid.

Die Geoidundulationen halten sich, mit Ausnahme eines Gebiets im nördlichen Indischen Ozean, innerhalb von ± 100 m. Die Ursachen für die großräumigen Geoidanomalien reichen mindestens einige hundert Kilometer tief in den Erdkörper, vielleicht bis zur Kern-Mantel-Grenze, und werden durch thermische Konvektionsströmungen im Erdmantel (Aufsteigen von heißem Material geringerer Dichte, Absinken von kälterem Material höherer Dichte) aufrechterhalten. Die Abplattung der Erde ist mit 1/298,25 etwas größer als der Wert 1/299,5, der sich für eine Erde im hydrostatischen (flüssigkeitsähnlichen) Gleichgewicht ergeben würde. Offenbar kann als Folge seiner Festigkeit und Zähigkeit der Erdkörper mit der Einstellung des hydrostatischen Gleichgewichts der langsam abnehmenden Umdrehungsgeschwindigkeit der Erde nicht folgen. Paläontologische und astronomische Informationen weisen auf einen Langzeitmittelwert der Tageslängenzunahme von etwa 0.02 ms/Jahr hin. Ursache ist die Abbremsung der Erdrotation durch den Mond infolge von Gezeitenkräften (vgl. Kap. 4.8).

**Merke:** Zur geophysikalischen Beschreibung der Gestalt des Erdkörpers dient das Geoid. Es wird durch diejenige Äquipotentialfläche dargestellt, die in ozeanischen Gebieten mit der mittleren, ruhenden Meeresoberfläche zusammenfällt. Das Geoid wird dargestellt durch seine Höhenlage in bezug auf das Erd-Referenzellipsoid.

## 4.4 Messung der Schwere

Um die meßtechnische Aufgabe zu umreißen, sei noch einmal daran erinnert, daß der Betrag g des Schwerevektors über die gesamte Erdoberfläche hinweg zwischen 978 und 983,3 Gal variiert. Für globale Bestimmungen des Geoids reicht die Meßgenauigkeit von einigen mGal aus. Zur Untersuchung der Massenverteilung in geologischen Großstrukturen wie den Alpen oder dem Rheingraben müssen noch Schwereunterschiede von 0,1–1 mGal sicher erfaßt werden, und bei der Vermessung von Strukturen lokaler Dimensionen wie Salzstöcken, Lagerstätten, tektonischen Störungen wird als Genauigkeit 0,01 mGal gefordert. Höchste Ansprüche an die

Auflösung und Langzeitstabilität der Geräte stellen Messungen der zeitlichen Veränderungen von g, sei es bei der kontinuierlichen Registrierung von Gezeitenkräften im Observatorium, sei es bei Wiederholungsmessungen an ausgewählten Geländepunkten zur Untersuchung geodynamisch bedingter Vertikalbewegungen der Erdoberfläche. Hier wird das µGal angestrebt (1 µGal = $10^{-6}$ Gal).

Unter einer **„Absolutmessung“** der Schwere versteht man die Messung ihres Gesamtwertes durch Rückführung auf physikalische Grundgrößen, hier Länge und Zeit, die mit entsprechender Genauigkeit zu bestimmen sind. Soll g auf 0,01 mGal genau gemessen werden, so dürfen die Meßfehler bei den Grundgrößen $10^{-8}$ des Meßwerts nicht überschreiten. Absolute Schweremessungen hoher Genauigkeit gehören daher zu den schwierigsten und anspruchsvollsten Messungen der Physik und wurden aus diesem Grund bisher nur an wenigen Punkten der Erde ausgeführt.

Es gibt zwei physikalische Prinzipien, die sich für absolute Schweremessung eignen: das Schwerependel und der freie Fall.

Die Schwingperiode T eines mathematischen Pendels der Länge l (punktförmige Masse an massefreiem Faden der Länge l) ist bei kleinem Pendelausschlag

$$T = 2\pi \sqrt{l/g}$$

daraus folgt:

$$\boxed{g = 4\pi^2 l/T^2} \qquad 4.18$$

Ein reales physikalisches Pendel kann so konstruiert werden, daß es um 2 Schneiden mit derselben Periode T schwingen kann. Dann ist der Schneidenabstand dieses sogenannten **„Reversionspendels“** gleich der Länge l eines mathematischen Pendels gleicher Schwingungsdauer. Der Genauigkeit dieser Methode sind durch einige mathematisch schlecht erfaßbare physikalische Einflußgrößen (z. B. die elastische Deformation der Schneiden beim Schwingen) Grenzen gesetzt. Sie ist deshalb heute nur noch von historischer Bedeutung, jedoch hat der von *Kühnen und Furtwängler* 1898–1904 in Potsdam mit dem Reversionspendel bestimmte Schwerewert von 1909 bis zu seiner Ablösung durch das “International Gravity Standardization Net 1971” als internationaler Basiswert gedient.

Die Methode des freien Wurfs und Falls wurde in den letzten Jahren so weit entwickelt, daß heute sogar mit transportablen Geräten Absolutmessungen von g mit einer Genauigkeit von ± 10 µGal möglich sind. Das Grundprinzip ist das Fallgesetz und die Messung von Fallzeit t und Fallweg s eines Körpers im Vakuum. Bei konstanter Fallbeschleunigung g ist der Fallweg

$$\begin{aligned} s(t) &= v(0)\,t + 1/2\,g\,t^2 \\ v &= ds/dt,\ g = dv/dt \end{aligned} \qquad 4.19$$

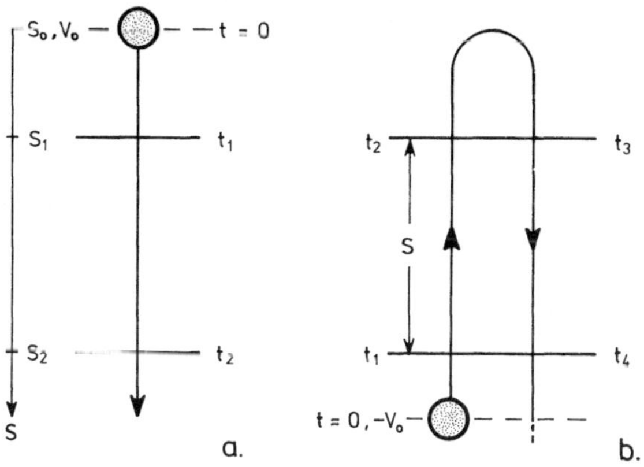


Abb. 4.8 Absolutbestimmung von g mit
a) Freifall-Methode, b) Freiwurf- und Freifall-Methode.

wobei v(0) die Anfangsgeschwindigkeit zur Zeit t = 0 ist. (Prüfe die Richtigkeit von 4.19 durch zweimalige Ableitung nach t, v = ds/dt, g = dv/dt.) Für den **freien Fall** (v(0)= 0) folgt aus 4.19 direkt

$$\boxed{g = 2\,s/t^2} \qquad 4.20$$

Für den **senkrechten Wurf** nach oben mit der Anfangsgeschwindigkeit $v(t{=}0) = -v_0$ und Messung der Steig-und-Fall-Durchgangszeiten $t_1$, $t_2$, $t_3$, $t_4$ in zwei Ebenen im Abstand s ergibt sich (Abb. 4.8b)

$$g = \frac{8\,s}{(t_4 - t_1)^2 - (t_3 - t_2)^2} \qquad 4.21$$

unabhängig von der Größe der – natürlich nicht bestimmbaren – Anfangsgeschwindigkeit $v_0$.

Der Wurfkörper wird durch Federkraft etwa einen halben Meter hochgeworfen. Der Weg s wird mit Hilfe eines Laserinterferometers gemessen.

In den meisten Fällen stellt sich jedoch die Aufgabe, die Schweredifferenz $\Delta g = g_2 - g_1$ zwischen zwei Punkten oder zu zwei verschiedenen Zeiten am selben Punkt zu messen, ohne daß der Absolutwert der Schwere interessiert. Solche Differenz- oder **Relativmessungen** lassen sich mit statischen **Gravimetern** erheblich einfacher und schneller und zugleich mit höherer Genauigkeit ausführen als Absolutmessungen. Alle Gravimeter sind im Prinzip hochempfindliche Federwaagen, bei denen die Längenänderung $\Delta l$ einer Feder der Schwereänderung $\Delta g$ proportional ist. Im Gleichgewicht zwischen Schwerkraft und Federkraft gilt

$$m \, \Delta g = f \, \Delta l$$

$$\boxed{\Delta g = \frac{f}{m} \Delta l} \qquad 4.22$$

f ist die elastische Steife der Feder. Der Meßbereich des Gravimeters ist dadurch eingeschränkt, daß f nur innerhalb enger Grenzen der Federdehnung hinreichend genau als Konstante angesehen werden kann. Konstruktive Maßnahmen zielen dahin, die wirksame Federkonstante f möglichst klein zu machen, damit $\Delta l$ auch bei sehr kleinen Schwereänderungen noch gut meßbar ist. Dies wird als Astasierung bezeichnet. Höchste Anforderungen werden an die zeitliche Konstanz und die Temperaturunempfindlichkeit der Federkraft gestellt. Gravimeter müssen deshalb mit größter Vorsicht behandelt und transportiert werden. Trotzdem bleibt die zeitliche Drift eines der Hauptprobleme der Gravimetrie. Durch Wiederholungsmessungen an sogenannten Basispunkten eines Meßnetzes lassen sich die zeitlichen Änderungen der Anzeige weitgehend eliminieren.

Die verschiedenen Gravimetertypen unterscheiden sich hinsichtlich des Federmaterials, der Astasierung, der Temperaturkompensation und der Anzeige.

Das weitverbreitete, sehr hohen Ansprüchen genügende **La-Coste-Romberg-Gravimeter** entspricht in seinem Prinzip Abb. 4.9. Die Anordnung

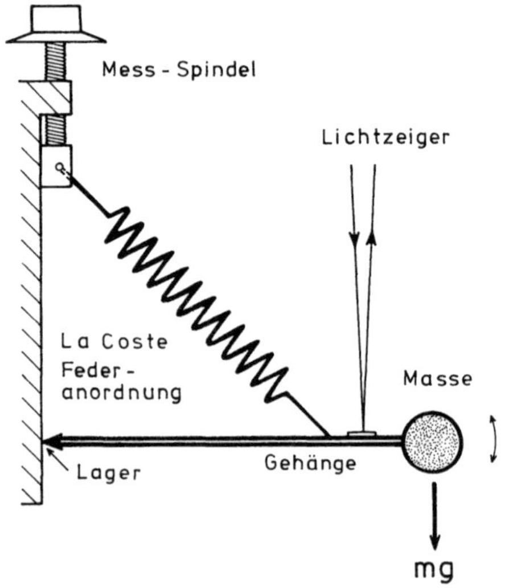


Abb. 4.9 Prinzip eines astasierten Gravimeters vom Typ La Coste–Romberg.

und Ausführung der aus einer Speziallegierung hergestellten Metallfedern ist so, daß das reibungsfrei gelagerte Gehänge mit der Masse m weitgehend astasiert ist. Bei Schwereänderungen wird das Gehänge in horizontaler Ruhelage gehalten (Nullmethode). Die hierzu erforderliche Verschiebung des oberen Federlagers mit der Meßspindel wird an einem Drehknopf mit Skala angezeigt. Für Temperaturkonstanz im Gerät sorgt ein elektrisch beheizter Thermostat. Mit Geräten dieser Art können kleine Schweredifferenzen bis auf wenige μGal Genauigkeit gemessen werden.

Sehr leicht und handlich und deshalb besonders bei der Lagerstättenprospektion beliebt sind die **Gravimeter vom Worden-Typ.** Das gesamte Meßsystem einschließlich Federn besteht aus Quarzglas und ist intern temperaturkompensiert, benötigt also keinen Thermostat. Zum Schutz gegen Temperaturschwankungen wird das System in ein evakuiertes Thermosgefäß eingebaut. Der Meßfehler liegt bei 0,01–0,03 mGal.

Für Schweremessungen auf See wurden Spezialgravimeter von den Bodensee-Werken in Friedrichshafen entwickelt. Sie besitzen keine Astasierung, aber sehr starke Dämpfung der Gehängeschwingungen zur Unterdrückung des Einflusses des Seegangs.

Das Verhältnis von Schweredifferenz $\Delta g$ zur Anzeigedifferenz $\Delta a$ wird als der **Skalenwert** $A = \Delta g / \Delta a$ bezeichnet. Die Bestimmung des Skalenwerts oder die Eichung des Gravimeters erfolgt meist auf sogenannten **Eichstrecken** an Punkten mit genau bekannter Schweredifferenz. Auf der „Europäischen Eichstrecke" zwischen Hammerfest nahe dem Nordkap und Rom beträgt die Schweredifferenz etwa 2300 mGal.

## 4.5 Die Reduktion gemessener Schwerewerte auf eine Bezugsfläche

Schwereunterschiede lassen sich, wie wir schon in Kap. 2 erfahren haben, im Hinblick auf ihre Ursache nur interpretieren, wenn sie zuvor vergleichbar gemacht worden sind. Das geschieht, indem sie auf fiktive Meßpunkte in einem einheitlichen Bezugsniveau umgerechnet (reduziert) werden. Als solches dient in der Regel das Referenzellipsoid. Bei kleinräumigen Messungen relativer Schwereunterschiede ist es oft zweckmäßiger, die Bezugsfläche etwa in das tiefste Niveau des Meßgebiets zu legen. Bei keinem anderen geophysikalischen Feld ist die sorgfältige Reduktion der Meßwerte von ähnlicher Bedeutung wie beim Schwerefeld.

Wir können uns den im Punkt P an der Erdoberfläche gemessenen Schwerewert g zusammengesetzt denken aus folgenden Beiträgen

$$\boxed{g = \gamma_0 + \delta g_F + \delta g_B + \delta g_T + \delta g_G + \delta g_t} \qquad 4.23$$

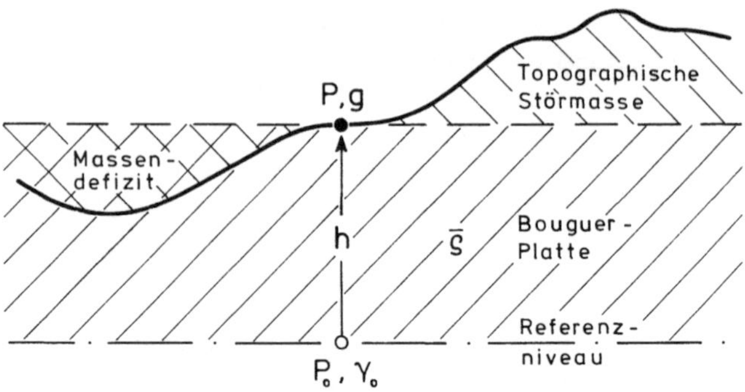


Abb. 4.10 Reduktion des Meßwerts g auf das Bezugsniveau.

$\gamma_0$ ist die Normalschwere entsprechend der internationalen Schwereformel 4.12. Für relative Schwereunterschiede interessiert nur die **Breitenabhängigkeit von g,** die sich durch Ableitung von 4.12 nach der geographischen Breite ergibt.

$$\boxed{\delta g_\varphi = (d\gamma_0/d\varphi)\ \Delta\varphi = 0{,}81 \sin 2\varphi \cdot y} \quad \text{mGal} \qquad 4.24$$

wobei y die Breitendifferenz von Meßpunkt und Bezugspunkt in km ist (positiv in Richtung zunehmender Breite) und $\varphi$ die mittlere Breite des Meßgebiets.

$\delta g_F$ ist die Schwereverminderung in P infolge seiner Höhe h über der Bezugsfläche, wobei der Raum über der Bezugsfläche massefrei gedacht ist **(Freiluftreduktion).** Zur Berechnung von $\delta g_F$ genügt es, die Erde als Kugel des mittleren Radius R anzusetzen, dann ist, mit der Potenzreihenentwicklung für $h/R \ll 1$

$$\delta g_F = G\frac{M}{(R+h)^2} - G\frac{M}{R^2} \approx -2G\frac{M}{R^2}\frac{h}{R} = -2\gamma_0\frac{h}{R}$$

Nach Einsetzen der Zahlenwerte aus Kap. 4.3 ergibt sich

$$\boxed{\delta g_F = -0{,}3086\ h} \quad \text{mGal} \qquad 4.25$$

wobei h in m positiv nach oben zählt.

$\delta g_B$ trägt der Tatsache, daß sich zwischen P und der Bezugsfläche Masse befindet, Rechnung durch die Massenanziehung einer homogenen, unbegrenzten Gesteinsplatte der Dichte $\varrho$ und der Dicke h. Diese **Gesteinsplatten- oder Bouguersche Reduktion** ist

$$\boxed{\delta g_B = 2\pi G \varrho h = +0{,}0419\ \varrho h} \quad \text{mGal} \qquad 4.26$$

Die Herleitung von 4.26 erfolgt im Kapitel 4.6. Welcher Wert in 4.26 als mittlere Dichte zwischen Bezugsniveau und Meßpunkt einzusetzen ist, richtet sich nach den geologischen Verhältnissen. Mittelwerte für unterschiedliche Gesteinstypen enthält Tab. 4.1. Dichtewerte können auch direkt an Handstücken aus dem anstehenden Gestein im Labor bestimmt werden, wobei das Problem darin besteht, repräsentative Gesteinsproben für den Bereich zwischen Oberfläche und Bezugsfläche zu finden. Weist das Meßgelände ein deutliches Relief auf, das aber nicht durch Gesteine unterschiedlicher Dichte gebildet wird, so läßt sich die Reduktionsdichte aus den Schweremessungen selbst ermitteln (Verfahren von *L. L. Nettleton* [1939]). Derjenige Dichtewert ist der beste, bei dem im reduzierten Schwerebild die geringste Ähnlichkeit mit dem Verlauf der Topographie besteht. Im Beispiel von Abb. 4.11 ist dies $\varrho \approx 2{,}2$ g/cm$^3$.

Mit dem für kompakte Sedimentgesteine charakteristischen Mittelwert von $\varrho \approx 2{,}5$ g/cm$^3$ folgt aus 4.26 die Formel

$$\delta g_B \approx +\,0{,}1\ h$$

Als **Standarddichte** für Bouguersche Reduktion bei großräumigen Vermessungen wird die mittlere Krustendichte

$$\varrho_m = 2{,}67\ \text{g/cm}^3$$

eingesetzt, und damit ist

$$\delta g_B = +\,0{,}112\ h \qquad 4.27$$

**Merke:** Aus 4.25 und 4.27 ergibt sich als Faustformel, daß die Schwere um etwa 0,2 mGal/m mit zunehmender Geländehöhe abnimmt. Um

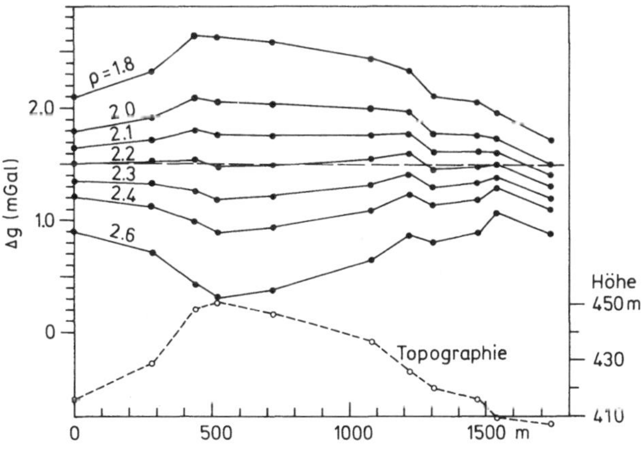


Abb. 4.11 Dichteermittlung nach Nettleton.

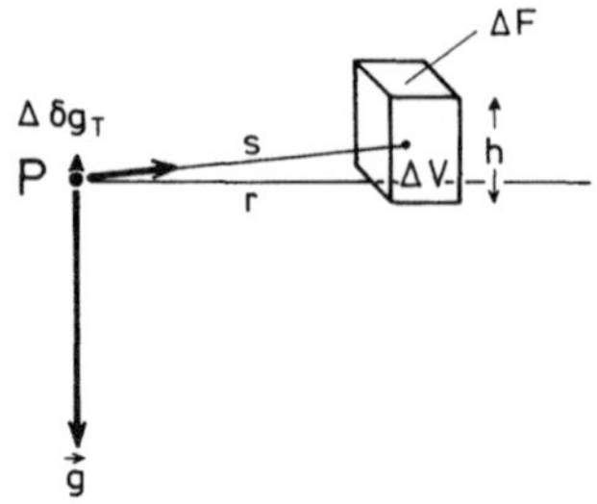


Abb. 4.12 Gravitativer Beitrag einer Geländeerhebung zur Schwere.

die Gravimetergenauigkeit von 1/100 mGal ausnutzen zu können, müssen Höhendifferenzen zwischen den Meßpunkten auf etwa 5 cm genau bestimmt werden (Geodätisches Nivellement).

$\delta g_T$ berücksichtigt die Gravitationswirkung von Geländeerhebungen oder -vertiefungen bezüglich des Niveaus von P und wird deshalb als **Geländereduktion** bezeichnet. Zur Bestimmung von $\delta g_T$ ist die genaue Kenntnis der Topographie in der Umgebung von P erforderlich. In Abb. 4.12 ist der Beitrag $\delta g_T$ des Volumelements $\Delta V$ einer solchen Geländeerhebung mit der Grundfläche $\Delta F$ und der Höhe h im Schwerpunktabstand s von P dargestellt:

Die in die Richtung von g weisende Komponente der Massenanziehung des Massenelements $\varrho\, \Delta V$ ist

$$\Delta\delta g_T \approx -G\varrho \frac{\Delta V}{s^2}\,\frac{h}{2s} = -\frac{G\varrho}{2}\,\frac{\Delta F}{s^3}\,h^2$$
$$s^2 = r^2 + (h/2)^2$$

Summation über die gesamte Umgebung von P ergibt

$$\delta g_T \approx -\frac{G\varrho}{2} \sum_F \frac{\Delta F}{s^3}\,h^2 \qquad 4.28$$

Erstaunlicherweise tragen sowohl Geländeerhebungen wie auch Geländevertiefungen in gleicher Weise zur Minderung von g bei. Weshalb? Diese Frage beantworte der Leser selbst. Die praktische Auswertung von 4.28 erfolgt nach Einteilung des Geländes in Flächenelemente bestimmter mittlerer Höhe, entweder mit dem Computer oder mit Hilfe spezieller Schablonen und Tabellen. Bei wenig bewegtem Gelände wird oft auf die sehr mühsame topographische Reduktion ohne wesentliche Beeinträchtigung des Ergebnisses verzichtet.

$\delta g_G$ ist die Schwerewirkung der unbekannten in der Erdkruste verborgenen **Massenunregelmäßigkeiten.** Die Bestimmung und die Interpretation der durch sie hervorgerufenen Schwereanomalien ist das eigentliche geophysikalische wie geologische Ziel gravimetrischer Untersuchungen.

$\delta g_t$ sind die **zeitlichen Änderungen** des Schwerefeldes. Ihre Ursachen sind in erster Linie die durch die Massenanziehung von Mond und Sonne verursachten Erdgezeiten mit Amplituden bis zu ± 0,2 mGal (siehe Kap. 4.8). Durch Wiederholungsmessungen in Zeitabständen von 1–2 Stunden lassen sie sich weitgehend eliminieren und werden deshalb im folgenden nicht mehr beachtet.

Die Reduktion der gemessenen Schwere g auf das Bezugsniveau durch Subtraktion von Beiträgen nach Gl. 4.23 führt zu folgenden Begriffen mit konkreter anschaulicher Bedeutung:

**Freiluftschwere**

$$\boxed{g_F = g' = g - \delta g_F} \qquad 4.29$$

**Freiluftanomalie**

$$\boxed{\Delta g_F = g_F - \gamma_0} \qquad 4.30$$

Bedeutung: Der Meßpunkt P wird in das Bezugsniveau geschoben und gleichzeitig alle Massen zwischen P und dem Bezugsniveau auf diesem kondensiert, wobei damit die Gesamtmasse unter P unverändert bleibt. Die Freiluftanomalie gibt also Auskunft über die Gesamtmassenbilanz unter P. $\Delta g_F$ = pos. bedeutet Massenüberschuß gegenüber der Referenzerde und umgekehrt.

Die zusätzliche Berücksichtigung der Gesteinsplattenreduktion (Gl. 4.26) und eventuell der topographischen Reduktion (Gl. 4.28) führt zur

**Bouguerschen Schwere**

$$\boxed{g_B = g'' = g - \delta g_F - \delta g_B - (\delta g_T)} \qquad 4.31$$

**Bouguersche Anomalie**

$$\boxed{\Delta g_B = g_B - \gamma_0} \qquad 4.32$$

Bedeutung: P wurde in das Bezugsniveau verlagert, wobei gleichzeitig alle Massen zwischen Erdoberfläche und Bezugsniveau entfernt, gleichsam abgehobelt wurden. Positive Bouguer-Anomalie bedeutet Massenüberschuß unterhalb des Bezugsniveaus gegenüber der Referenzerde und umgekehrt.

## 4.6 Schwereanomalien und ihre Interpretation

Zur Interpretation **(Inversion)** Bouguerscher Anomalien werden diese mit dem Gravitationsfeld von Modellkörpern vorgegebener Massenverteilung verglichen. Wurde durch Variation der Modellparameter hinreichend gute Übereinstimmung erzielt, so stellt das Modell eine von vielen möglichen Lösungen des Inversionsproblems dar. Auf diese Eigenschaft von Potentialfeldern mit Quellen im Erdinnern wurde schon in Kap. 2 hingewiesen.

So liefern die drei Modellkörper in Abb. 4.13 dieselbe Schwerestörung. Die Eingrenzung auf eine oder wenige „wahrscheinliche" Lösungen ist oft schon möglich aufgrund der geologischen Situation, z. B. tektonische Stufe, magmatische Spaltenintrusion usw., sowie die Annahme realistischer Dichtewerte. Wenn immer möglich, wird versucht, gravimetrische Untersuchungen durch andere geophysikalische Verfahren zu ergänzen.

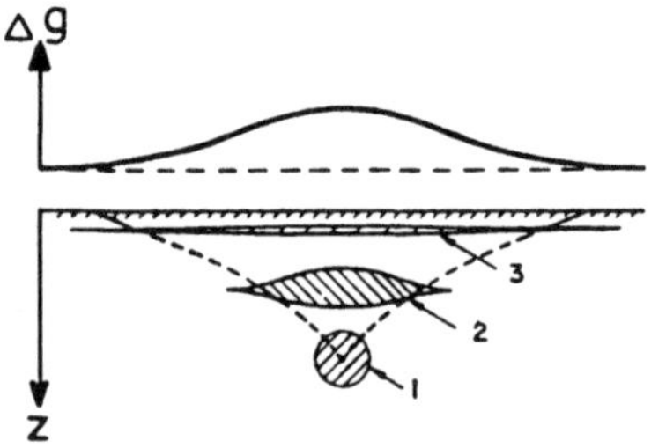


Abb. 4.13 Drei unterschiedliche Modellkörper 1, 2, 3, welche gleiche Schwereanomalie hervorrufen.

Abb. 4.14 Addition eines Störfeldvektors $\vec{b}$ zum Hauptfeld $\vec{g}$.

Bevor wir die Schwerewirkung einiger einfacher Störkörper berechnen, sollten wir uns klarmachen, was vom Gravimeter über dem Störkörper eigentlich gemessen wird. Es ist stets der Betrag $|g|$ des Schwerevektors $\vec{g}$, der vom Gravimeter angezeigt wird. Legen wir, wie üblich, die z-Achse des Koordinatensystems in die Lotrichtung, so ist $|g| = g_z$. Addiert sich zum ungestörten Feld $\vec{g}$ der stets sehr kleine Beitrag der Störmasse, so ändert sich, wie aus Abb. 4.14 ersichtlich, $|g|$ nicht etwa um $|b|$, sondern nur um $\Delta g \approx b_z$.

Als einfachstes Beispiel betrachten wir die Schwereanomalie eines kugelförmigen Störkörpers vom Radius R, der Dichte $\varrho$, der Mittelpunktstiefe z, eingebettet in Materie der Dichte $\varrho_0$ (Abb. 4.15).

Die Massenanomalie

$$\Delta m = \frac{4}{3} \pi R^3 (\varrho - \varrho_0)$$

mit Störfeld (Gl. 3.6)

$$|b| = \frac{\Delta m \, G}{s^2}$$

ergibt die Schwereanomalie im Horizontalabstand x an der Erdoberfläche

$$\boxed{\Delta g = b_z = b \sin\varphi}$$

$$= \Delta m \, G \frac{z}{(x^2 + z^2)^{3/2}} \qquad 4.33$$

mit dem Maximalwert für x = 0

$$\Delta g_{max} = \frac{\Delta m \, G}{z^2} \qquad 4.34$$

und dem halben Maximalwert

$$\Delta g = \frac{1}{2} \Delta g_{max}$$

Für die Halbwertsbreite

$$x = x_{1/2}$$

folgt

$$x_{1/2} = z\sqrt{2^{2/3} - 1} \qquad 4.35$$

$$z \approx 1{,}3 \, x_{1/2}$$

Im Sinne von Kapitel 2 läßt sich unter der Voraussetzung, daß der Störkörper durch einen Modellkörper von Kugelgestalt hinreichend gut angenähert wird, mit Hilfe von 4.34 und 4.35 durch **direkte Inversion** des gemessenen Schwerefeldes die Störmasse $\Delta m$ und deren Mittelpunktstiefe berechnen und, sofern sinnvolle Annahmen über $\varrho$ und $\varrho_0$ möglich sind, auch

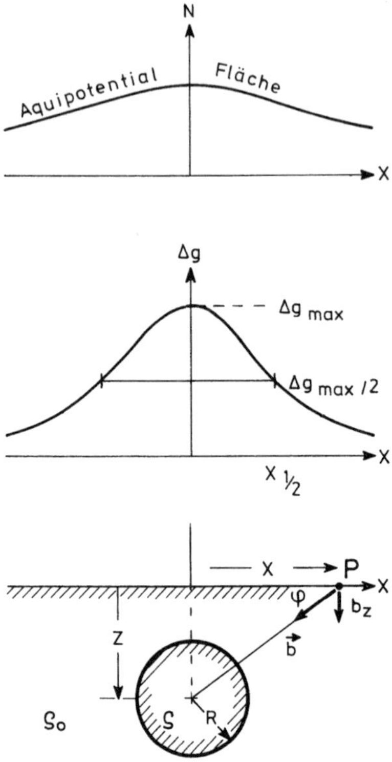


Abb. 4.15 Anhebung des Geoids und Schwereanomalie über einer Kugel in der Tiefe z mit Massenüberschuß Δm.

der Kugelradius R angeben. Jede Abweichung der realen Störkörpergestalt vom Kugelmodell bewirkt eine Verbreiterung der Anomalie. Der nach Gl. 4.35 berechnete Tiefenwert ist also ein Maximaltiefenwert (vgl. Abb. 4.13). Das Gravitationspotential der Kugel ist nach Gl. 4.8

$$\Delta V = -\frac{\Delta m\, G}{s}$$

Identifizieren wir ΔV mit dem Restpotential T und g mit $\gamma_0$, so folgt aus Gl. 4.16 eine Anhebung des Geoids um

$$N = \frac{\Delta m\, G}{g\,(x^2 + z^2)^{1/2}}$$

über der (positiven) Störmasse Δm (Abb. 4.15 oben).

Recht anschaulich und allgemein läßt sich die Schwerestörung beliebig geformter Störkörper darstellen, wenn diese in dünne horizontale Platten

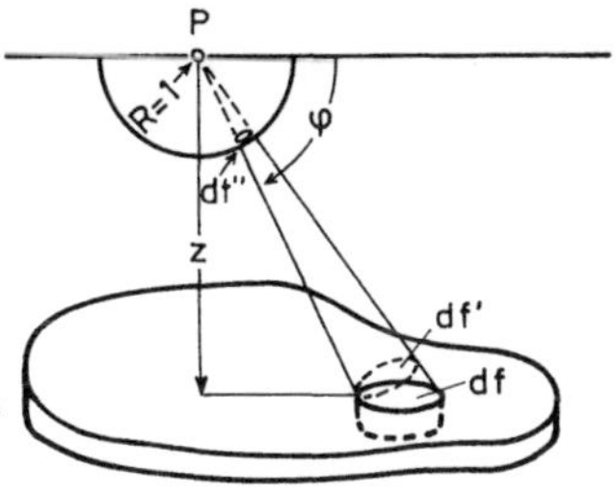


Abb. 4.16 Zur Schwerewirkung eines horizontalen Plattenelements df.

der Dicke a und der Dichte ϱ zerlegt werden. Aus Gl. 3.9 ergibt sich für die Schwerewirkung des Plattenelements mit der Fläche df

$$d\,\Delta g = db_z = \frac{G\,\varrho\,a\,df\,\sin\varphi}{s^2}$$

$$\frac{df\,\sin\varphi}{s^2} = \frac{\delta f'}{s^2} = df''$$

ist aber das Flächenelement, das durch die Strahlen von P nach der Berandung von df auf der um P geschlagenen Einheitskugel ausgeschnitten wird (Abb. 4.16). In Analogie zum ebenen Winkel im Bogenmaß nennt man dies das Raumwinkelelement

$$d\Omega \equiv df''$$

Damit ist

$$d\,\Delta g = G\,\varrho\,a\,d\Omega$$

und für die gesamte **Platte**

$$\boxed{\Delta g = G\,\varrho\,a\,\Omega} \qquad 4.36$$

Ist der Raumwinkel Ω, unter dem die Platte von P aus erscheint, bestimmt, so ist das Problem gelöst.

Für eine allseitig unbegrenzte horizontale Platte der Dicke a (die auf der Einheitskugel die Fläche $\Omega = 2\,\pi$ ausschneidet) folgt aus 4.36

$$\Delta g_B = 2\,\pi\,G\,\varrho\,a \qquad 4.37$$

Dies ist aber genau die für die Bouguer-Reduktion in Gl. 4.26 benutzte Gesteinsplattenwirkung.

Beiderseits unbegrenzte horizontale Massestreifen (zweidimensionale Störkörper) erscheinen auf der Einheitskugel unter dem Flächensektor (Abb. 4.17)

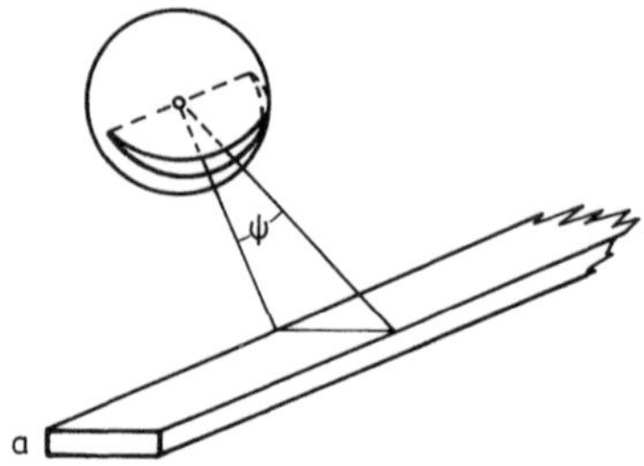


Abb. 4.17 Zur Schwerewirkung eines unbegrenzten Massestreifens.

$$\Omega = 4\pi \frac{\psi}{2\pi} = 2\psi$$

Ihre Schwerewirkung ist also

$$\Delta g = 2\,G\,\varrho\,a\,\psi \qquad 4.38$$

Die Schwerestörung einer (kleinen) Stufe der Höhe a in der Tiefe z ist im Horizontalabstand x von der Kante nach Gl. 4.38 und Abb. 4.18

$$\begin{aligned}\Delta g &= 2\,G\,(\varrho - \varrho_0)\,a\,\psi \\ &= 2\,G\,(\varrho - \varrho_0)\,a\,(\operatorname{arc\,tg}\frac{x}{z} + \frac{\pi}{2})\end{aligned} \qquad 4.39$$

Aus Elementen der Art von Abb. 4.17 lassen sich kompliziertere zweidimensionale Störkörper aufbauen und deren Schwerestörung numerisch berechnen. Hierfür gibt es auch graphische Verfahren mit **Auszähldiagrammen**. Noch allgemeiner ist das Verfahren von *H. Talwani* und *M. Ewing* (1960). Zweidimensionale Interpretation von Schwereprofilen quer zum Streichen des Störkörpers ist zulässig, wenn sein Längen-Breiten-Verhältnis $> 3$ ist. Andernfalls müssen dreidimensionale Modellkörper zur Interpretation der Schwereanomalie herangezogen werden. Die allgemeine Formel 4.36 erlaubt, solche Modellkörper aus Stapeln horizontaler Platten aufzubauen (*S. Plaumann* 1965).

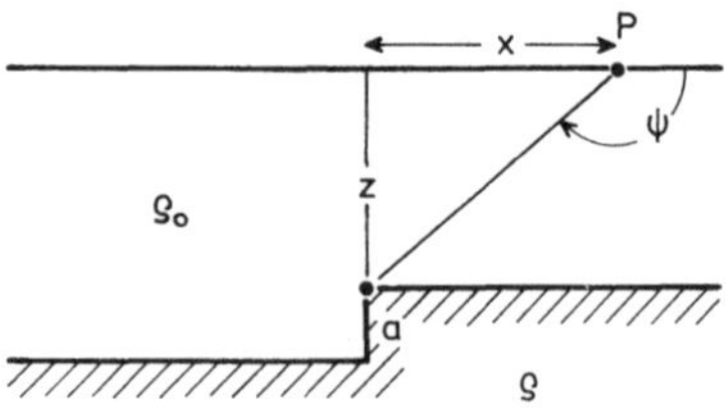


Abb. 4.18 Zur Schwerestörung einer Stufe der Höhe a.

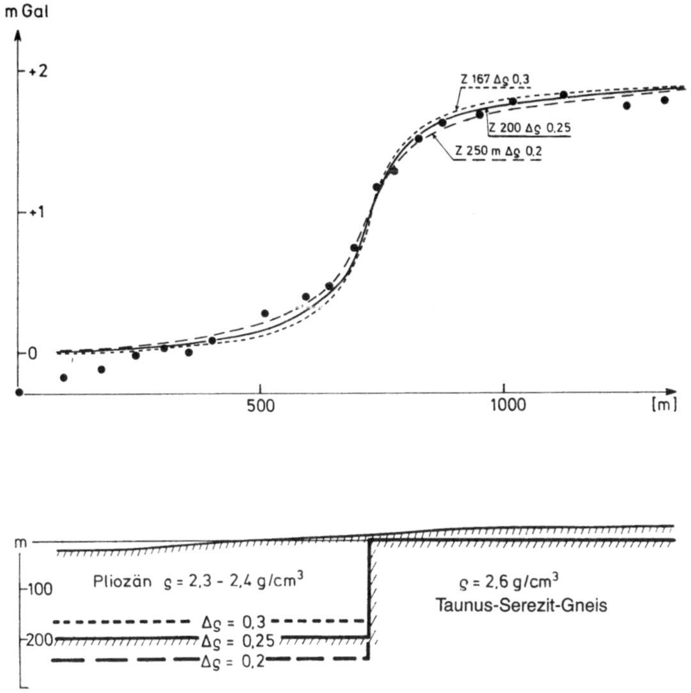


Abb. 4.19 Schwerestörung an der Taunussüdrand-Verwerfung.

Durch Probieren müssen die Modellparameter so lange verändert werden, bis die theoretische Schwerestörung mit dem gemessenen Feld hinreichend gut übereinstimmt (**indirektes Inversionsverfahren**, Kap. 2). Das grundsätzliche Problem der Mehrdeutigkeit bleibt jedoch bestehen.

Als einfaches Beispiel einer kleinräumigen Schwereanomalie ist in Abb. 4.19 ein Profil der Bouguerschen Anomalie senkrecht zu der von Jungtertiär überdeckten unteren Stufe der Taunussüdrand-Verwerfung und die Interpretation durch ein zweidimensionales Massenmodell dargestellt. Das Nullniveau der Schwere ist willkürlich gewählt. Die Dichte des Taunus-Serizit-Gneises wurde an Handstücken im Labor bestimmt, die des Jungtertiärs aus Literaturquellen entnommen. Damit variiert innerhalb der tolerierbaren Dichteannahmen die Sprunghöhe zwischen 160 und 250 m. Bezüglich der Kurvenform der Schwerestörung ist die Übereinstimmung mit h = 160 m am besten, jedoch läßt sich die Kurvenform auch durch die Flankenneigung der Stufe beeinflussen.

Mittelwerte für Modelldichten einiger geologischer Körper gibt die Tabelle 4.1.

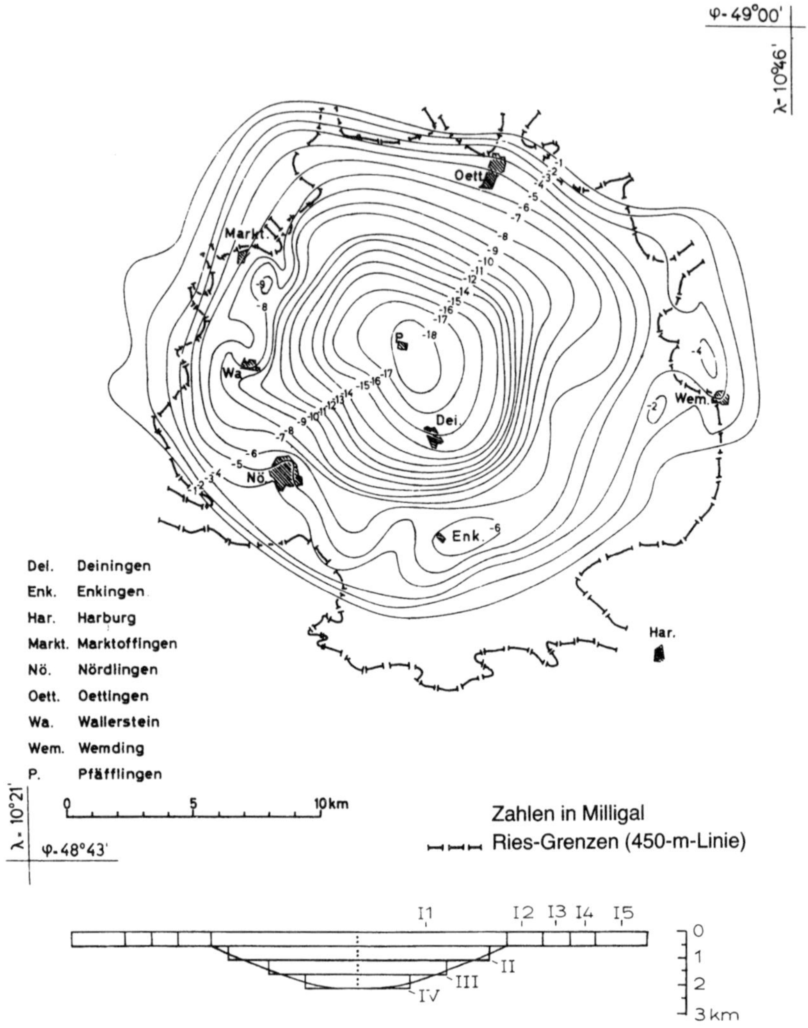


Abb. 4.20 Bouguer-Anomalie im Ries und 4-Schicht-Modell des Störkörpers (Jung, Schaaf, Kahle, 1969).

Als Beispiel einer einfachen dreidimensionalen Struktur ist in Abb. 4.20 die Bouguersche Anomalie im Gebiet des Nördlinger Rieses dargestellt. Es handelt sich um einen größtenteils mit jungtertiären Sedimenten gefüllten Meteorkrater (Alter 14,7 Millionen) von ca. 20 km Durchmesser. Das Schwerefeld kann befriedigend dargestellt werden durch einen Stapel zylin-

Tab. 4.1 Mittlere Gesteinsdichten

| | Dichte g/cm³ (= 10³ kg/m³) |
|---|---|
| Seewasser | 1,02 |
| Lehm | 1,6 |
| Sand, naß | 2,0 |
| Kies | 2,0 |
| Sandstein | 1,8–2,7 |
| Kalkstein, dicht | 2,5 |
| Granit | 2,7 |
| Basalt, Gabbro | 2,9 |
| Peridotit | 3,3 |
| Eklogit | 3,4 |
| Steinsalz | 2,15 |

drischer Scheiben geringerer Dichte als die der ungestörten Umgebung. Das gesamte Massendefizit im Rieskessel liegt aufgrund der Schwere bei 70000 Megatonnen. (*Jung, Schaaf, Kahle* 1969.)

In Abb. 4.21 ist die Bouguersche Anomalie auf einem Profilschnitt durch die Ostalpen dargestellt. Das recht komplexe, zweidimensionale Störmassen-

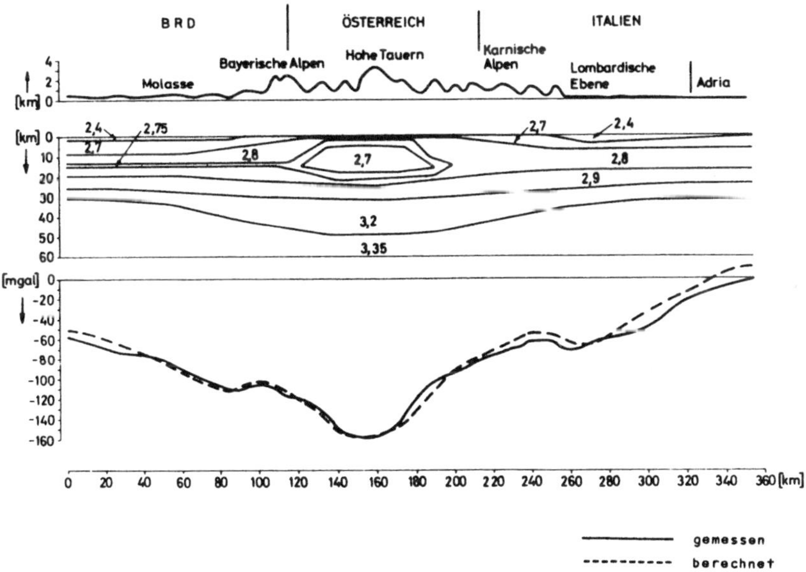


Abb. 4.21 Gemessene Bouguer-Anomalie (ausgezogene Linie) für einen Schnitt durch die Ostalpen und berechnete Anomalie (gestrichelte Linie) für ein aus seismischen Daten abgeleitetes zweidimensionales Störkörpermodell (Makris 1971).

modell von *J. Makris* (1971) befriedigt die Meßdaten, stützt sich aber zugleich im Detail maßgeblich auf sprengseismische Informationen. Auffallend ist das Bouguer-Minimum von ca. – 150 mGal im Bereich der Zentralalpen. Mit dem Massendefizit unterhalb des Meeresniveaus korrespondiert der Massenüberschuß des Alpenkörpers oberhalb des Meeresniveaus. Bemerkenswert ist eine Zone besonders geringer Dichte in 10–20 km Tiefe im zentralen Alpenkörper. Sie mag entweder eine durch Überschiebung bedingte Verdoppelung der Oberkruste darstellen oder eine Zone hoher Temperatur und daher niedriger Dichte. Der Leser beachte auch die laterale Randwirkung des Alpenkörpers auf das Schwerefeld, die weit ins Alpenvorland hinausreicht.

**Merke:** Die Schwereanomalie ist stets die z-Komponente des Gravitationsfeldes der Störmasse. Massenüberschuß im Untergrund bewirkt positive Schwereanomalien und eine Anhebung des Geoids. Eine Schwereanomalie kann grundsätzlich durch eine Vielzahl verschiedener Massenverteilungen verursacht werden.

## 4.7 Das Naturprinzip der Isostasie

Abb. 4.21 führt uns ein Phänomen vor Augen, das keineswegs auf die Alpen beschränkt ist, daß nämlich die Massen topographisch sichtbarer Erhebungen ihre Entsprechung in einem Massendefizit in der Tiefe finden. Es war bereits dem französischen Geodäten *P. Bouguer* bei der Vermessung eines Meridianabschnitts in Peru 1749 aufgefallen, daß die Lotrichtung am Rande der Anden weit weniger stark ausgelenkt wird, als dies von der Massenanziehung des Andenkörpers zu erwarten war, woraus er auf ein Massendefizit im Untergrund schloß. Die Bouguersche Anomalie in den Alpen zeigt eine klare Korrelation mit der Topographie. Mittlere Meereshöhen von 2000–3000 m korrespondieren mit mittleren Bouguer-Anomalien von $\Delta g_B \approx -150$ mGal. Dagegen sind die entsprechenden Werte der Freiluftschwere mit $\Delta g_F \approx \pm 10$ mGal fast normal. Dies bedeutet aber nach Kap. 4.5, daß auch die Gesamtmassenbilanz im Alpenbereich etwa normal ist. Umgekehrt ist der Mittelwert der Bouguerschen Schwereanomalie für typisch ozeanische Schwerestationen mit $\Delta g_B \approx +270$ mGal stark positiv, die Freiluftschwere mit $\Delta g_F \approx \pm 10$ mGal dagegen ebenfalls fast normal.

Die Erklärung dafür ist, daß die im Mittel leichtere, feste **Erdrinde oder Lithosphäre** auf einem plastisch fließfähigen, dichteren Substratum, der **Asthenosphäre,** schwimmt und mit dieser weitgehend im **Schwimmgleichgewicht** steht, ähnlich dem Eisberg oder dem Floß im Wasser. Dies ist die Lehre von der **Isostasie.** Sie läßt sich veranschaulichen an einem System kommunizierender Röhren mit Schwimmkörpern unterschiedlicher Höhe

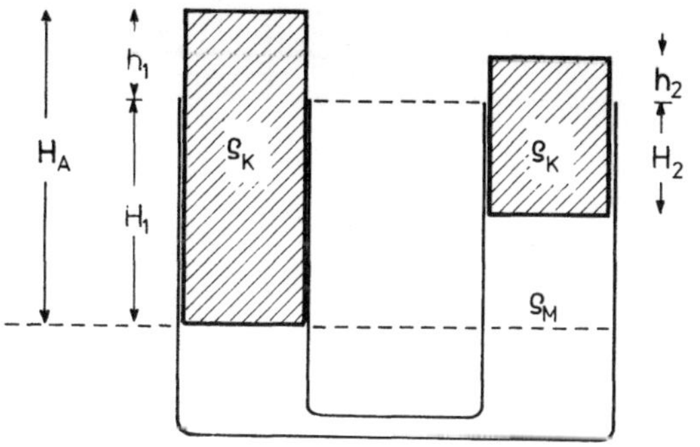


Abb. 4.22 Isostatisches Gleichgewicht zweier Schwimmkörper der Dichte $\varrho_K$ in einem mit Flüssigkeit der Dichte $\varrho_M > \varrho_K$ gefüllten U-Rohr.

(Abb. 4.22). Die Zylinder der Dichte $\varrho_K$ und der Höhe $H_1 + h_1$ bzw. $H_2 + h_2$ repräsentieren Gesteinssäulen unterschiedlicher Lithosphärenmächtigkeit, die in einer Flüssigkeit der Dichte $\varrho_M > \varrho_K$ schwimmen. Das System steht im Gleichgewicht, wenn im Niveau der größten Eintauchtiefe der Schwimmkörper, der **Ausgleichstiefe** $H_A$, in beiden Schenkeln der gleiche (Auflast-)Druck $p_A$ herrscht, das heißt

$$p_A = \sum_{-H_A}^{h_1} \varrho_1 g \ \Delta z = \sum_{-H_A}^{h_2} \varrho_2 g \ \Delta z \qquad 4.40$$

Da g im Erdinnern mit der Tiefe nur sehr langsam abnimmt (im Gegensatz zum Außenraum!), kann g bei dieser Betrachtung konstant gesetzt werden, so daß allgemein für variable Dichteverteilung und beliebige Gesteinssäulen die Istostasiebedingung lautet

$$\boxed{\int_{-H_A}^{h} \varrho \, dz = \text{const}} \qquad 4.41$$

Gl. 4.41 kann nun aber bei vorgegebener Erhebung h der Erdoberfläche auf unterschiedliche Weise realisiert werden.

Säulen einheitlicher Dichte werden um so höher über das Nullniveau (Meeresniveau) herausgehoben, je tiefer sie ins Substratum eintauchen. Dies ist die Aussage des von *G. Airy* 1855 aufgestellten Modells der Isostasie. Bezeichnen wir die Eintauchtiefe der Lithosphärensäule, deren Oberkante gerade im Meeresniveau liegt, mit $H_0$ und $H - H_0 = T$ als die **Lithosphärenwurzeltiefe** (Abb. 4.23), so besteht nach Gl. 4.41 folgender Zusammenhang zwischen h und T:

$$T_n (\varrho_M - \varrho_K) = h_n \varrho_K \qquad 4.42$$

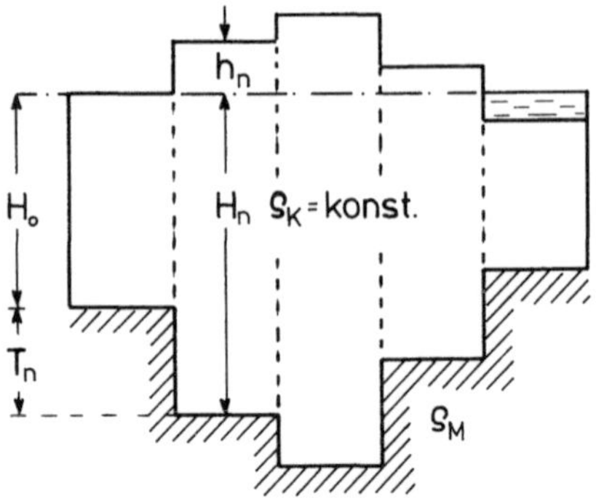


Abb. 4.23 Modell des istostatischen Ausgleichs nach Airy.

Nehmen wir an, daß Gebirge im wesentlichen durch sialische Gebirgswurzeln der mittleren Krustendichte $\varrho_K = 2{,}67$ g/cm$^3$ getragen werden, die in einem Substratum der Dichte des obersten Erdmantels $\varrho_M = 3{,}2-3{,}3$ g/cm$^3$ schwimmen, so folgt aus Gl. 4.42, daß der Erhebung h über das Meeresniveau eine 4- bis 5mal größere Wurzeltiefe T entspricht.

Eine wenig später von *J. H. Pratt* entwickelte alternative Vorstellung geht von einheitlicher Eintauchtiefe ≡ Ausgleichtiefe $H_A$, jedoch **unterschiedlicher Dichte** der Gesteinssäulen aus. Die der Erhebung h entsprechende Dichte ϱ folgt aus Gl. 4.41

$$\varrho_0 H_A = \varrho_n (H_A + h_n) \qquad 4.43$$

wobei $\varrho_0$ die mittlere Dichte derjenigen Lithosphärensäule ist, die im Meeresniveau abschließt (Abb. 4.24).

Während das Airy-Modell sofort an schwimmende Eisberge erinnert, hatte Pratt vorwiegend an laterale Dichtevariationen durch unterschied-

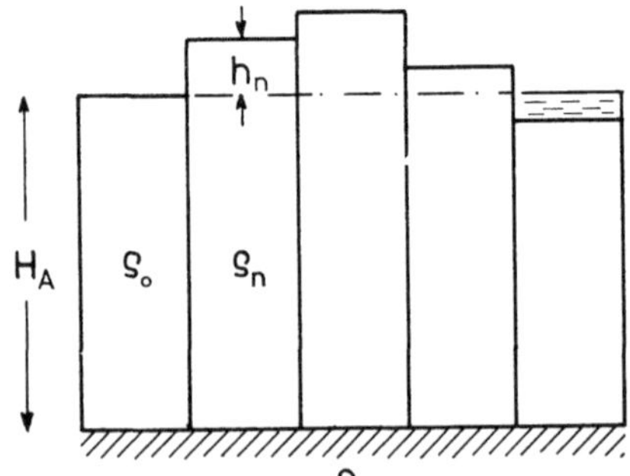


Abb. 4.24 Modell des isostatischen Ausgleichs nach Pratt.

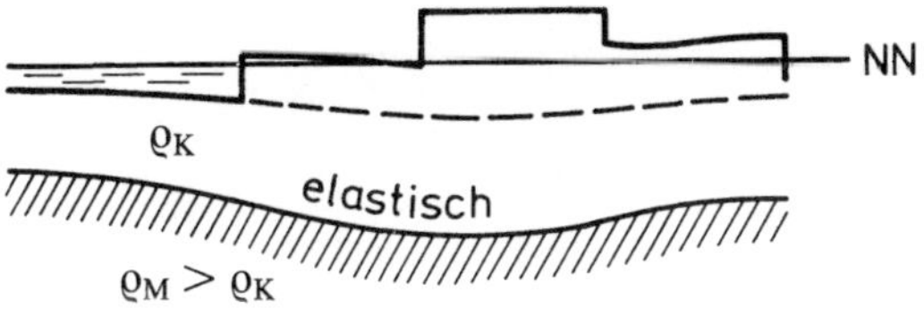


Abb. 4.25 Regionaler isostatischer Ausgleich.

liche thermische Ausdehnung der Erdrinde gedacht. Der Vergleich mit sich aufblähendem Kuchenteig liegt nahe.

Erst die weltweiten seismischen Krustenuntersuchungen haben Aufschluß darüber gebracht, nach welchem Prinzip die Natur den isostatischen Ausgleich tatsächlich vornimmt. Wie aus Abb. 5.33 ersichtlich, ist global gesehen, ganz im Sinne von Airy, die Kruste-Mantel-Grenze in ihrer Tiefenlage in groben Zügen ein Spiegelbild der Oberflächentopographie mit mächtigen Wurzeln unter den jungen Gebirgszügen und dünner Kruste unter den Ozeanen. Abgesehen von Gebieten mit großer geodynamischer Aktivität, insbesondere den vulkanischen Inselbögen, wo auch nach dem Schwerebild gar kein isostatisches Gleichgewicht zu erwarten ist, gibt es jedoch, z. B. im Gebiet der kanadischen Seenplatte, starke Variationen der Krustenmächtigkeit ohne Entsprechung im topographischen Relief. Dort, wie auch an anderen Stellen, muß zusätzlich laterale Dichtevariation (im Sinne von Pratt) zur Isostasie beitragen.

Sicher verhält sich die Lithosphäre nicht wie ein Paket reibungsfrei vertikal gegeneinander verschiebbarer Gesteinssäulen, sondern eher wie eine elastisch-plastische Platte beträchtlicher Festigkeit. Kleinräumige Auflasten wie etwa der Harz oder submarine Vulkankegel werden von der Platte, auf der sie aufsitzen, mitgetragen. Der isostatische Ausgleich erfolgt also nicht lokal direkt unterhalb der Auflast, sondern regional unter Mitwirkung der eingewölbten Lithosphärenplatte (Abb. 4.25). Der Aspekt des **regionalen isostatischen Ausgleichs** wurde von dem holländischen Geophysiker *F. A. Vening Meinesz* in die Theorie der Isostasie eingebracht.

Besonders eindrucksvoll und informativ sind isostatische Ausgleichsvorgänge, die sich in unserer Gegenwart abspielen. Noch vor 10000 Jahren hatte Skandinavien, ähnlich wie Grönland heute, eine 2–2,5 km mächtige Eislast zu tragen. Dem relativ raschen Abschmelzen am Ende der Eiszeit konnte der isostatische Ausgleich nur stark verzögert folgen. Etwa 270 m Anhebung haben bisher stattgefunden. Der Prozeß läuft derzeit mit einer Hebungsrate von 1 cm/Jahr im Zentrum des Hebungsgebiets (Abb. 4.26). Bis zum vollständigen Ausgleich des jetzt noch vorhandenen Massendefizits ($\Delta g_{F_{max}} = -50$ mGal) ist noch mit weiteren 250 m Hebung zu rechnen. Aus Hebungsgeschwindigkeit und Auftriebskräften läßt sich die dynamische Vis-

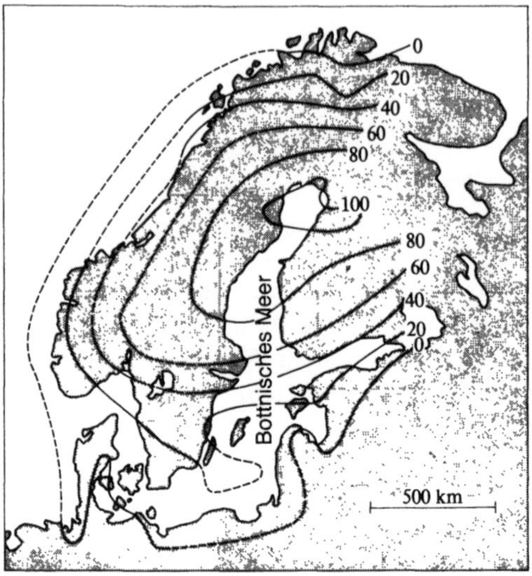


Abb. 4.26 Isostatische Hebungsgeschwindigkeit von Skandinavien, Angaben in cm/Jahrhundert (Gutenberg 1959).

kosität der Asthenosphäre in 100–175 km Tiefe zu etwa $10^{19}$–$10^{20}$ Pa s oder $10^{20}$–$10^{21}$ Poise abschätzen, während die der oberen Lithosphäre (Erdkruste) um 3–4 Zehnerpotenzen höher liegen dürfte.

**Merke:** Mit Ausnahme geodynamisch aktiver Zonen stehen die unterschiedlichen Regionen der Erdrinde miteinander im isostatischen Gleichgewicht, d. h., in der sogenannten Ausgleichstiefe im Erdmantel herrscht überall gleicher Auflastdruck. Die Einstellung des Gleichgewichtszustandes erfolgt über die fließfähige Asthenosphäre.

## 4.8 Gravitative Wechselwirkungen zwischen natürlichen und künstlichen Himmelskörpern

Selbstverständlich üben auch Himmelskörper gegenseitig aufeinander Massenanziehungskräfte entsprechend dem Gravitationsgesetz (Gl. 3.4) aus. Diese sind aber nur dann von wirksamer Größe, wenn entweder einer der beiden Himmelskörper eine sehr große Masse hat, wie etwa die Sonne (333000 Erdmassen), oder wenn der gegenseitige Abstand in kosmischen Dimensionen sehr klein ist, wie zwischen Erde und Mond (384400 km), bzw. Erde und ihren künstlichen Satelliten. Man sollte erwarten, daß sich diese Himmelskörper unter dem Einfluß der Massenanziehung mit wachsender

Beschleunigung aufeinander zubewegen, bis es zur Kollision kommt. Dies wird durch eine entsprechende Gegenkraft verhindert, nämlich die Fliehkraft beim Umlauf zweier Himmelskörper um ihren gemeinsamen Schwerpunkt. Es herrscht Gleichgewicht zwischen Gravitations- und Zentrifugalkräften, wenn die Planetenbahnen den von *Johannes Kepler* 1609 bzw. 1619 aus den astronomischen Beobachtungsdaten des *Tycho Brahe* empirisch abgeleiteten Gesetzmäßigkeiten genügen.

Die **Kepler-Gesetze** bilden die Grundlage der klassischen Himmelsmechanik. Sie setzen voraus, daß die gesamte Masse der jeweiligen Himmelskörper in deren Mittelpunkt vereinigt gedacht werden darf. Dies ist der Fall, wenn entweder der gegenseitige Abstand hinreichend groß ist, oder aber, wie im Kapitel 3.3.2 besprochen, wenn die Himmelskörper radialsymmetrische Dichteverteilung haben. Letzteres trifft, wie im Kapitel 4.3 gezeigt, für die Erde nicht streng zu und ersteres nicht für künstliche Erdsatelliten. Deshalb folgen Satelliten im Schwerefeld der Erde auch nicht exakt Kepler-Bahnen. Die Analyse der Bahnabweichungen stellt heute das wichtigste Hilfsmittel dar, um das Schwerepotentialfeld der Erde und damit das Geoid in globalen Dimensionen zu bestimmen. Satellitenbahnpositionen können mit modernster Laserstrahl-Entfernungsmeßtechnik z. B. im satellitengeodätischen Observatorium Wettzell bei Regensburg besser als auf Dezimetergenauigkeit bestimmt werden.

Das Kreisen von Erde und Sonne bzw. Mond und Erde um ihre jeweils gemeinsamen Schwerpunkte bringt aber auch auf der Erde selbst Wirkungen hervor, die vor allem an der Meeresküste augenfällig werden, nämlich den regelmäßigen Wechsel von **Ebbe** und **Flut**, die **Meeresgezeiten** (engl.: tides). Wer jedoch Gezeiten allein als das Wirken gravitativer Anziehungskräfte von Mond und Sonne auf die Massen des Meerwassers versteht, muß erstaunt darüber sein, daß Ebbe und Flut im wesentlichen **halbtägigen** und nicht ganztägigen Zyklus aufweisen. Der Grund dafür liegt genau in der schon erwähnten Feststellung, daß zwei Himmelskörper nur durch das gemeinsame Wirken von Massenanziehung und Zentrifugalkraft im Gleichgewicht gehalten werden können. Gleichgewicht dieser Kräfte ist erfüllt für den Erdkörper als Ganzes, nicht aber für einzelne Bereiche. Sehen wir von der Drehung der Erde um ihre eigene Achse ab und lassen sie derart um den Schwerpunkt des Systems Erde–Mond umlaufen, daß ein Beobachter auf der Erde stets denselben Fixsternhimmel über sich sehen würde („Revolution ohne Rotation"), so führen alle Punkte der Erde gleich große Kreisbahnen aus, erfahren also auch die gleiche Zentrifugalbeschleunigung $z_0$. Andererseits ist die Gravitationsbeschleunigung b auf der mondnahen Seite der Erde größer als auf der mondfernen. Wenn im Erdmittelpunkt Gleichgewicht zwischen beiden Kräften besteht, so muß auf der mondnahen Seite die Massenanziehung überwiegen, auf der mondfernen

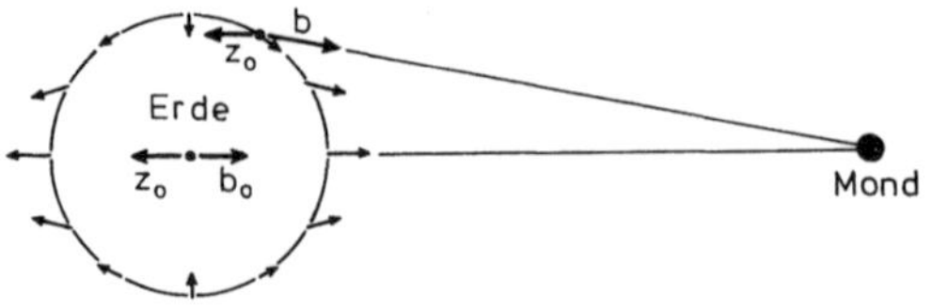


Abb. 4.27 Verteilung der Gezeitenbeschleunigung an der Erdoberfläche im System Erde–Mond.

Seite aber die Fliehkraft. Dies führt zu einer Kräfteverteilung wie in Abb. 4.27 dargestellt.

Dreht sich nun die Erde bei der Rotation um ihre Achse unter diesem Kräftefeld hindurch, so ergibt sich für einen mitrotierenden Beobachter eine halbtägige Gezeitenperiodizität. Die Situation wird kompliziert durch die Überlagerung der Wirkungen von Mond und Sonne und durch die Neigung der Erdrotationsachse in bezug auf die Bahnachsen der Umlaufbewegungen. Trotz seiner kleinen Masse ist die Gezeitenwirkung des Mondes wegen des geringen Abstandes von der Erde mehr als doppelt so groß wie die der Sonne. Bei gleichphasiger Überlagerung von Sonne- und Mondgezeiten spricht man von **Springflut,** bei gegenphasiger Überlagerung von **Nippflut.**

Unter der Wirkung der Gezeitenkräfte deformiert sich auch der elastisch-feste Erdkörper um Beträge von der Größenordnung einiger Dezimeter. Das Schwerefeld erfährt zeitliche Änderungen von maximal ± 0,15 mGal. Der Energieverbrauch der Gezeitenbewegungen des Meeres und des Erdkörpers, die **Gezeitenreibung** (engl.: tidal friction), geht zu Lasten der Rotationsenergie der Erde. Diese hat dadurch im Laufe der Zeit ihre Rotationsgeschwindigkeit beträchtlich vermindert. So ließ sich durch Auszählen von Tages- und Jahreswachstumsringen an Korallen aus dem Erdaltertum (Devon) nachweisen, daß damals vor 400 Millionen Jahren das Jahr 410 Tage hatte oder der Tag etwa 10 % kürzer war als heute.

**Merke:** Gezeitenkräfte entstehen aus der resultierenden Wirkung der Massenanziehung zweier Himmelskörper und der Zentrifugalbeschleunigung bei ihrem Umlauf um den gemeinsamen Schwerpunkt. Den Hauptanteil bilden die halbtägigen Gezeiten. Die Wirkung des Mondes ist etwa doppelt so stark wie die der Sonne.

# 5. ERDBEBEN UND DAS SEISMISCHE WELLENFELD

Erdbeben gehören nicht nur zu den unheimlichsten und folgenschwersten Naturkatastrophen, die durchschnittlich Jahr für Jahr 15000 Menschenleben fordern, sondern sind vom geowissenschaftlichen Standpunkt in zweifacher Hinsicht von besonderer Bedeutung. Zum einen ist der Vorgang im Erdbebenherd selbst spontaner Ausdruck aktiver Tektonik und erlaubt quantitative Aussagen über Ort, Stärke, Zeitablauf und räumliche Orientierung von Verschiebungs- und Deformationsvorgängen in der Erdrinde und über das sie verursachende elastische Spannungsfeld. Zum anderen sind Erdbeben energiereiche Quellen elastischer Wellen, die den ganzen Erdkörper durchstrahlen und dadurch Informationen über die elastische Struktur des Erdinnern enthalten. Im Gegensatz zum Gravitationsfeld, wo die Quellen, d. h. die Massen, im Erdinnern in unbekannter Weise verteilt sind, läßt sich die Quelle der seismischen Wellen, der Erdbebenherd, meist räumlich und zeitlich ziemlich genau fixieren. Dies gilt natürlich ganz besonders dann, wenn die seismischen Wellen durch künstliche Quellen, nämlich Sprengungen, angeregt werden. Dadurch entfällt, zumindest im Prinzip, die in Kapitel 2 und 4.6 betonte Vieldeutigkeit der Lösungen bei der Umsetzung (Inversion) der seismischen Wellenfelddaten, insbesondere der Wellenlaufzeiten, in Strukturmodelle der Erde. Aus all diesen Gründen kommt der Seismologie innerhalb der Geophysik eine zentrale Bedeutung zu, und die meisten physikalischen Informationen über das Erdinnere stammen von den Seismologen. Die seismische Lagerstättenprospektionsmethode mit künstlichen Signalquellen ist hinsichtlich der Auflösung struktureller Details jeder anderen Methode überlegen.

## 5.1 Was sind Erdbeben?

Erdbeben sind Naturereignisse, die meist ohne, zumindest für den Laien, erkennbare Vorwarnung auftreten und sich deshalb trotz großer Bemühungen der Seismologen bisher einer systematischen Vorhersage bis auf wenige, allerdings bemerkenswerte Ausnahmefälle entzogen haben. Das Paradebeispiel für die erfolgreiche **Vorhersage** eines zerstörenden Bebens nach Ort, Stärke und Zeit war das Beben der Magnitude 7.3 am 4. Febr. 1975 bei Haicheng in Nordostchina. Langsamen, nur durch wiederholte Prä-

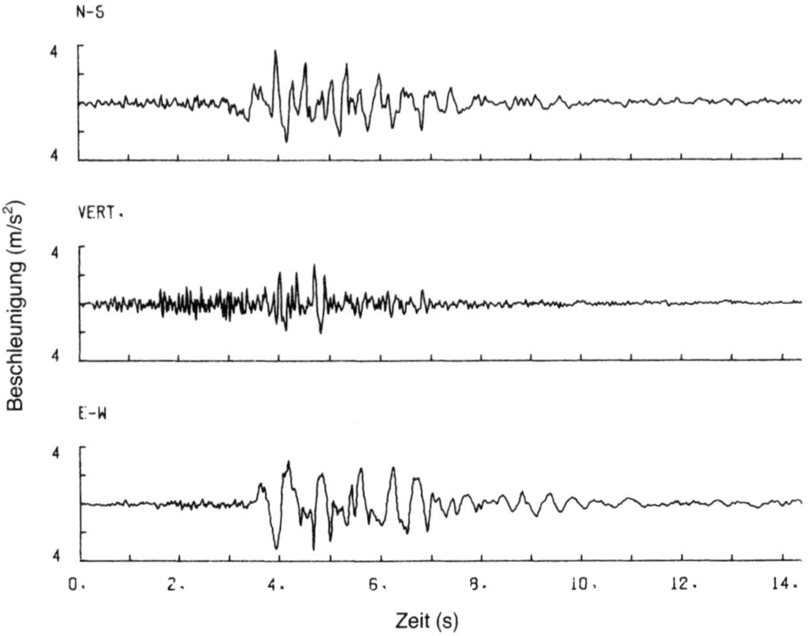


Abb. 5.1 Strong-motion-Seismogramme der 3 Bodenbeschleunigungskomponenten. N–S, vertikal, E–W des Friaul-Bebens vom 6. Mai 1976 aufgezeichnet in 26 km Entfernung vom Herd. Zeitachse in Sekunden, Amplitudenachse in Zehntel der Schwerebeschleunigung (CNEN-ENEL 1976).

zisionsmessungen erfaßbaren Deformationen der Erdoberfläche in der zukünftigen Herdregion folgten etliche Tage vor dem Ereignis als weitere **Vorläufererscheinungen** (engl.: precursors) Veränderungen im Grundwasserpegel, im elektrischen Erdfeld und im Verhalten von Haustieren, die auffallend unruhig und ängstlich wurden. Die Warnung zum Verlassen der Häuser wurde aber im wesentlichen aufgrund einer ungewöhnlichen Serie schwacher Beben gegeben, die wenige Tage vor dem Hauptbeben einsetzte und die als Vorbeben (engl.: foreshock) gedeutet wurden. 6 Stunden nach der Räumungsaufforderung waren mehrere tausend Häuser durch das Beben zerstört. Die Zahl ähnlicher, mehr oder weniger präziser erfolgreicher Vorhersagen, zumeist aus China, lassen sich aber derzeit noch an der Hand aufzählen.

Die Erschütterungsdauer im Herdgebiet ist von der Stärke des Bebens und der Herdentfernung abhängig, jedoch meist kürzer als 10 Sekunden. Eine typische Registrierung der Schwingungsbeschleunigung am Erdboden im Nahbereich (Herdentfernung 25 km) eines Bebens der Magnitude 6,2 (engl.: strong motion seismogram) zeigt Abb. 5.1. Die Schwingungsfrequenzen liegen vorzugsweise zwischen 3 und 20 Hz. Die stärkste Erschütterung erfolgt nicht mit dem ersten Einsatz des Bebens, sondern wenige Sekunden später. Es handelt sich, wie wir später sehen werden, um Wellentypen mit unterschiedlicher Ausbreitungsgeschwindigkeit. Die Erschütterungsstärke nimmt mit der Entfernung vom Herd ab.

## 5.2 Erdbebenintensität und Erdbebenmagnitude

Bereits Ende des letzten Jahrhunderts wurde versucht, die lokale Erschütterungsstärke aufgrund der Auswirkungen (Fühlbarkeit, Geräusche, Schäden) zu klassifizieren. Heute wird hierfür in Europa allgemein die von *Medvedev, Sponheuer* und *Karnik* 1964 ausgearbeitete 12teilige **MSK-Intensitätsskala** verwendet, die in Tab. 5.1 in verkürzter Form wiedergegeben ist. Sie ist im wesentlichen eine Aktualisierung der älteren *Mercalli-Cancani-Sieberg*-Skala und unterscheidet sich nur unwesentlich von der in den USA gebräuchlichen "modified Mercalli scale". Unmittelbar über dem Erdbebenherd, im **„Epizentrum“** (grch.: „epi“ über), wurde in Deutschland in historischer Zeit maximal der Grad VIII erreicht.

Tab. 5.1 MSK-Intensitätsskala

| **Stärkegrad** | **Bezeichnung** | **Beschreibung** | **Beschleunigung** $cm\,s^{-2}$ |
|---|---|---|---|
| I | Unmerklich | Nicht spürbar. Nur von Erdbebeninstrumenten aufgezeichnet. | < 1 |
| II | Sehr leicht | Nur von ruhenden Personen in den Obergeschossen der Häuser wahrnehmbar. | 1–2 |
| III | Leicht | Erschütterung wie beim Vorbeifahren leichter Lastwagen. Kann nicht ohne weiteres als Erdbeben erkannt werden. | 2–5 |
| IV | Mäßig | In Häusern von fast allen Personen spürbar. Hängende Gegenstände schwingen. Erschütterung wie beim Vorbeifahren schwerer Lastwagen oder Gefühl eines Stoßes wie bei einem schweren Ball, der an eine Wand schlägt. Fenster, Geschirr, Türen klappern. | 5–10 |

| Stärkegrad | Bezeichnung | Beschreibung | Beschleunigung cm $s^{-2}$ |
|---|---|---|---|
| V | Ziemlich stark | Im Freien von zahlreichen Personen wahrnehmbar. Schlafende Personen werden geweckt. Kleine, wenig standfeste Gegenstände werden verschoben oder umgeworfen. Türen schlagen auf und zu. Fensterläden, Bilder bewegen sich. | 10–20 |
| VI | Stark | Von allen spürbar. Menschen gehen schwankend. Fenster, Geschirr, Glas zerbricht. Nippes, Bücher usw. fallen von den Regalen, Bilder von den Wänden. Möbel bewegen sich oder werden umgeworfen. Risse bei schwachem Verputz und Bauweise D. Kleine Glocken läuten (Kirche, Schule). | 20–50 |
| VII | Sehr stark | In Kraftfahrzeugen spürbar. Möbel zerbrechen. Verbreitet schwere Schäden bei Bauweise D. Vereinzelt Risse bei Bauweise C. Schwache Schornsteine brechen in Höhe des Daches ab. Putz, lose Ziegelsteine, Steine, Dachziegeln, Gesimse fallen herunter. Wellen auf Teichen. | 50–100 |
| VIII | Zerstörend | Lenken von Kraftfahrzeugen wird beeinflußt. Sehr schwere Schäden bei Bauweise D. Beschädigungen bei Bauweise C; Teileinstürze. Vereinzelte Schäden bei Bauweise B. Herunterfallen von Stuck. Einstürzen von Kaminen, Fabrikschornsteinen, Denkmälern, Türmen, Hochtanks, Rahmenfüllung von Fachwerkbauten fällt heraus. Änderungen in Wasserführung oder Temperatur von Quellen und des Wasserstandes von Brunnen. Risse in nassem Boden und an steilen Hängen. | 100–200 |
| IX | Verwüstend | Allgemeine Panik. Völlige Zerstörung bei Bauweise D. Schwere Schäden bei Bauweise C, häufig | 200–500 |

| | | | |
|---|---|---|---|
| | | Einsturz. Schwere Schäden auch bei Bauweise B. Rahmenbauten werden aus den Fundamenten gehoben, oder sie fallen ein. Tragende Teile von Stahlbetonbauten bekommen Risse. Schwere Schäden an Staumauern. Unterirdisch verlegte Rohre zerbrechen. Auffällige Risse im Boden. | |
| X | Vernichtend | Die meisten Mauerwerk- und Holzbauten werden zerstört. Stahlbetonbauten und Brücken werden schwer beschädigt, einzelne zerstört. Schwere Schäden an Dämmen, Deichen, Wehren. Große Erdrutsche. Schienen werden verbogen. | 500–1000 ($\approx$ 1 g) |
| XI | Katastrophe | Sämtliche Steingebäude stürzen ein. Selbst große und sicher konstruierte Brücken werden zerstört oder schwer beschädigt. Nur wenige Gebäude bleiben stehen. Schienen werden stark verbogen und gestaucht. Unterirdisch verlegte Leitungen und Rohre reißen. | 1–2 g |
| XII | Große Katastrophe | Die Umgestaltungen des Bodens nehmen die großartigsten Maße an. Oberirdische und unterirdische Wasserläufe werden in mannigfacher Weise verändert. Wasserfälle entstehen, Seen werden aufgestaut oder laufen aus, Flüsse werden abgelenkt usw. | $>$ 2 g |

Bauweise A: Gute Bauausführung, Stahlbeton, ausgelegt gegen seitliche Kräfte.
Bauweise B: Gute Bauweise, armierter Beton, jedoch nicht gegen seitliche Kräfte ausgelegt.
Bauweise C: Normale Bauausführung, jedoch weder armiert noch gegen seitliche Kräfte ausgelegt.
Bauweise D: Schwache Baumaterialien, schlechte Arbeit.

Erste Schäden treten bei I $\approx$ V–VI auf, die Wahrnehmungsgrenze liegt bei I $\approx$ II–III. Den Intensitätsgraden können, allerdings mit beträchtlicher Streubreite, Maximalwerte der horizontalen Bodenbeschleunigung zugeordnet werden (siehe Tab. 5.1). Die räumliche Verteilung der Erschütterungsstärken im Herdgebiet wird durch Fragebogenaktionen ermittelt. Die

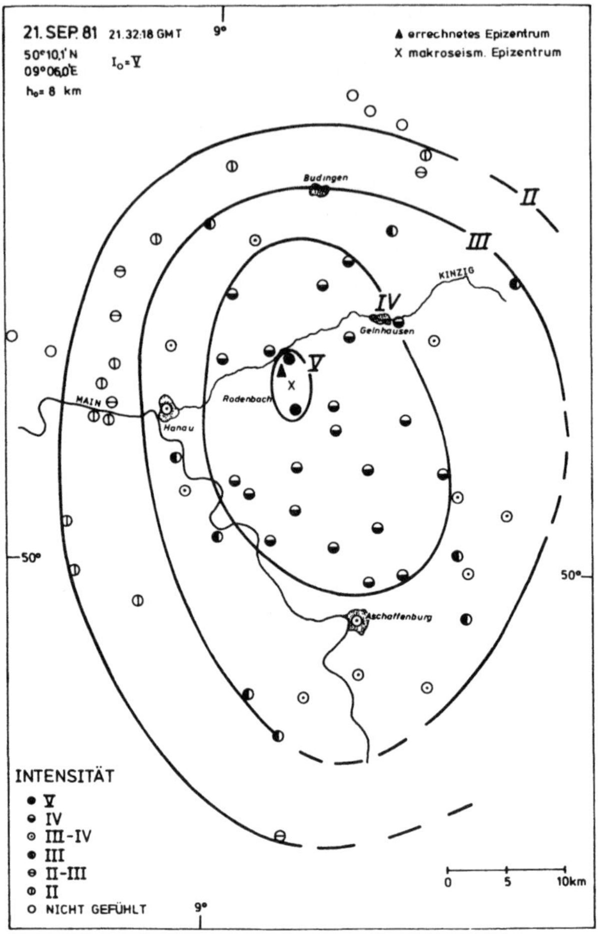


Abb. 5.2 Isoseistenkarte des Bebens vom 21. September 1981 bei Hanau (Baier 1984).

Darstellung des Ergebnisses erfolgt in Form von sogenannten **Isoseistenkarten,** wobei Gebiete unterschiedlicher Intensitäten durch Isoseistenlinien gegeneinander abgegrenzt werden (Abb. 5.2). Isoseistenkarten sind nicht nur nützlich zur Lokalisierung des Epizentrums, sondern auch zur Ermittlung der Herdtiefe des **Hypozentrums** (grch.: „hypo“, unter) aus dem Isoseistenabstand, außerdem zu gewissen Aussagen über bevorzugte Schwingungsausbreitungsrichtungen und den Bezug zu geologisch-tektonischen Strukturen. Grundsätzlich erzeugt ein und dasselbe Beben unterschiedliche

Erschütterungsintensitäten, jedoch wird häufig die **Maximalintensität $I_0$** im Epizentralbereich auch als Maß für die Bebenstärke verwendet.

Dies ist aber nicht möglich, wenn das Erdbebengebiet nur dünn besiedelt ist. Das war der Grund, weshalb *C. F. Richter* am Seismologischen Laboratorium in Pasadena in den 30er Jahren zur Quantifizierung kalifornischer Beben eine auf instrumentellen Aufzeichnungen beruhende Stärkeskala einführte. Um bei dem enormen Variationsbereich der Erdbebenstärken handliche Zahlen zu erhalten, legte er seiner Skala den dekadischen Logarithmus des Maximalausschlags A (in μm) auf den Seismogrammen der Standard-Seismographen vom Typ Wood-Anderson zugrunde, reduziert auf die Epizentralentfernung Δ von 100 km. In Analogie zur logarithmischen Sternhelligkeits- = Sterngrößenskala nannte er diese Größe die **lokale Erdbebenmagnitude**

$$M_L = \log \frac{A}{A_0} = \log A - \log A_0 (\Delta) \qquad 5.1$$

wobei $A_0 (\Delta)$ eine Reduktionsfunktion ist, die der Seismogrammamplitude eines Bebens von $M_L = 0$ in der Epizentralentfernung Δ (km) entspricht. Die Bestimmungsmethode von $M_L$ ist nur anwendbar auf Nahbeben mit Epizentralentfernungen kleiner als 1000 km. Magnitudenbestimmungen auch von weit entfernten Beben, unabhängig vom Seismographentyp, wurden ermöglicht durch die Einführung der sog. **Oberflächenwellenmagnitude** $M_s$ (*B. Gutenberg* 1945). Dazu wird die Amplitude a der wahren Bodenbewegung der bei den meisten Fernbeben gut ausgeprägten Oberflächenwelle vom Rayleightyp (s. Kap. 5.12) im Periodenbereich von $10 < T < 30$s bestimmt und in die Formel (Internationale Union für Geodäsie und Geophysik 1967)

$$M_s = \log \frac{a}{T} + 1{,}66 \log \Delta^\circ + 3{,}3 \qquad 5.2$$

eingesetzt. Dabei ist a die Amplitude der Horizontalkomponente des Verschiebungsvektors in μm und $\Delta^\circ$ die Epizentralentfernung ausgedrückt als Zentriwinkel in Grad zwischen Herd-Erdmittelpunkt-Station. ($1^\circ$ = 111 km.) $M_s$ ist so definiert, daß es im Mittel für Erdbeben der Magnitude 7,5 mit $M_L$ bestmöglich übereinstimmt. Für kleinere Magnituden liegt $M_L$ etwas höher als $M_s$. Obwohl die Magnitudenskala mathematisch gesehen nach oben und unten offen ist, wird der Stärke der Erdbeben durch die Natur bei $M_s \simeq 9.0$ eine faktische Grenze gesetzt.

Einige durch ihre Stärke oder ihre Auswirkungen wichtige Beben sind in Tabelle 5.2 aufgelistet. Die Bedeutung der Magnitude liegt außer in der

Möglichkeit einer objektiven Quantifizierung der Erdbebenstärke darin, daß enge empirische Beziehungen zu der vom Erdbebenherd in Form elastischer Wellen abgestrahlten seismischen Energie bestehen. Dies überrascht nicht sehr, da Gl. 5.2 in dem Ausdruck a/T die Bodenbewegungsgeschwindigkeit enthält, deren Quadrat in der kinetischen Energie vorkommt. Eine viel benutzte empirische Beziehung von *Gutenberg* und *Richter* (1956) lautet

$$\boxed{\log E_s = 1{,}5\ M_s + 4{,}8} \qquad 5.3$$

wenn $E_s$ in Joule oder $W \cdot s = 10^7$ erg ausgedrückt wird. Aus 5.3 folgt, daß hinsichtlich der Erdbebenenergie 1 Magnitudeneinheit etwa 30mal höhere Energie bedeutet. Daran sollte man denken, wenn Erdbeben verschiedener Magnituden miteinander verglichen werden. Ein Beben mit $M_s = 5{,}5$ – dieser Wert wurde in Deutschland nur selten erreicht und kaum jemals überschritten – hat die seismische Energie $E_s \approx 3$ Mill. kWh, die allerdings innerhalb weniger Sekunden freigesetzt wird. Etwa von gleicher seismischer Magnitude wäre eine unterirdische Nuklearexplosion mit einem Äquivalent von 1 Mto chemischen Sprengstoffs, wovon allerdings nur rund 1% in seismische Wellenenergie, der Rest in Wärme und Gesteinszerrüttung umgesetzt würde.

Tab. 5.2 Wichtige Schadenbeben

| **Jahr** | **Datum** | **Region** | **Zahl der Toten** | **Ms** |
|---|---|---|---|---|
| 856 | Dezember | Griechenland, Korinth | 45 000 | |
| 1038 | 9. Januar | China, Shensi | 23 000 | |
| 1290 | 27. September | China, Chihli | 100 000 | |
| 1293 | 27. Mai | Japan, Kamakura | 30 000 | |
| 1356 | 18. Oktober | Basel | 400 | |
| 1531 | 26. Januar | Portugal, Lissabon | 30 000 | |
| 1556 | 23. Januar | China, Shensi | 830 000 | |
| 1667 | November | Kaukasien, Shemaha | 80 000 | |
| 1693 | 11. Januar | Italien, Catania | 60 000 | |
| 1737 | 11. Oktober | Indien, Kalkutta | 300 000 | |
| 1755 | 7. Juni | Nordpersien | 40 000 | |
| 1755 | 1. November | Portugal, Lissabon | 70 000 | |
| 1783 | 4. Februar | Italien, Kalabrien | 30 000 | |
| 1797 | 4. Februar | Ekuador, Quito | 40 000 | |
| 1822 | 13. Juli | Kleinasien, Aleppo | 22 000 | |
| 1868 | 13. August | Peru und Bolivien | 25 000 | |
| 1868 | 16. August | Ekuador | 40 000 | |
| 1896 | 15. Juni | Japan, Riku-Ugo | 22 000 | |
| 1899 | 10. September | Alaska, Yakatut Bay | | 8,6 |

| | | | | |
|---|---|---|---|---|
| 1906 | 18. April | Kalifornien, San Francisco | 700 | 8,25 |
| 1908 | 28. Dezember | Italien, Messina | 120 000 | 7,5 |
| 1915 | 13. Januar | Italien, Avezzano | 30 000 | 7 |
| 1920 | 16. Dezember | China, Kansu | 180 000 | 8,5 |
| 1923 | 1. September | Japan, Kwanto | 143 000 | 8,2 |
| 1932 | 26. Dezember | China, Kansu | 70 000 | 7,6 |
| 1935 | 31. Mai | Pakistan, Quetta | 60 000 | 7,5 |
| 1939 | 24. Januar | Chile, Chillan | 30 000 | 7,75 |
| 1939 | 26. Dezember | Türkei, Erzincan | 32 700 | 8,0 |
| 1948 | 5. Oktober | UdSSR, Aschchabad | 19 800 | 7,3 |
| 1950 | 15. August | Indien, Assam | 1 500 | 8,6 |
| 1960 | 29. Februar | Marokko, Agadir | 14 000 | 5,9 |
| 1960 | 21. Mai | Südchile | 5 700 | 8,5 |
| 1962 | 1. September | Nordwestiran | 14 000 | 7,3 |
| 1963 | 26. Juli | Jugoslawien, Skopje | 1 200 | 6,0 |
| 1964 | 28. März | Alaska, Anchorage | 131 | 8,4 |
| 1968 | 31. August | Iran | 11 600 | 7,4 |
| 1970 | 31. Mai | Peru, Chimbote | 66 000 | 7,8 |
| 1971 | 9. Februar | Kalifornien, San Fernando | 65 | 6,5 |
| 1972 | 23. Dezember | Nikaragua, Managua | 5 000 | 6,2 |
| 1975 | 4. Februar | China, Provinz Liaoning | einige | 7,4 |
| 1976 | 4. Februar | Guatemala | 22 000 | 7,9 |
| 1976 | 6. Mai | Italien, Friaul (Gemona) | 965 | 6,5 |
| 1976 | 27. Juli | China, Tangshan | über 240 000 | 7,6 |
| 1977 | 4. März | Rumänien, Vrancea | 1 581 | 7,0 |
| 1980 | 10. Oktober | Algerien, El Asnam | 5 000 | 7,3 |
| 1980 | 23. November | Italien, Potenza | 3 000 | 6,9 |
| 1985 | 19. September | Mexiko | 10 000 | 8,1 |
| 1988 | 7. Dezember | UdSSR, Armenien | 25 000 | 6,8 |
| 1993 | 12. Oktober | S-Indien, Killari-Latur | 11 000 | 6,4 |
| 1995 | 17. Januar | Japan, Kobe | 5 000 | 7,2 |

Die nachfolgende Tabelle 5.3 (siehe S. 66) gibt einen schematischen Überblick über die mittlere jährliche Anzahl N von Beben bestimmter Magnitudenklassen und die von diesen insgesamt freigesetzte seismische Energiesumme.

Wir sehen aus dieser Tabelle, daß die Bebenhäufigkeit etwa um den Faktor 8 pro Magnitudeneinheit abnimmt. Für die Gesamtenergiefreisetzung maßgebend sind jeweils nur die stärksten Beben, trotz ihrer geringen Anzahl.

**Merke:** Jedem im Schütterbereich eines Erdbebens gelegenen Ort kann ein Intensitätswert entsprechend der 12teiligen MSK-Skala zugeordnet werden. Wird die Stärke eines Bebens durch den Intensitätsgrad bezeichnet, so ist damit die maximale Intensität im Epizentrum gemeint.

Der Erdbebenmagnitude liegt als Maßgröße der dekadische Logarithmus der maximalen Bodenschwinggeschwindigkeit zugrunde. Deshalb läßt sich auch ein Bezug zwischen Magnitude und Erdbebenenergie angeben. Einer Magnitudeneinheit entspricht ein Faktor 30 in der Energie! Vorsicht beim Vergleich von Magnitudenwerten. Es gibt mehrere Magnitudendefinitionen, die günstigstenfalls in gewissen Bereichen übereinstimmen.

Tab. 5.3 Globale jährliche Magnitudenhäufigkeiten

| $\mathbf{M_s}$ | **N** | $\sum \mathbf{E_s}$ Ws |
|---|---|---|
| $\geqslant 8$ | 1,5 | $40 \cdot 10^{16}$ |
| 7–7,9 | 15 | $12 \cdot 10^{16}$ |
| 6–6,9 | 100 | $2 \cdot 10^{16}$ |
| 5–5,9 | 800 | $0{,}6 \cdot 10^{16}$ |
| 4–4,9 | 6000 | $0{,}1 \cdot 10^{16}$ |
| 3–3,9 | 50000 | $0{,}04 \cdot 10^{16}$ |
| | | $5{,}5 \cdot 10^{17}$ |

## 5.3 Erdbebengebiete

Erdbebenherde sind keineswegs zufällig über den Globus verteilt, sondern zumeist an sichtbare geologisch-morphologische Strukturen gebunden. Rund 80 % der seismischen Energie werden in der zirkumpazifischen Umrandungszone freigesetzt, im Bereich der pazifischen oder indonesischen Inselbögen, der Anden oder der großen Scherzonen von Kalifornien und Alaska. Etwa 15 % der Energie entfallen auf den alpidisch-himalayischen Gebirgsgürtel, der sich vom Mittelmeerraum über Anatolien, Iran, Himalaya bis nach Indonesien zieht und nach China ausstrahlt. Weitere 3–5 % werden in Erdbebenherden ausgelöst, die sich wie Perlschnüre längs der meist submarinen mittelozeanischen Schwellen aufreihen.

Abb. 5.3 zeigt die globale Verteilung der Herde von 29 000 Erdbeben der Jahre 1961–67. Die Fehler in der Herdlagebestimmung dürften kleiner als 50 km sein. Die meisten Erdbebenherde liegen innerhalb der Erdkruste, d. h. in Tiefen bis zu 40 km, ausnahmsweise bis zu 60 km. Sie werden als **normal tiefe Beben** bezeichnet. Charakteristisch davon abweichend ist aber die Tiefenverteilung im Bereich der Inselbogenstrukturen und der Anden. Hier sind die Hypozentren mehr oder weniger systematisch in Zonen angeordnet, die von den ozeanischen Tiefseegräben kontinentwärts abtauchen. Sie wurden zuerst von dem japanischen Seismologen *K. Wadati* und unab-

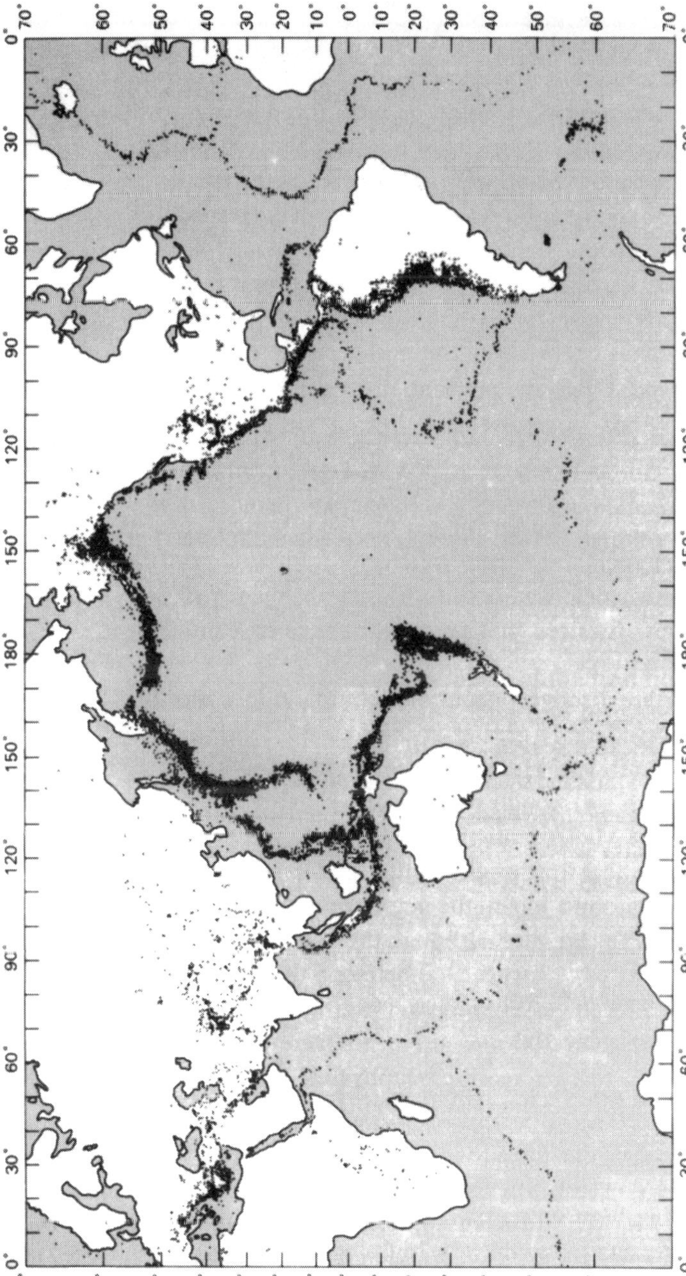

Abb. 5.3 Globale Erdbebenherdverteilung 1961–67.

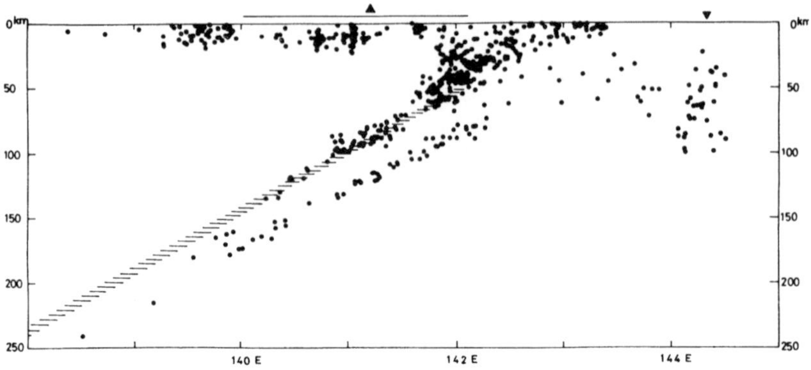


Abb. 5.4 Benioff-Zone unter Honshu, Japan (Hasegawa u. a. 1978).

hängig davon von dem kalifornischen Seismologen *H. Benioff* nachgewiesen und werden heute als **Benioff-Zonen** bezeichnet. Bei sehr sorgfältiger Herdlokalisierung können manchmal zwei parallele Flächen erkannt werden. Als Beispiel ist ein Schnitt durch die japanische Hauptinsel Honshu in Abb. 5.4 gezeigt.

Übrigens trifft man über Erdbebenherden in 150–200 km Tiefe an der Oberfläche häufig aktiven Vulkanismus an, der relativ $SiO_2$-reiche andesitische Magmen fördert. **Tiefbeben** wurden noch bis in Tiefen von 720 km geortet.

Im Sinne der globalen Plattentektonik sind die sich gegeneinander bewegenden Ränder der Lithosphärenplatten durch Erdbebenherde markiert. Jedoch müssen umgekehrt nicht alle Erdbebenherde an Plattenrändern liegen. Innerhalb Europas konzentriert sich die Erdbebentätigkeit fast ausschließlich auf den Mittelmeerraum und dort zu über 70 % auf den griechisch-dalmatinischen Raum. Im Bereich der Ägäis, unter dem Tyrrhenischen Meer und unter dem östlichen Karpathenbogen und dem Hindukusch-Pamir-Gebirge gibt es **mitteltiefe Herde** in Tiefen von $60<h<300$ km.

Im globalen Maßstab ist Deutschland ein erdbebenarmes Land. Die Aktivität konzentriert sich im wesentlichen auf 3 Zonen: den Oberrheingraben zwischen Basel und Mainz mit den Grabenschulterbereichen, den Hohenzollerngraben im Südwesten des Schwäbischen Jura, der allerdings erst in diesem Jahrhundert als Erdbebengebiet in Erscheinung getreten ist, und den Bereich der Niederrheinischen Bucht und des Rheinischen Schiefergebirges. Dies alles sind Zonen mit geologisch jungen tektonischen Veränderungen. Die Erdbebenherde aus historischer Zeit sind, nach Magnitude klassifiziert, in Abb. 5.5 dargestellt.

**Merke:** Mehr als ⅔ aller Bebenherde liegen innerhalb der Erdkruste. Mitteltiefe (60–300 km Tiefe) und tiefe Beben (Tiefe > 300 km) sind meist an sogenannte Benioff-Zonen gebunden.

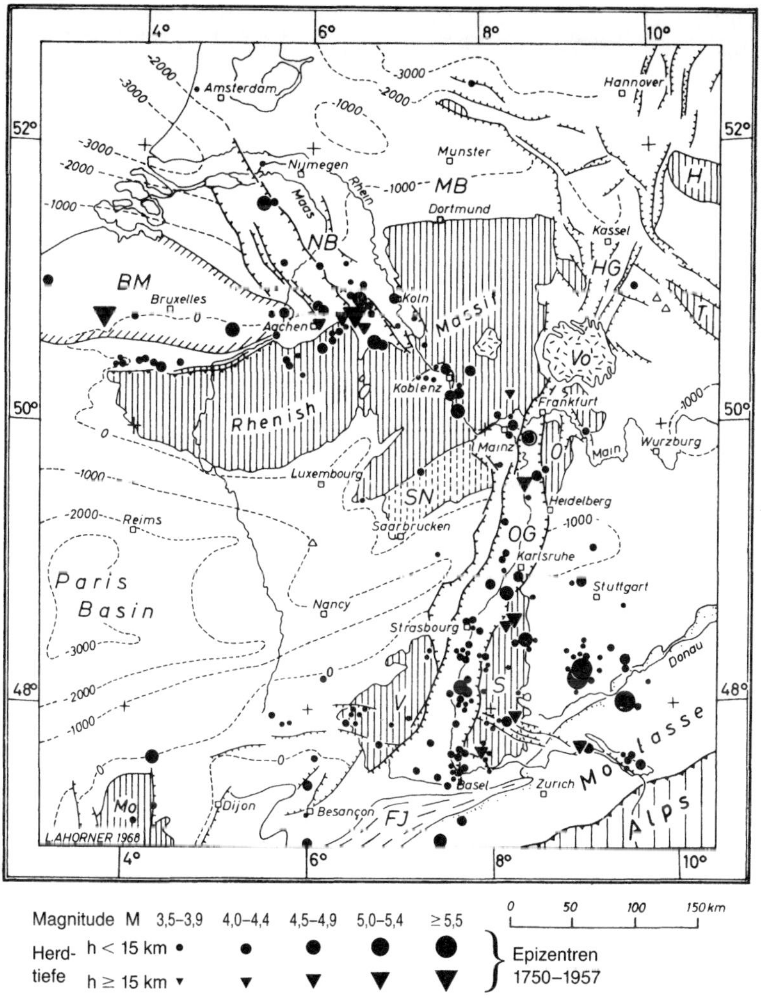


Abb. 5.5 Erdbebenherde in Deutschland 1750–1967 (Ahorner 1975).

## 5.4 Wie entstehen Erdbeben?

Diese Frage hat die Menschheit von alters her beschäftigt, natürlich besonders dort, wo Menschen die Folgen der Erdbeben am stärksten zu spüren bekamen: im östlichen Mittelmeerraum, in Indien, China und Japan. Daß dort Erdbeben einen wichtigen Platz in der Mythologie und in den Religionen einnahmen, verwundert nicht, da ja von der Erdoberfläche aus die

Ursache zumeist nicht zu erkennen ist. Aber Erdbeben haben auch seit der Antike naturwissenschaftliche Vorstellungen angeregt. Die räumliche Verbindung mit dem Vulkanismus im Bereich der pazifischen und indonesischen Inselbögen oder im Ägäisraum ist evident, jedoch sind echte vulkanische Beben, verursacht z. B. durch explosiven Magmatismus, entweder sehr selten oder lokal begrenzt und schwach. Die verbreitete Vorstellung vom Einsturz unterirdischer Hohlräume als Ursache von Erdbeben ist zwar in Karst- bzw. Bergbaugebieten berechtigt, jedoch sind solche Beben, im Bergbau auch als Bergschlag bezeichnet, ebenfalls nur von lokaler Bedeutung und für die globale Erdbebenaktivität unerheblich. All diese Prozesse liefern weniger als 1% der Welterdbebenenergie. Erdbeben haben fast immer **tektonische Ursachen**, d. h., sie sind Ausdruck instabiler Bruch- und Verschiebungsvorgänge im elastisch-spröden Bereich der Erdrinde als Folge der sich dort anstauenden Spannungen.

Die noch heute in ihren Grundzügen gültige Vorstellung von der Erdbebenentstehung wurde von *H. F. Reid* 1911 unter dem Eindruck der Beobachtungen im Herdbereich des San-Francisco-Bebens von 1906 entwickelt. Bei diesem Beben riß entlang der San-Andreas-Verwerfung in Kalifornien die Erdkruste auf einer Länge von über 300 km bis zur Erdoberfläche auf, wobei im zentralen Teil an der Bruchfläche ein rechtshändiger Horizontalversatz des (jeweils gegenüberliegenden) Bruchrandes bis zu 6 m auftrat. Sorgfältige geodätische Vermessungen vor und nach dem Erdbeben zeigten, daß sich die Erdkruste in einer weiteren Umgebung der Bruchzone verformt hatte. Der Reidschen **"elastic rebound theory"** oder, nicht ganz wörtlich, **„elastischen Entspannungstheorie"** liegt zugrunde, daß sich in Gebieten, wo die Erdkruste durch großtektonische Bewegungen langsam, aber stetig deformiert wird, elastische Spannungen so lange ansammeln, bis an der schwächsten Stelle die Bruchspannungsgrenze erreicht wird. Von dieser Stelle breitet sich dann ein **Scherungsbruch** mit Geschwindigkeiten von

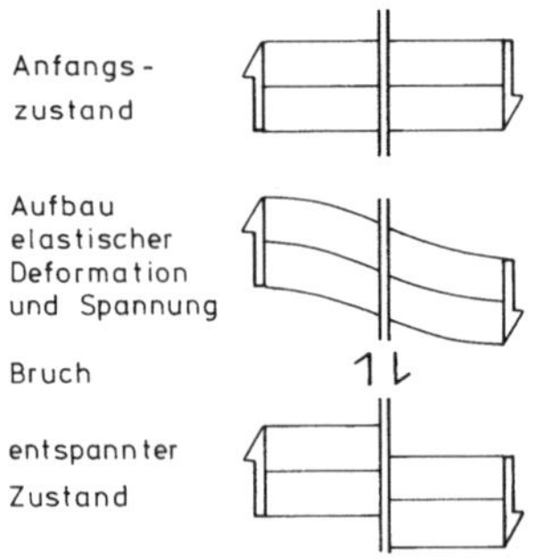


Abb. 5.6 Spannungsansammlung und Entspannung im Herdgebiet nach Reid (1911).

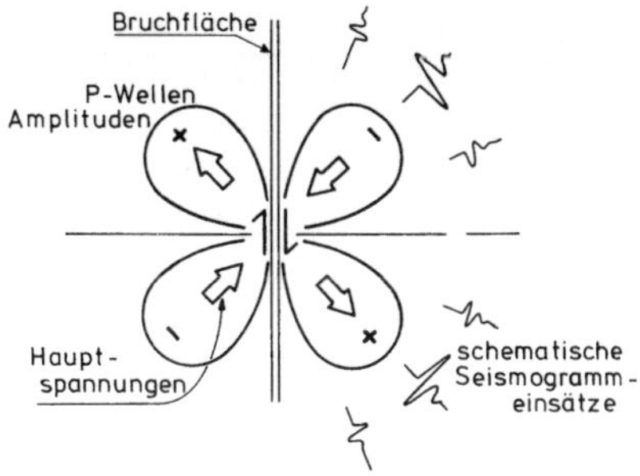


Abb. 5.7 Seismische Signalabstrahlung von einem Scherungsbruch.

etwa 2–3 km/s aus. Die im Herdbereich zuvor gespeicherte elastische Verformungsenergie wird bei dem plötzlichen Entspannungsprozeß zum kleineren Teil (5–50 %) in elastische Wellenenergie umgesetzt, der Rest aber in Wärme und mechanische Zerrüttung (Mylonitisierung) der Gesteine an der Bruchfläche. Die elastischen Wellen breiten sich im gesamten Erdkörper aus und können in Herdnähe, je nach Stärke, entsprechende Wahrnehmungen bzw. Schäden verursachen. Schematisch ist der Prozeß der Spannungsansammlung durch elastische Deformation im Herdbereich und die Entspannung durch Bruch mit den dabei erzeugten seismischen Impulsen in Abb. 5.6 skizziert. Die Spannungsaufladung wird neuerdings im Sinne der globalen Plattentektonik (siehe Kap. 9) mit Relativbewegungen an den Rändern der Lithosphärenplatten in Verbindung gebracht. Die Geschwindigkeit der Parallelverschiebung der Pazifischen Platte gegenüber der Nordamerikanischen liegt im Bereich der kalifornischen Küste bei etwa 6 cm/Jahr. Der Bruchversatz beim San-Francisco-Beben von 6 m muß also das Resultat einer mindestens 100jährigen Spannungsansammlung gewesen sein.

Intuitiv ist einleuchtend, und dies kann theoretisch bewiesen werden, daß beim Zurückschnellen der Bruchflanken (wie in Abb. 5.7 gezeigt) vom Erdbebenherd je nach der Abstrahlungsrichtung in Bezug zur Bruchfläche

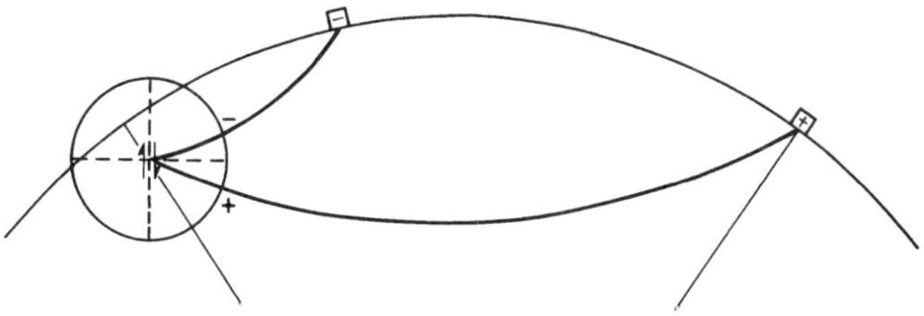

Abb. 5.8 Projektion der Bodenbewegung von der Station längs des Strahls auf die Herdkugel.

**Kompressions-** bzw. **Dilatationsimpulse** ausgehen. In Verlängerung der Bruchfläche und einer dazu senkrechten Fläche kehrt das seismische Signal sein Vorzeichen um. Man spricht, in Analogie zum Schwingungsknoten bei einer Saite, hier von den **Knotenebenen** (engl.: nodal plane) des Erdbebenherdvorgangs. Werden die seismischen Kompressions- und Dilatationsimpulse nach Durchgang durch den Erdkörper an einer genügend großen Zahl geographisch gut verteilter Erdbebenstationen aufgezeichnet, so lassen sich die räumlichen Orientierungen der Knotenebenen bestimmen, auch wenn die Bruchfläche selbst nicht an der Erdoberfläche zutage tritt. Dazu ist es allerdings zweckmäßig, als mathematische Hilfskonstruktion um den Herd eine Kugel zu schlagen, auf die man die Vorzeichen der ersten Bodenbewegung von den Erdbebenstationen längs der seismischen Wellenwege (Strahlen) zurückprojiziert (Abb. 5.8).

Der Ort, an welchem der jeweilige Strahl vom Herd zur Station die Herdkugel durchdringt, läßt sich berechnen, wenn nur die geographischen Koordinaten von Herd und Station sowie die Herdtiefe bekannt sind. Der Strahlverlauf im Erdinnern ist durch die hinreichend gut bekannte Geschwindigkeits-Tiefenverteilung der Kompressions-(Dilatations-)Welle bestimmt. Auf der Herdkugel werden jetzt zwei zueinander orthogonale Großkreise so konstruiert, daß sie möglichst widerspruchsfrei Kompressions- und Dilatationssignale voneinander trennen. Eine der beiden Knotenebenen ist die Bruchfläche, deren räumliche Orientierung hiermit bestimmt ist. Die Doppeldeutigkeit des Resultats ist unter Umständen durch zusätzliche seismische oder geologische Informationen auflösbar, ist aber für dynamische Betrachtung, wie gleich gezeigt wird, von untergeordneter Bedeutung. Zur zweidimensionalen graphischen Darstellung des Ergebnisses wird die untere Hälfte der Herdkugel auf eine Tangentialebene abgebildet (winkeltreue stereographische Projektion oder flächentreue Lambertsche Projektion). Den so erhaltenen **Herdflächenlösungen** (engl.: fault plane solution) sieht man, mit etwas Erfahrung, direkt an, um welchen Typus einer tektonischen Bewegung es sich beim Herdvorgang gehandelt hat. Die wichtigsten Bruchorientierungen mit den zugehörigen Herdflächenlösungen sind in Abb. 5.9 dargestellt.

Geodynamisch noch wichtiger als die räumliche Lage der Bruchfläche ist die Orientierung des erdbebenerzeugenden **Spannungsfeldes**. Da nun tektonische Beben stets Scherungsbrüche sind, liegt es nahe, anzunehmen, daß sie in Richtung maximaler Scherspannung auftreten. Die Reibung an der Bruchfläche ist dabei nicht berücksichtigt. Werden die Flächen eines würfelförmigen Probekörpers auf jeweils gegenüberliegenden Seiten durch Normalspannungen $\sigma_1$, $\sigma_2$, $\sigma_3$ belastet, so bildet sich im Innern des Würfels maximale Scher- oder Schubspannung $\tau_{max} = \frac{1}{2}\ (\sigma_1 - \sigma_3)$ in der Winkelhalbierenden der größten ($\sigma_1$) und kleinsten ($\sigma_3$) Normalspannung aus

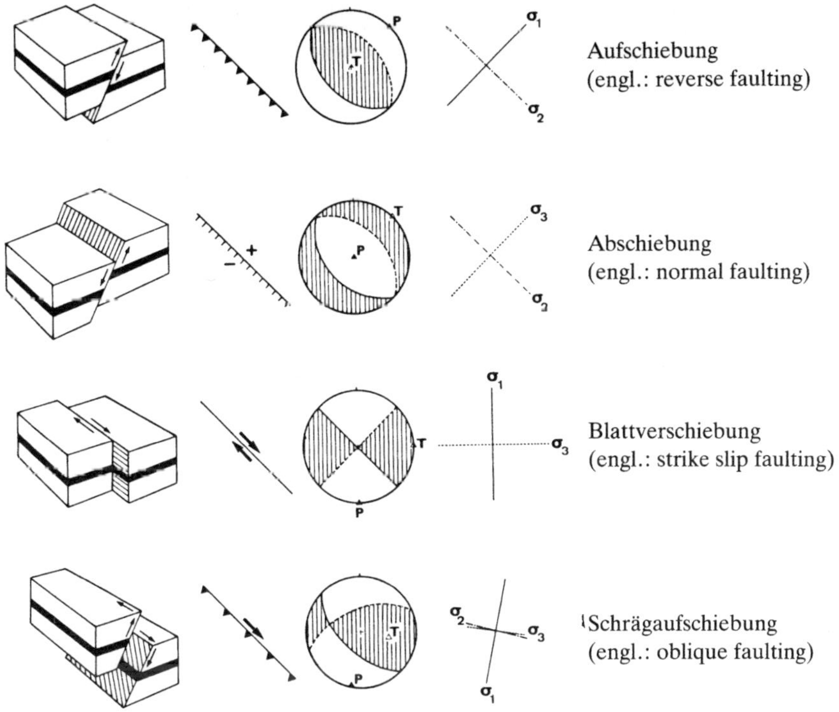


Abb. 5.9 Bruchtypen, zugehörige Herdlösungen
und Hauptspannungsrichtungen.

Abb. 5.10a (Druckspannungen haben positives Vorzeichen). Im Sinne der Scherbruchhypothese müßten umgekehrt minimale und maximale Normalspannungen (Hauptspannungen) in den Winkelhalbierenden der Knotenebenen liegen, und zwar Zug- (engl.: tension) oder T-Achse im Quadrant der Kompressionsimpulse und Druck- (engl.: pressure) oder P-Achse im Quadrant der Dilatationsimpulse (Abb. 5.10b).

Obwohl in Wirklichkeit wegen Reibung an den Bruchflächen und wegen der Anisotropie der Gesteinskörper mit Abweichungen vom einfachen Scherbruchverhalten zu rechnen ist, führen solche Bestimmungen doch zu oft recht konsistenten Aussagen über die Orientierung des gegenwärtigen tektonischen Spannungsfeldes in der Erdkruste, in befriedigender Übereinstimmung mit statischen „in situ"-Spannungsmessungen in Bohrlöchern. Abb. 5.11 zeigt eine Zusammenstellung von Herdflächenlösungen aus dem Raum der Westalpen (*Pavoni* 1980). Es handelt sich offenbar überwiegend um Blattverschiebungen unter der Wirkung eines horizontalen Druckspannungsfeldes, das von der Alpenachse nach außen gerichtet ist und auch

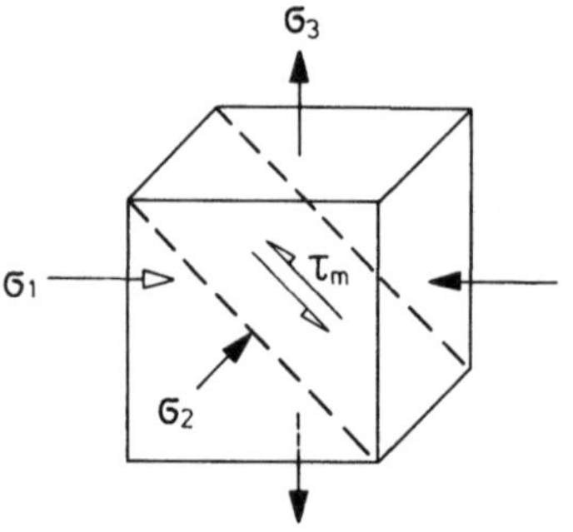


Abb. 5.10a Spannungsorientierung beim reinen Scherbruch.

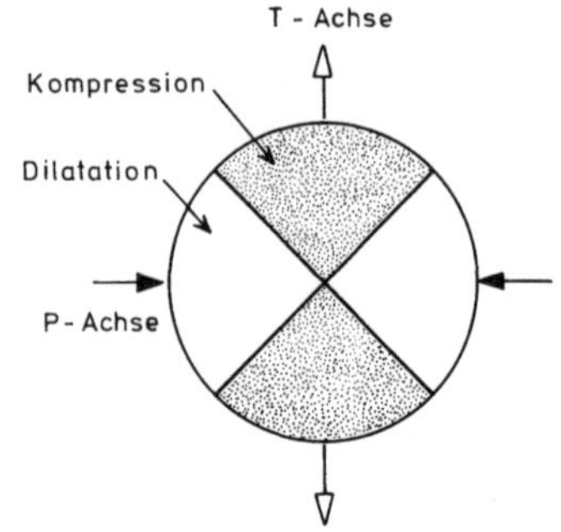


Abb. 5.10b Herdflächenlösung und Hauptspannungsorientierung beim reinen Scherungsbruch.

noch die Seismizität in den Rheinlanden und der Hohenzollern-Alb bestimmt.

Außer der räumlichen Orientierung läßt sich auch die Größe F der Bruchfläche, der mittlere Versatz $\bar{D}$ und der Spannungsabfall $\Delta\sigma$ an der Bruchfläche aus der Analyse der seismischen Signale an den Erdbebenstationen

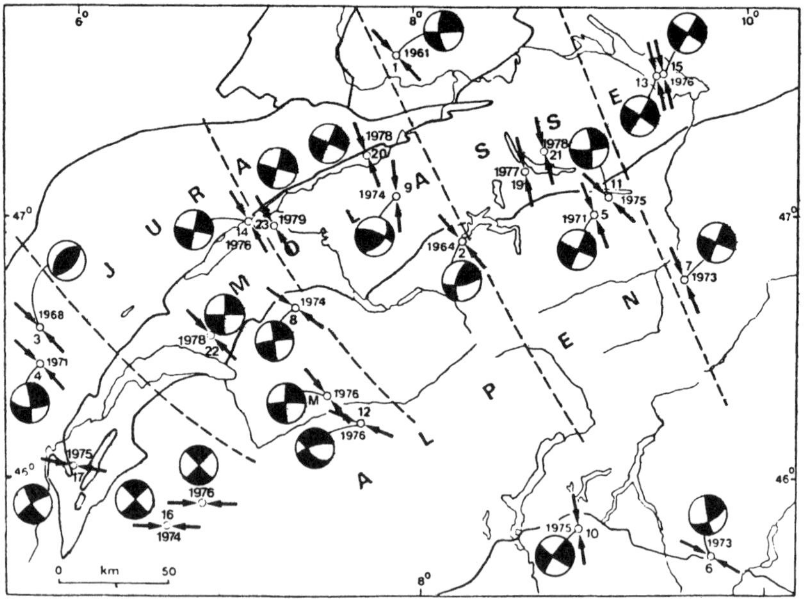


Abb. 5.11 Herdflächenlösungen im Westalpengebiet (Pavoni 1980), schwarz: Kompression, weiß: Dilatation.

ermitteln. Während das Produkt von F und $\bar{D}$ im sogenannten **„Seismischen Moment"**

$$\boxed{M_0 = \mu F \bar{D}} \qquad 5.4$$

($\mu$ = Schermodul im Herdgebiet $\approx$ 0,5 Mbar = 50 GPa) weitgehend hypothesenfrei und unabhängig vom Ablauf des Bruchvorgangs aus Signalstärke und -dauer bestimmt werden kann, hängt die Berechnung der anderen Parameter von den jeweils zugrunde gelegten Modellvorstellungen über den Herdvorgang ab. Eine wenigstens größenordnungsgemäße Vorstellung der Herdparameter vermittelt Tab. 5.4.

Tab. 5.4 Erdbebenparameter

| $M_s$ | $M_0$ N · m (= $10^7$ dyn cm) | F $km^2$ | $\bar{D}$ m | $\Delta\sigma$ MPa (= 10 bar) |
|---|---|---|---|---|
| 5,5 | $3 \times 10^{17}$ | 30 | 0,3 | |
| 6,5 | $5 \times 10^{18}$ | 200 | 0,75 | 0,5–20 |
| 7,5 | $2 \times 10^{20}$ | 3000 | 3 | |
| 8,5 | $1 \times 10^{23}$ | 150000 | 20 | |

**Merke:** Erdbeben sind Ausdruck momentaner Entspannungsprozesse in der elastisch-spröden Erdrinde. Die Entspannung erfolgt durch Scherungsbrüche. Aus der Stoß- und Zugverteilung der seismischen Signale läßt sich die räumliche Orientierung der beiden Knotenebenen bestimmen. Eine davon enthält die Bruchfläche. Aussagen über die Orientierung des tektonischen Spannungsfeldes sind nur im Rahmen der Scherbruchhypothese korrekt. Das „seismische Moment" ist ein quantitativer Ausdruck für den Bruchvorgang und damit für die Erdbebenstärke.

## 5.5 Elastizität und elastische Raumwellen

Die Eigenschaft der Elastizität von Mineralen und Gesteinen ist, wie im Kapitel 3 gezeigt, in erster Linie auf die Abstoßungskräfte im atomaren Gitterverband zurückzuführen. Bei kleiner Belastung ist die relative Längenänderung $\varepsilon = \Delta l/l$ der Kraft P proportional und reversibel (Abb. 5.12 **A**). Das Material befindet sich im linearen Elastizitätsbereich. Sein Verhalten läßt sich dort durch das **Hookesche Elastizitätsgesetz** beschreiben. Wird die Belastung erhöht, so beginnt die Gesteinsprobe irreversibel durch plastisches Fließen nachzugeben (Abb. 5.12 **B**), bis es

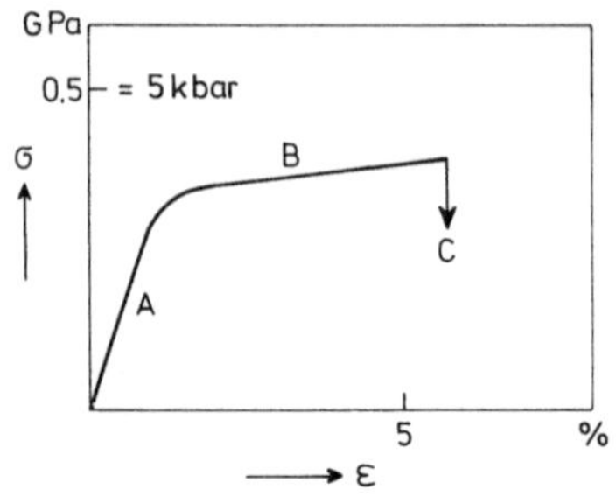


Abb. 5.12 Schematisches Kraft-Deformationsdiagramm einer Gesteinsprobe bei axialer Belastung.
**A** linear elastischer Bereich
**B** plastische Deformation
**C** Bruch.

schließlich zum Bruch kommt (Abb. 5.12 **C**), wie beim Erdbebenherd beschrieben.

Sieht man einmal vom unmittelbaren Herdbereich ab, so ist die Deformation des Gesteinsmaterials beim Durchgang von Erdbebenwellen äußerst klein – eine typische Größenordnung wäre $\Delta l/l \approx 10^{-8}$. Damit befinden wir uns sicher im Gültigkeitsbereich des Hookeschen Gesetzes, auf den wir uns deshalb im folgenden beschränken wollen.

Wird auf der Stirnfläche F einer zylindrischen Gesteinsprobe der Länge l die Druckkraft P gleichmäßig verteilt, so steht diese Fläche unter der **Normalspannung** $-\sigma \doteq P/F$ (Zugspannungen werden positiv gezählt). Dies bewirkt die relative axiale Verkürzung $-\varepsilon$ des Körpers (Abb. 5.13a). $\varepsilon$ wird als Dehnung bezeichnet und ist positiv bei Längenzunahme. Im Gültigkeitsbereich der linearen Elastizitätstheorie ist dann

$$\boxed{\varepsilon = \frac{1}{E}\sigma} \qquad 5.5$$

wobei der **Elastizitätsmodul E** (engl.: Young's modulus) ein Maß für den Widerstand des Materials gegen elastische Verformung oder für seine Steife ist. Gleichzeitig mit der axialen Verkürzung vergrößert sich der Probendurchmesser d um $\Delta d$. Das Querdehnungsverhältnis oder die **Poissonzahl** (engl.: Poisson's ratio)

$$\nu = -\frac{\Delta d}{d} / \frac{\Delta l}{l} \qquad 5.6$$

ist ebenfalls ein Materialparameter, der bei Gesteinen meist zwischen 0,2 und 0,4 liegt. $\nu$ ist auch von der Gesteinsporosität abhängig.

Steht der Probekörper unter allseitig gleichem Druck p (hydrostatischer Spannungszustand) (Abb. 5.13b), so verringert er ohne Gestaltänderung sein Volumen um ΔV. Es ist

$$\boxed{\frac{\Delta V}{V} = -\frac{1}{K}p} \qquad 5.7$$

K wird als **Kompressionsmodul** bezeichnet (engl.: bulk modulus).

Wird der Probezylinder nun mit einem starren Mantel umgeben, so daß bei axialer Belastung keine Querdehnung auftreten kann (Abb. 5.13c), so gilt statt Gl. 5.5

$$\boxed{\varepsilon = \frac{1}{M}\sigma} \qquad 5.8$$

wobei der Modul M für diesen Belastungsfall erwartungsgemäß höher liegt als E im Fall Gl. 5.5.

Schließlich kann an der Stirnfläche des Probezylinders auch eine Kraft Q tangential angreifen, wobei dann $Q/F = \tau$ als **Schubspannung** bezeichnet wird (Abb. 5.13d). In diesem Fall ändert der Körper bei konstantem Volumen durch Scherung seine Gestalt. Zwischen dem Scherungswinkel $\gamma \approx \mathrm{tg}\gamma = \frac{\Delta x}{l}$ und der Schubspannung τ besteht wiederum eine lineare Beziehung der Form

$$\boxed{\gamma = \frac{1}{\mu}\tau} \qquad 5.9$$

wobei μ als Schubmodul, **Schermodul** oder Rigidität (engl.: rigidity) bezeichnet wird.

Von den zuvor genannten 5 elastischen Parametern sind im homogenen, isotropen (richtungsneutralen), elastischen Medium nur 2 voneinander un-

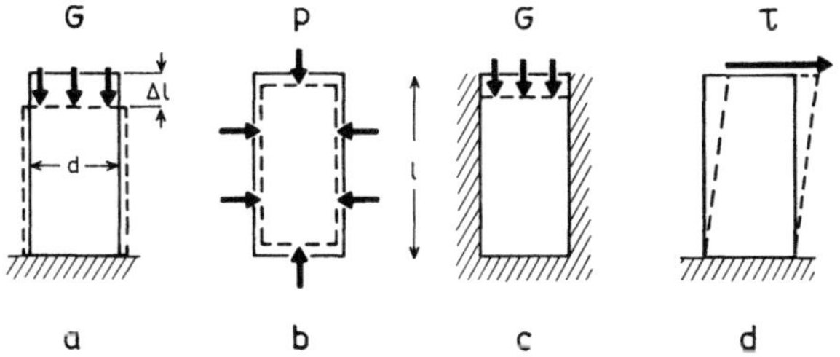


Abb. 5.13a–d Elastische Deformation eines zylindrischen Probekörpers unter verschiedenen Last- und Einspannungsbedingungen.

abhängig. Zwischen den Moduln bestehen folgende für uns hier wichtige Beziehungen:

$$K = E \frac{1}{3(1-2\nu)}$$

$$M = E \frac{1-\nu}{(1+\nu)(1-2\nu)} = K + \frac{4}{3}\mu \qquad 5.10$$

$$\mu = E \frac{1}{2(1+\nu)}$$

Zur größenordnungsmäßigen Orientierung sind in nachfolgender Tabelle einige Modulwerte angegeben (bei 0,4 GPa = 4 kbar Umgebungsdruck gemessen).

Tab. 5.5 Elastizitätsparameter von Gesteinen und Eisen

| | **E** GPa | **K** GPa | **μ** GPa | **ν** |
|---|---|---|---|---|
| Kalkstein | 65 | 50 | 25 | 0,3 |
| Granit | 80 | 50 | 30 | 0,26 |
| Gabbro | 100 | 70 | 40 | 0,28 |
| Dunit | 170 | 120 | 65 | 0,27 |
| Eisen | 200 | 140 | 80 | 0,28 |

Erdbebenwellen sind elastische Wellen, die sich im Erdkörper ausbreiten. Im Gegensatz zu den ebenfalls elastischen Schallwellen in Luft oder Wasser gibt es in Festkörpern mehrere Arten von Wellen, die sich hinsichtlich der Art der Schwingungsbewegung des Mediums und der Ausbreitungsgeschwindigkeit unterscheiden. Es ist speziell die Signalgeschwindigkeit v, welche Ausbreitungsweg und Laufzeit bestimmt und dadurch Aufschluß über die Struktur des Erdinnern liefert.

Der Zusammenhang zwischen v und den elastischen Parametern des Mediums läßt sich physikalisch einfach und plausibel ableiten allein unter Verwendung des Impulssatzes und des Hookeschen Elastizitätsgesetzes.

Wir beginnen mit der Ausbreitung eines Druckstoßes in einem elastischen Stab. Zur Zeit t = 0 wird eine Druckkraft P an die Stirnfläche F des Stabes angelegt. Der Stab wird komprimiert entsprechend dem statischen Versuch (Abb. 5.13a), jedoch nur bis zu der Stelle, an welche die Kompressionsfront bis zur Zeit t gelangt ist, nämlich bis $l = v\,t$ (Abb. 5.14a). Alle Materialteilchen hinter der Kompressionsfront bewegen sich mit der Verschiebungsgeschwindigkeit $c = \Delta l/t$ nach rechts.

Entsprechend dem Hookeschen Gesetz Gl. 5.5 gilt also

$$P = F E \frac{\Delta l}{l} = F E \frac{c}{v} \qquad 5.11$$

Über die mit der Geschwindigkeit c bewegte Masse m gibt der Impulssatz Auskunft:

$$m c = P t$$
$$F l \varrho c = F v t \varrho c = P t \qquad 5.12$$

und mit Gl. 5.11 folgt

$$F v \varrho c = F E \frac{c}{v}$$

$$v^2 = \frac{E}{\varrho}$$

Die Kompressionsfront breitet sich im freien elastischen Stab mit der Geschwindigkeit

$$v_{stab} = \sqrt{\frac{E}{\varrho}} \qquad 5.13$$

aus.

Denkt man sich ein lateral unbegrenztes Medium aus dicht gepackten Stäben aufgebaut, so ist bei Kompressionswellenausbreitung in diesem Stabbündel kein Platz für die Querdehnung der Stäbe. Es muß also die Ausbreitung von **Kompressionswellen** im Raum dem statischen Modellversuch

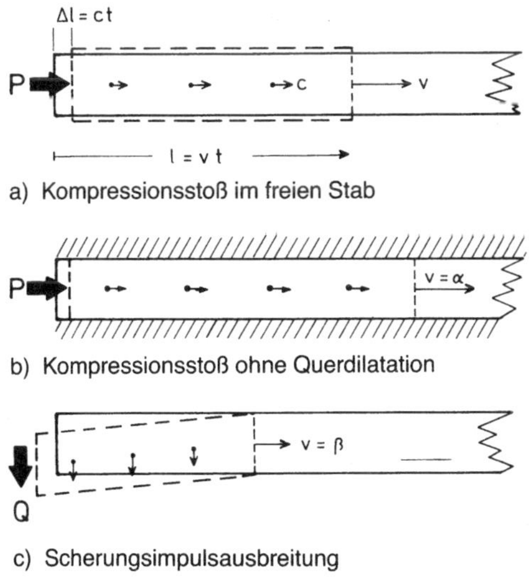


Abb. 5.14a–c Impulsausbreitung in Stäben.

Abb. 5.13c entsprechen. Ohne den obigen Gedankengang wiederholen zu müssen, genügt es, in den Gleichungen 5.11 bis 5.13 E durch M zu ersetzen. Unter Verwendung der Beziehung 5.10 ergibt sich für die Ausbreitungsgeschwindigkeit von Kompressionswellen im Raum

$$\alpha = \sqrt{\frac{M}{\varrho}} = \sqrt{\frac{K + \frac{4}{3}\mu}{\varrho}} = \sqrt{\frac{E}{\varrho}\,\frac{1-\nu}{(1+\nu)(1-2\nu)}} \qquad 5.14$$

Die Teilchenbewegung erfolgt hier in Ausbreitungsrichtung (Abb. 5.15a), weshalb diese Wellen auch **Longitudinalwellen** genannt werden.

Lassen wir nun im Gedankenexperiment zur Zeit $t = 0$ an der Stirnfläche des elastischen Stabes vom Querschnitt F eine Querkraft Q angreifen, so pflanzt sich in diesem eine Scherungsdeformation entsprechend dem statischen Modellexperiment Abb. 5.13d in Stabrichtung aus. Ersetzen wir in den Gl. 5.11 bis 5.13 E durch $\mu$ und $\triangle l$ durch $\triangle x$ (Abb. 5.14c), so führt dies mit Gl. 5.10 in analoger Weise zur Ausbreitungsgeschwindigkeit $\beta$ für

**Scherwellen**

$$\beta = \sqrt{\frac{\mu}{\varrho}} = \sqrt{\frac{E}{\varrho}\,\frac{1}{2(1+\nu)}} \qquad 5.15$$

Die Überlegung gilt zunächst für den einzelnen Stab. Da mit der Deformation keine Querschnittsänderung des Stabs verbunden ist, ergeben sich offenbar in diesem Fall beim Bündeln von Stäben keine Schwierigkeiten. Gl. 5.15 gilt also auch für Scherwellen im unbegrenzten Medium, die auch **Transversalwellen** genannt werden, weil die Teilchenbewegung senkrecht zur Wellenausbreitungsrichtung erfolgt.

Offensichtlich ist $\alpha$ stets größer als $\beta$. Für den Fall $\nu = 1/4$ folgt aus 5.14 und 5.15

$$\frac{\alpha}{\beta} = \sqrt{3} \approx 1.7 \qquad 5.16$$

Da die Longitudinalwelle also stets vor der Transversalwelle eintrifft, wird erstere in der Seismologie als **Primärwelle oder P-Welle,** letztere als **Sekundärwelle oder S-Welle** bezeichnet.

Würde man in Abb. 5.15 den Hammerschlag periodisch wiederholen, so würde sich in dem elastischen Medium eine wellenförmige Bewegung ausbreiten. Obwohl dies hinsichtlich Erdbebenbewegungen weniger realistisch

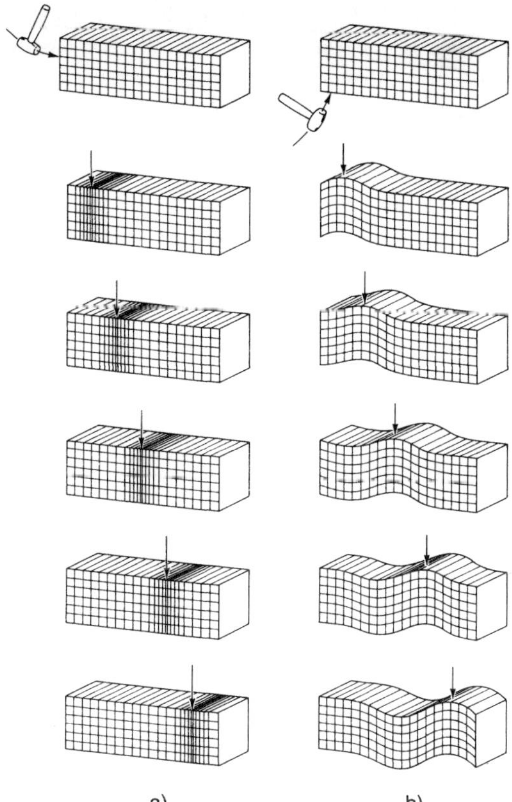


Abb. 5.15a, b Durchgang seismischer Impulse durch einen Block elastischen Materials. a) Kompressionswelle. b) Scherwelle.

ist als ein impulsförmiges Signal, sind periodische Wellen für die mathematische Behandlung – für Lösungen der elastischen Wellengleichungen – vorteilhaft. Dies gilt übrigens auch für die mathematische Darstellung nichtperiodischer Signale. Der Bewegungsausschlag u beim Durchgang einer eindimensionalen, ungedämpften, periodischen (harmonischen) Welle, die sich mit der Geschwindigkeit v in Richtung der x-Achse ausbreitet, läßt sich schreiben:

$$\begin{aligned} u(x,t) &= u_0 \cos \frac{2\pi}{T} (t - \frac{x}{v}) \\ &= u_0 \cos \underbrace{\frac{2\pi}{\lambda} (vt - x)}_{\varphi(x,t)} \end{aligned} \qquad 5.17$$

$u_0$ ist die **Amplitude**, φ die Phase der Welle. In Abb. 5.16a ist der ortsfeste Bewegungsablauf für $x = x_1$ dargestellt. T ist die **Schwingungsperiode** der Welle. Abb. 5.16b zeigt Momentaufnahmen des räumlichen Schwingungszustands für zwei Zeiten $t_1$ und $t_1 + \Delta t$.

Nach Gl. 5.17 bleibt die Phase φ der Welle konstant (z. B. das Schwingungsmaximum), wenn räumliche und zeitliche Veränderung der Welle durch

$$\Delta x = v\,\Delta t$$

miteinander verknüpft sind. v wird deshalb auch die **Phasengeschwindigkeit** genannt. Die Phase hat die räumliche Periodizität der **Wellenlänge** λ.

**Merke:** Im Gegensatz zu Gasen und Flüssigkeiten gibt es im Festkörper 2 Arten elastischer Raumwellen, Longitudinal-(**P**-)Wellen und Transversal-(**S**-)Wellen. Das Quadrat der Wellenausbreitungsgeschwindigkeit ist das Verhältnis des zum Deformationstyp gehörigen elastischen Moduls und der Dichte.

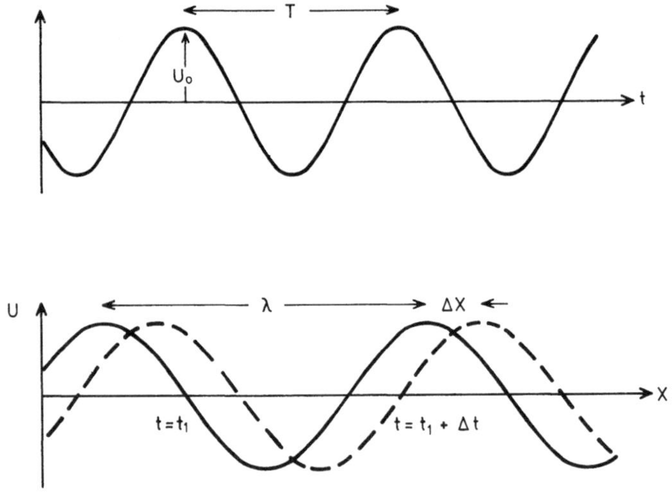


Abb. 5.16a, b Ausbreitung einer eindimensionalen Welle.
a) bei festgehaltenem Ort $x = x_1$.
b) im Raum zu zwei Zeiten $t_1$ und $t_1 + \Delta t$.

## 5.6 Wellenfront und Wellenstrahl

Von einer punktförmigen Quelle ausgehend, breitet sich im homogenen Medium das seismische Signal radial nach allen Seiten aus. Die Signalfront oder Wellenfront bildet eine mit der Geschwindigkeit v wachsende Kugelfläche. Die in der Signalfront enthaltene Wellenenergie verteilt sich dabei auf eine mit dem Quadrat des Kugelradius wachsende Fläche. Dies bewirkt – wegen des quadratischen Zusammenhangs von Energie und Bewegungsgeschwindigkeit – bei Kugelwellen eine Abnahme der Wellenamplitude $u_0$ proportional zum Abstand von der Quelle. Neben dieser rein geometrisch bedingten Amplitudenabnahme können noch echte Energieverluste durch nichtelastisches Verhalten des Ausbreitungsmediums zur Amplitudenabschwächung beitragen.

Gestalt und Bewegung der Wellenfront lassen sich, auch bei sehr komplizierten Ausbreitungsbedingungen, physikalisch anschaulich und korrekt mit Hilfe des von *Ch. Huygens* 1690 aufgestellten **Huygensschen Prinzips** berechnen. Es besagt: Jeder Punkt des Ausbreitungsmediums, der von der Wellenfront getroffen wird, schwingt mit dieser in gleicher Phase und wird dabei selbst zur Quelle einer kugelförmig sich ausbreitenden **Elementarwelle**. Je nach Phasenlage schwächen oder verstärken sich diese gegenseitig. Allein auf ihrer gemeinsamen Umhüllenden überlagern sich alle Elementarwellen gleichphasig und verstärken sich. Die Umhüllende der Elementarwellen wird zur neuen **Wellenfront** (Abb. 5.17).

Die Ausbreitungsrichtung der Wellenfront wird durch den **Wellenstrahl**

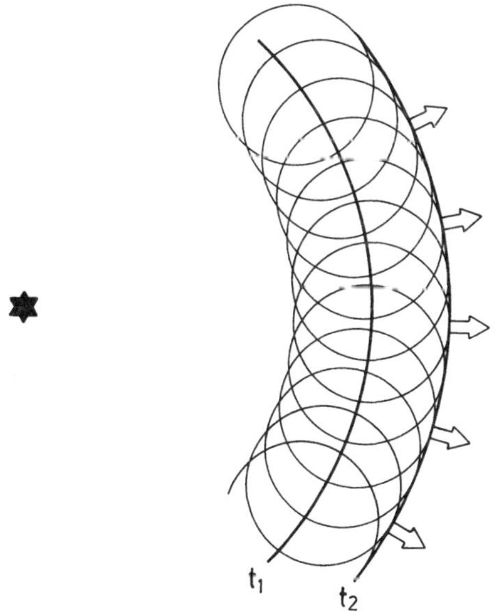


Abb. 5.17 Wellenfrontkonstruktion einer Kugelwelle.

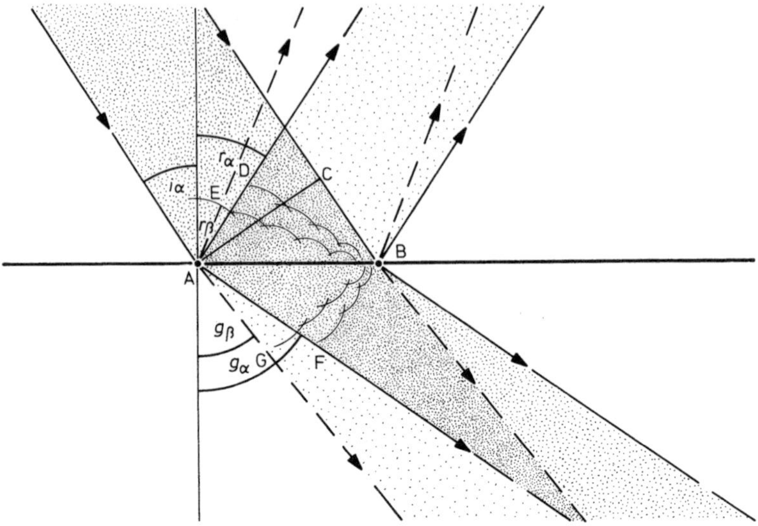


Abb. 5.18 Reflexion und Brechung einer einfallenden ebenen P-Welle an einer ebenen Grenzfläche.

dargestellt, der bei isotropen Medien stets senkrecht auf der Wellenfront steht (Pfeile in Abb. 5.17).

Mit Hilfe des Huygensschen Prinzips lassen sich die geometrischen Gesetzmäßigkeiten der **Reflexion** und der **Brechung** ebener Wellen an ebenen Grenzflächen leicht ableiten. Die einfallende Wellenfront regt an der Grenzfläche Elementarwellen sowohl vom **P**- wie vom **S**-Typ an, die sich mit der jeweiligen Wellengeschwindigkeit im oberen und unteren Medium ausbreiten.

Während die einfallende **P**-Welle den Weg **CB** entlang dem rechten Rand des Strahlenbündels zurücklegt, haben am linken Randstrahl die in **A** erzeugten Elementarwellen folgende Radien erreicht: **AD** = reflektierte **P**-Welle, **AE** = reflektierte **S**-Welle, **AF** = gebrochene **P**-Welle, **AG** = gebrochene **S**-Welle. Aus den rechtwinkligen Dreiecken mit der gemeinsamen Basis **AB** folgt:

$$i_\alpha = r_\alpha; \frac{\sin i_\alpha}{\sin r_\beta} = \frac{\alpha_1}{\beta_1}; \frac{\sin i_\alpha}{\sin g_\alpha} = \frac{\alpha_1}{\alpha_2}; \frac{\sin i_\alpha}{\sin g_\beta} = \frac{\alpha_1}{\beta_2}$$

oder allgemein gültig auch für einfallende S-Wellen

$$\boxed{\frac{\sin i_\alpha}{\alpha_1} = \frac{\sin r_\alpha}{\alpha_1} = \frac{\sin r_\beta}{\beta_1} = \frac{\sin g_\alpha}{\alpha_2} = \frac{\sin g_\beta}{\beta_2}} \qquad 5.18$$

Dies ist eine verallgemeinerte Form des **Snelliusschen Brechungsgesetzes** und die Grundlage für alle strahlengeometrischen Betrachtungen.

## 5.7 Reflexionsseismisches Aufschlußverfahren

Die **Reflexionsseismik** macht davon Gebrauch, daß künstliche seismische Signale, die an oder nahe der Erdoberfläche angeregt werden, an geologischen Schichtgrenzen in der Tiefe reflektiert werden, sofern sich dort die Wellengeschwindigkeit oder die Dichte sprunghaft ändert. Bei senkrechtem Einfall ist das Amplitudenverhältnis der reflektierten zur einfallenden **P**-Welle

$$\frac{u_r}{u_i} = \frac{\varrho_2 \alpha_2 - \varrho_1 \alpha_1}{\varrho_2 \alpha_2 + \varrho_1 \alpha_1} \qquad 5.19$$

Man nennt $\varrho\alpha$ die **akustische Impedanz.** Die reflektierten Wellen werden an der Erdoberfläche mit einer großen Zahl sogenannter „Geophone" (Kap. 5.10) aufgenommen, in elektrische Signale umgesetzt und entweder in digitaler oder in analoger Form gespeichert und später mit hochentwickelten Datenverarbeitungsmethoden ausgewertet. Das Verfahren arbeitet in der Regel mit **P**-Wellen und entspricht der Echolotung des Meeresbodens vom Schiff aus, jedoch können simultan Reflexionen von mehreren Horizonten erhalten werden. Der grundsätzliche Vorteil der reflexionsseismischen Aufschlußmethode liegt in der eindeutigen Interpretierbarkeit der gemessenen Signallaufzeiten in bezug auf Form und Tiefenlage der Reflektoren (Dateninversion). Auch hinsichtlich der räumlichen Auflösung geologischer Strukturen wird diese von keiner anderen geophysikalischen Methode erreicht. Sie ist deshalb trotz des sehr hohen Kostenaufwands die Schlüsselmethode für die **Erdöllagerstättenprospektion** geworden. Was sich seismisch nachweisen läßt, ist nicht das Erdöl selbst, sondern sind gewisse stratigraphische und tektonische Situationen, welche die notwendigen Voraussetzungen für Erdölspeicher erfüllen.

Abb. 5.19 zeigt vier Beispiele von „Erdölfallen", in welche das spezifisch leichtere Öl dem spezifisch schwereren Grundwasser ausweichen kann. Voraussetzung ist stets eine Hochlage des permeablen, ölführenden Speichergesteins.

Die Erzeugung kurzer seismischer Impulse geschieht meist durch **Sprengstoffexplosionen** (1–50 kg) in ca. 30 Meter tiefen Bohrlöchern. Auf See werden **Druckluftkanonen** (engl.: airgun) benutzt, die in zeitlichem Abstand kräftige **P**-Impulse aussenden können. Neuerdings gewinnt das sogenannte **„VIBROSEIS"**-Verfahren an Bedeutung, wobei die für das seismische Signal erforderliche Energie von mehreren synchron arbeitenden Schwingmaschinen (Vibratoren) während der Dauer von 5–20 Sekunden in

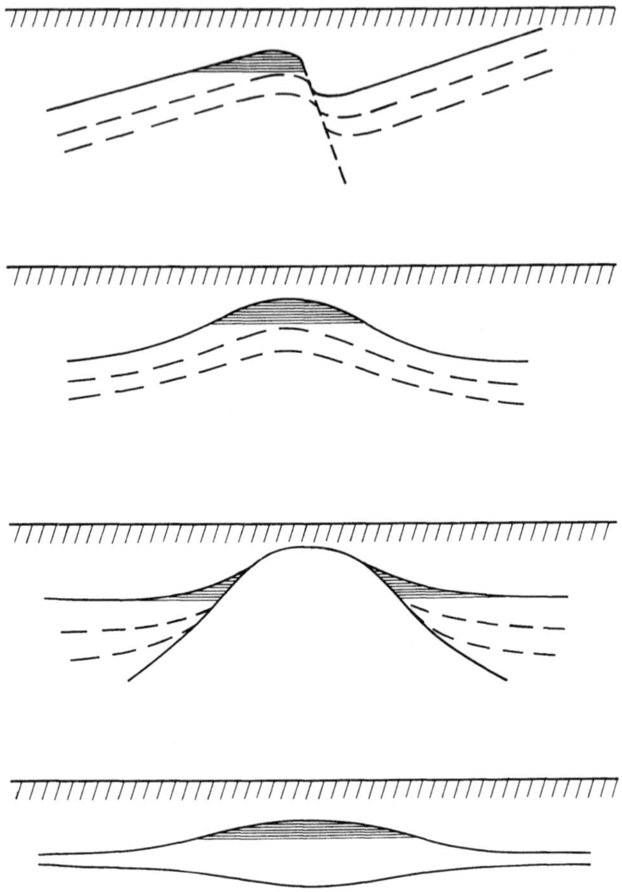

Abb. 5.19 Typen von Erdöllagerstätten.

den Erdboden gepumpt wird. Es können im Gegensatz zu Sprengungen keine Erschütterungsschäden entstehen, und es werden weder Bohrlöcher noch Sprengstoff benötigt. Auf mathematischem Weg (durch Kreuzkorrelation des reflektierten Signals mit dem ausgesandten Signal) erhält man schließlich doch ein impulsförmiges Seismogrammbild. Neben den erwünschten Raumwellen werden durch seismische Quellen auch Wellen angeregt, die der Oberfläche entlanggeführt werden. Diese störenden Oberflächenwellen (engl.: ground roll) müssen aufnehmerseitig durch geeignete Maßnahmen unterdrückt werden.

Die Geophone werden längs des Meßprofils äquidistant in den Boden gesteckt. Zur Unterdrückung der Oberflächenwellen bei gleichzeitiger Ver-

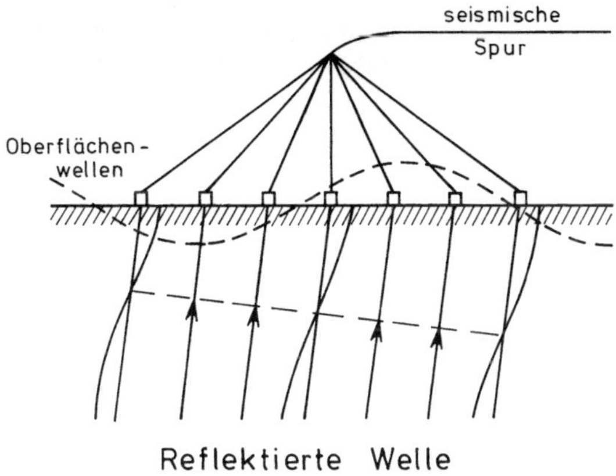


Abb. 5.20 „Bündelung“ von Geophonen zur Unterdrückung von Oberflächenwellen.

stärkung der von unten kommenden Reflexionen werden die Signale von 10–20 Geophonen addiert und gebündelt als eine Signalspur auf dem Seismogramm registriert (Abb. 5.20). Die gesamte Geophonauslage umfaßt in der Regel 24, 48 oder 96 Spuren, d. h. bis zu etwa 2000 Geophone.

Bei homogener Schichtgeschwindigkeit $\alpha_1$ und ebenem Reflektor in der Tiefe d ist die **Laufzeit** t der reflektierten Welle im Abstand x von der Quelle (Abb. 5.21) nach dem Reflexionsgesetz

$$\boxed{t = \frac{2}{\alpha_1}\sqrt{d^2 + \left(\frac{x}{2}\right)^2}} \qquad 5.20$$

$$\left(\frac{\alpha_1 t}{2}\right)^2 = \left(\frac{x}{2}\right)^2 + d^2$$

Dies aber ist die Gleichung einer Hyperbel, der **Reflexionshyperbel**.

Statt Gl. 5.20 können wir auch schreiben

$$t = \frac{2d}{\alpha_1}\sqrt{\left(1 + \frac{x^2}{4d^2}\right)} \approx \frac{2d}{\alpha_1}\left(1 + \frac{x^2}{8d^2}\right) = t_0 + \Delta t \qquad 5.21$$

$$t_0 = \frac{2d}{\alpha_1}$$

$t_o$ nennen wir die **Lotzeit** und $\Delta t$ die **Hyperbelauslenkung** (engl.: **n**ormal **m**ove **o**ut, **NMO**).

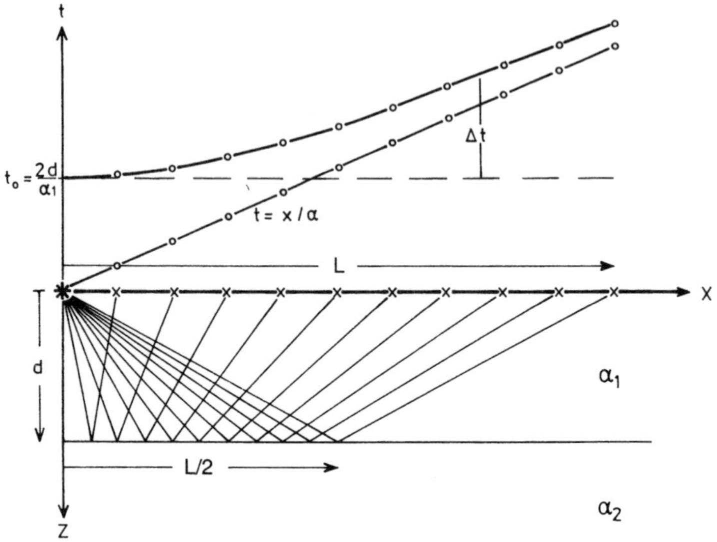


Abb. 5.21 Reflexion seismischer Wellen an einer horizontalen Grenzfläche. Strahlenverlauf (unten) und Laufzeitkurven für direkte und reflektierte Welle (oben).

Wir erkennen:

1. Ein ebener Reflektor erscheint im t(x)-Laufzeit-Profilschnitt der seismischen Einsätze als Hyperbelast.
2. Die Lotzeit ist – bei konstanter Schichtgeschwindigkeit – dem lotrechten Abstand des Reflektors vom Quellpunkt proportional. Dies gilt übrigens auch bei geneigtem Reflektor. Bei variabler Geschwindigkeit ist die **Schichtgeschwindigkeit** durch die **Durchschnittsgeschwindigkeit** $\bar{\alpha} = \frac{d}{t}$ zu ersetzen.
3. Die Geophonauslage L überdeckt nur die Länge L/2 des Reflektors.
4. Die Hyperbelauslenkung ist um so geringer, je tiefer der Reflektor und je höher die Geschwindigkeit ist.
5. Aus der Hyperbelauslenkung läßt sich die Schichtgeschwindgkeit α bzw. die Durchschnittsgeschwindigkeit $\bar{\alpha}$ zwischen Erdoberfläche und Reflektor bestimmen, denn für 2 Abstände $x_1$ und $x_2$ folgt aus Gl. 5.20

$$\bar{\alpha}^2 = (x_1^2 - x_2^2) / (t_1^2 - t_2^2) \qquad 5.22$$

Reflektoren können im Laufzeit-Profilschnitt durch Mehrfachreflexionen zwischen Reflektoren untereinander verschleiert werden (Abb. 5.22).

Diese werden erfolgreich unterdrückt, wenn dasselbe Reflektorelement unter verschiedenen Einfallswinkeln angestrahlt wird. Diese Methode der

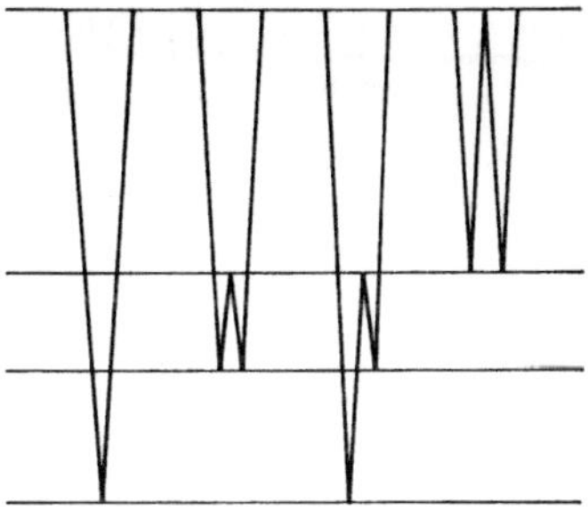

Abb. 5.22 Mehrfachreflexionen.

**Mehrfachüberdeckung** (engl.: multiple coverage) oder **Common-Depth-Point-(CDP-)Methode** (Abb. 5.23) erfordert zwar einen höheren Meßaufwand, liefert aber dafür ein wesentlich verbessertes Verhältnis von Nutzsignal zu Störsignal und wird deshalb heute stets angewandt, wenn es auf Qualität ankommt.

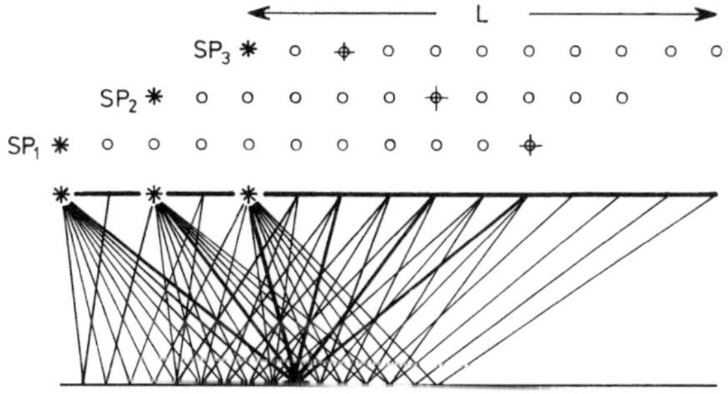


Abb. 5.23 Dreifachüberdeckung der Reflektorelemente bei der **CDP**-Methode.

Um aus den in digitaler Form vorliegenden **Seismogrammsektionen** einen möglichst getreuen Profilschnitt der geologischen Reflektoren zu erhalten, werden in den Datenverarbeitungszentralen der Prospektionsfirmen mit Großrechnern folgende Bearbeitungsschritte (engl.: processing) vorgenommen (Abb. 5.24):

| **Bezeichnung** | **Wirkung** |
|---|---|
| 1. **Statische Korrektur** | Einfluß der Topographie und der Verwitterungsschicht auf die Signallaufzeit wird eliminiert. Die Geschwindigkeit der oberflächennahen Schichten muß hierzu bekannt sein. |

2. **Dynamische Korrektur** — Beseitigung der Hyperbelkrümmung **(NMO)** der Reflexion. Aus 5.21 folgt für $t_0 \gg \Delta t$

$$\Delta t \approx x^2/2\,\bar{\alpha}^2\,t_0$$

Der richtige Wert der Durchschnittsgeschwindigkeit $\bar{\alpha}$ läßt sich mit Gl. 5.22 ermitteln (oder durch Probieren).

3. **Stapeln** (engl.: stacking) (bei Mehrfachüberdeckung) — Durch Addition der dynamisch korrigierten Seismogramme für jedes Reflexionselement (**CDP**-Methode) wird das Signal-Stör-Verhältnis verbessert.

4. **Bandpaßfilterung** — dient zur Heraushebung der in den Reflexionssignalen enthaltenen Frequenzen bei gleichzeitiger Unterdrückung von Oberflächenwellen.

5. **Rückfaltung oder Dekonvolution** — dient zur Verkürzung der Impulsdauer von Reflexionen (Beseitigung des Nachschwingens) und damit zur Erhöhung der Zeitauflösung der Reflexionen.

6. **Migration** — Reflektorelemente erscheinen zunächst senkrecht unter dem Geophonort und werden durch „Migration" an den richtigen Ort im Raum gebracht. Sehr wichtig bei stark gekrümmten Reflektoren.

7. Erstellung von **Tiefen-Profilschnitten** — Umwandlung der Laufzeit-Profilschnitte in Tiefen-Profilschnitte unter Verwendung empirisch bestimmter Geschwindigkeits-Tiefenfunktionen.

8. **3-D-Tiefendarstellungen** — Durch Kombination zweidimensionaler Tiefenschnitte können dreidimensionale Darstellungen der Reflektoren konstruiert werden. Es gibt auch bereits integrierte 3-D-Auswertung flächenhaft angelegter Messungen, jedoch ist der Meß- und Auswerteaufwand nur in besonderen Fällen gerechtfertigt.

**Merke:** Ziel der reflexionsseismischen Prospektionsmethode ist es, im Untersuchungsgebiet ein möglichst getreues und detailliertes Bild vom Tiefenverlauf geologischer Schichtgrenzen mit hinreichend großen akustischen Impedanzunterschieden zu erhalten. Die

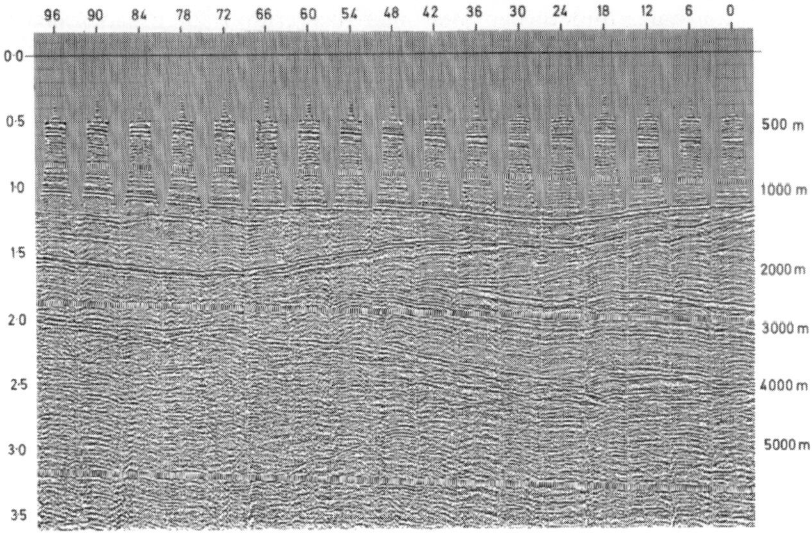


Abb. 5.24a Seismogrammsektion aus 408 Seismogrammen, Einfachüberdeckung, dynamisch korrigiert (Anstey 1970).

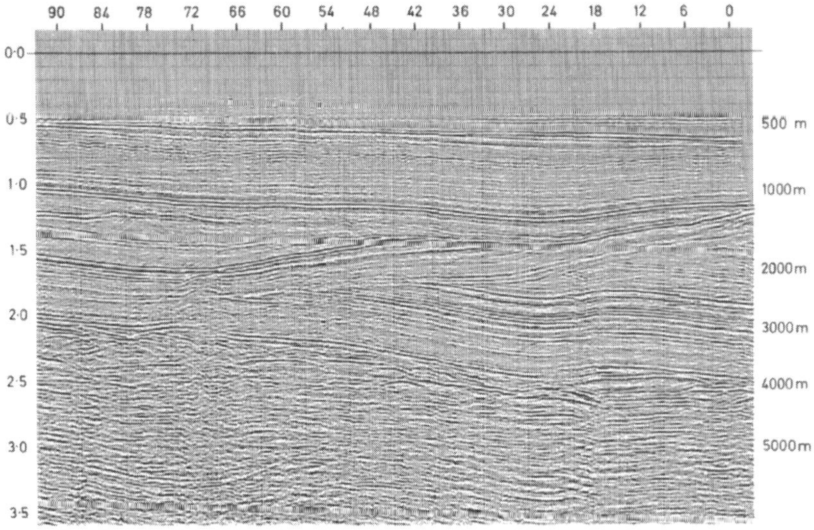


Abb. 5.24b Seismogrammsektion 5.24a mit Sechsfachüberdeckung, Dekonvolution und Bandpaßfilterung (Anstey 1970).

hierzu erforderlichen Meß- und Auswerteverfahren haben einen hohen Entwicklungsstand erreicht, sind aber sehr aufwendig. Nicht Erdöl selbst, sondern erdölhöffige geologische Tiefenstrukturen können nachgewiesen werden.

## 5.8 Die seismische Kopfwelle und das refraktionsseismische Aufschlußverfahren

*L. Mintrop* hat um 1920 bei der Anregung seismischer Signale durch Sprengungen die Beobachtung gemacht, daß neben direkten und reflektierten Wellen auch solche auftreten, die sich offenbar parallel zu den Schichtgrenzen mit der Geschwindigkeit des Liegenden ausbreiten. Im ebenen 2-Schicht-Fall, wo unter einer Schicht mit der **P**-Wellen-Geschwindigkeit $\alpha_1$ in der Tiefe z ein nach unten unbegrenztes Medium (elastischer Halbraum) mit $\alpha_2 > \alpha_1$ folgt, lassen sich die Einsätze auf den Seismogrammen zu Laufzeitdiagrammen entsprechend Abb. 5.25 verbinden.

**A** ist der Laufzeitast der direkten Welle in der Schicht. **B** ist die an der Grenzfläche reflektierte Welle, und die Laufzeit von **C** entspricht einer

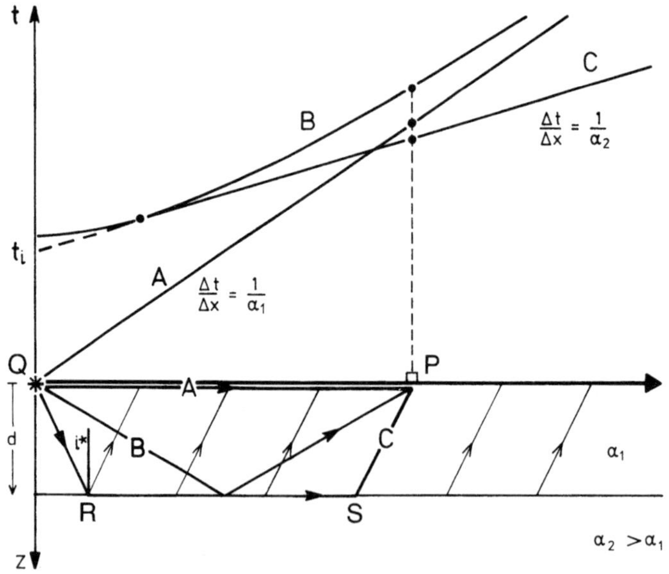


Abb. 5.25 Reflexion und Refraktion an einer horizontalen Grenzfläche. Strahlenverlauf (unten) und Laufzeitkurven (oben) für direkte Welle **(A)**, reflektierende Welle **(B)** und kritisch gebrochene Welle **(C)**.

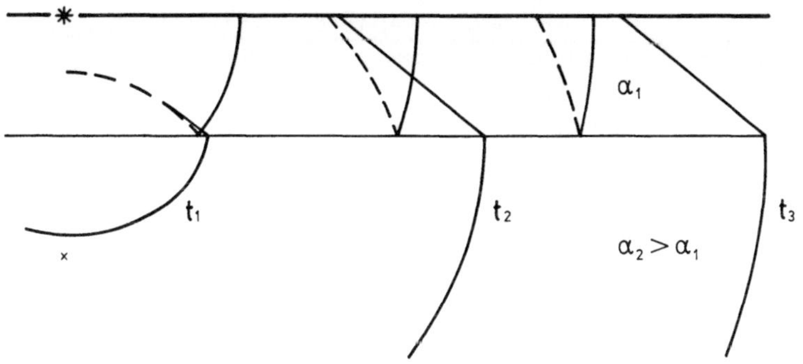


Abb. 5.26 Momentanbilder der Wellenfronten für die Zeitpunkte $t_1$, $t_2$, $t_3$.

gebrochenen Welle, die unter dem Brechungswinkel 90° streifend an der Unterseite der Grenzfläche entlangläuft. Für den hierzu gehörigen Einfallswinkel i* (**kritischer Winkel**) gilt nach dem Brechungsgesetz

$$\sin i^* = \frac{\alpha_1}{\alpha_2} \qquad 5.23$$

Obwohl diese Welle also in keinem Widerspruch zum Brechungsgesetz steht, ist ihre Existenz doch keineswegs trivial. Es gibt hier nämlich ein Energieproblem, denn es sieht in Abb. 5.25 so aus, als ob die kontinuierlich von der Grenzfläche nach oben abgestrahlte Energie dieser nur in einem unendlich engen Strahlenbündel unter dem Winkel i* zugeführt würde. Auch hier verhilft die Wellenfrontenbetrachtung nach dem Huygensschen Prinzip zumindest zu einem qualitativen Verständnis.

In Abb. 5.26 ist das momentane Wellenfrontenbild zu 3 äquidistanten Zeiten dargestellt. Jetzt wird klar, daß es die im elastischen Halbraum sich ausbreitende Wellenfront ist, die beim Entlangstreichen an der Grenzfläche Sekundärwellen anregt und speist, die unter dem kritischen Winkel i* zur Oberfläche wandern. Von der Schicht aus gesehen breitet sich die Erregung längs der Grenzfläche mit Überschallgeschwindigkeit ($\alpha_2 > \alpha_1$) aus, weshalb man in Analogie zu der von einem mit Überschallgeschwindigkeit fliegenden Projektil erzeugten Druckwelle auch hier von einer *(Machschen)* **Kopfwelle** spricht. Nach ihrem Entdecker wird sie auch als **Mintrop-Welle** oder einfach als (kritisch) **refraktierte Welle** bezeichnet. Prinzipiell gilt diese Betrachtung auch für **S**-Wellen oder Wechselwellen (**P → S, S → P**), jedoch haben diese geringere praktische Bedeutung.

Da die Kopfwelle Laufzeitinformationen über Schichtdicke d und die Geschwindigkeit $\alpha_2$ des Liegenden mit an die Oberfläche bringt, hat sich hieraus das refraktionsseismische Aufschlußverfahren entwickelt. Im Vergleich zur reflexionsseismischen Methode liefert es direkt Informationen über die Wellengeschwindigkeiten, jedoch weniger detaillierte Auskunft über die Feinstruktur der Schichtgrenzflächen. Die refraktionsseismische Methode findet einerseits Anwendung für kleinräumige geologische und ingenieurgeologische Probleme in Form der Hammerschlagseismik bis zu Schichttiefen von etwa 50 m, insbesondere jedoch zur sprengseismischen Erforschung des Gesamtaufbaus der Erdkruste und des obersten Erdmantels bis zu Tiefen von 30–100 km.

Für den ebenen 2-Schicht-Fall läßt sich mit Hilfe von Abb. 5.25 die Gleichung der Laufzeitgeraden **C** leicht angeben. Es ist

$$t = \frac{\mathbf{QR}}{\alpha_1} + \frac{\mathbf{SP}}{\alpha_1} + \frac{\mathbf{RS}}{\alpha_2}$$

$$= \frac{2d}{\alpha_1 \cos i^*} + \frac{x - 2d \operatorname{tg} i^*}{\alpha_2}$$

Mit

$$\sin i^* = \alpha_1/\alpha_2, \; \cos i^* = \sqrt{1 - (\alpha_1/\alpha_2)^2}$$

folgt

$$\boxed{t = \frac{x}{\alpha_2} + \frac{2d\sqrt{\alpha_2^2 - \alpha_1^2}}{\alpha_1\,\alpha_2} = \frac{x}{\alpha_2} + t_i} \qquad 5.24$$

Die Geschwindigkeit $\alpha_2$ und die **„Interzeptzeit“** $t_i$ lassen sich als reziproke Steigung bzw. Ordinatenabschnitt der nach rückwärts verlängerten Laufzeitgeraden **C** entnehmen. Mit $\alpha_1$ als reziproke **Steigung** des Laufzeitastes **A** ist die Schichttiefe

$$\boxed{d = \frac{t_i}{2} \cdot \frac{\alpha_1\,\alpha_2}{\sqrt{\alpha_2^2 - \alpha_1^2}}} \qquad 5.25$$

bestimmbar.

Gl. 5.24 läßt sich verallgemeinern für den ebenen **Mehrschichtsfall**. Für die in der n-ten Schicht entlanglaufende Welle gilt

$$t_n = \frac{x}{\alpha_n} + \frac{2d_1\sqrt{\alpha_n^2 - \alpha_1^2}}{\alpha_n\,\alpha_1} + \frac{2d_2\sqrt{\alpha_n^2 - \alpha_2^2}}{\alpha_n\,\alpha_2} + \ldots \qquad 5.26$$

wobei $\alpha_i$ die Schichtgeschwindigkeiten und $d_i$ die Schichtmächtigkeiten sind (Abb. 5.27). Voraussetzung ist $\alpha_{n+1} > \alpha_n$. Man arbeitet die refraktierten Wellen von oben nach unten ab.

Im Falle **geneigter ebener Schichtgrenzen** (Neigungswinkel $\varphi$) unterscheiden sich die Laufzeitkurven in beiden Profilrichtungen (Abb. 5.28). Es ist dann notwendig, zumindest an beiden Endpunkten des Profils Sprengungen abzutun. Da Schichtneigungen nie auszuschließen sind, sollten refraktionsseismische Profile stets mit **„Schuß“** und **„Gegenschuß“** aufgenom-

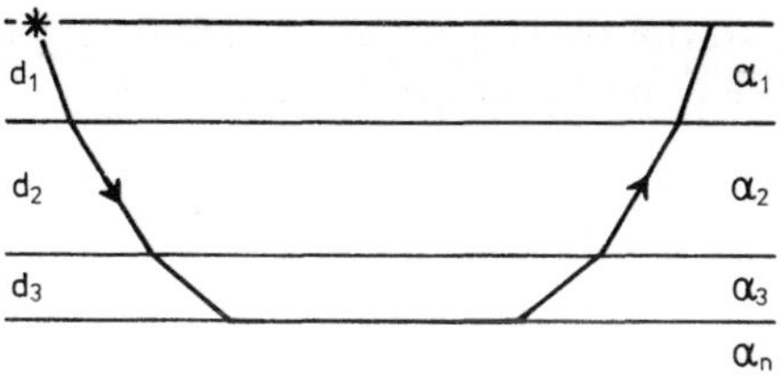


Abb. 5.27 Refraktierter Strahl beim horizontalen Mehrschichtfall.

men werden. Für eine unter dem Winkel φ geneigte Schichtgrenze gilt im Schichtfallen, analog zu Gl. 5.24

$$t' = \frac{x}{\alpha_2'} + \frac{2\,d'\,\sqrt{\alpha_2^2 - \alpha_1^2}}{\alpha_1\,\alpha_2} \qquad 5.27\,a$$

und im Schichtsteigen

$$t'' = \frac{x}{\alpha_2''} + \frac{2\,d''\,\sqrt{\alpha_2^2 - \alpha_1^2}}{\alpha_1\,\alpha_2} \qquad 5.27\,b$$

wobei d′ und d″ die Schichttiefen unter den beiden Sprengpunkten sind. Mit dem Schußpunktabstand $x_0$ folgt dann

$$\sin\varphi = \frac{d'' - d'}{x_0} \qquad 5.28$$

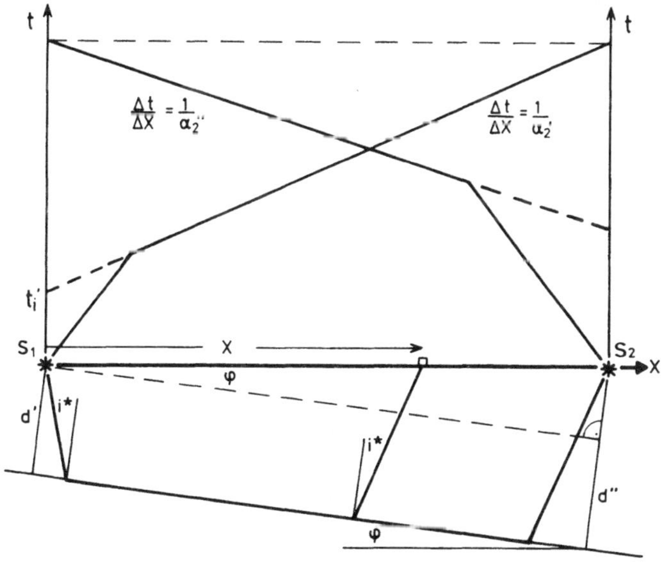


Abb. 5.28 Refraktierte Welle bei ebener, geneigter Grenzfläche.

Hier treten jetzt als reziproke Steigung der Laufzeitkurven anstelle der wahren Geschwindigkeit $\alpha_2$ die **Scheingeschwindigkeiten**

$$\alpha_2' = \frac{\alpha_1}{\sin(i^* + \varphi)} < \alpha_2 \text{ im Schichtfallen}$$

und

$$\alpha_2'' = \frac{\alpha_1}{\sin(i^* - \varphi)} > \alpha_2 \text{ im Schichtsteigen}$$

auf. Für kleine Schichtneigungen ist die wahre Geschwindigkeit

$$\alpha_2 \approx \frac{\alpha_2'' + \alpha_2'}{2} \qquad 5.29$$

Neben diesem einfachen Laufzeitinversionsverfahren für die refraktierte Welle gibt es auch solche, die kontinuierliche Geschwindigkeitszu- und -abnahmen mit der Tiefe sowie beliebige Geometrie der Schichtgrenzflächen zulassen und meist auch die reflektierten Wellen mit in die Inversion einbeziehen (Giese, Prodehl, Stein 1976).

**Merke:** Laufzeitinversionen liefern stets Strukturmodelle, welche diejenigen Eigenschaften aufweisen, die das jeweilige Verfahren zuläßt, z. B. ebene Grenzflächen, homogene Schichtgeschwindigkeiten, lineare Geschwindigkeitsgradienten, elastische Isotropie. Eine Aussage kann also nur „richtig“ sein im Rahmen der erlaubten Modelltypen!

## 5.9 Sprengseismische Tiefensondierung der Erdkruste und des oberen Erdmantels

Unsere Informationen über die physikalische Natur der tieferen Erdkruste stammen fast ausschließlich aus der **sprengseismischen Tiefensondierung** mit refraktierten und reflektierten Wellen. Deutsche Geophysiker haben hieran einen maßgeblichen Anteil. Als wichtigstes Resultat wurde gefunden, daß fast weltweit in einer engbegrenzten Übergangszone ein markanter Anstieg der **P**-Wellen-Geschwindigkeit von 6,8–7,3 km/s auf 7,9–8,2 km/s erfolgt. Der kroatische Seismologe *A. Mohorovičić* hat diese nach ihm benannte Grenzfläche bereits 1909 bei der Untersuchung eines ostalpinen Bebens entdeckt. Die **„Moho“** definiert die Grenze zwischen Kruste und Mantel und liegt je nach Krustentyp in Tiefen zwischen 10 und 70 km. Da die an der „Moho“ refraktierte Welle meist erst in Entfernungen über 100 km als Ersteinsatz ankommt, erstrecken sich refraktionsseismische Tiefensondierungen meist über Profillängen von mehreren hundert bis zu einigen tausend Kilometern. Sprengladungen von 500–5000 kg, gut ver-

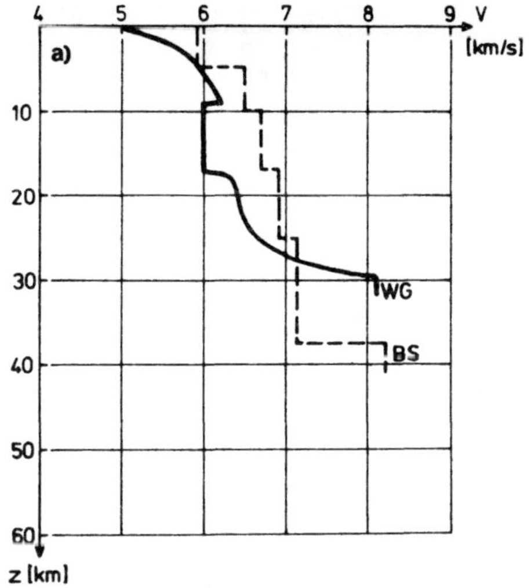


Abb. 5.29 Geschwindigkeits(v)-Tiefen(z)-Verteilung für Westdeutschland (**WG**) und den Baltischen Schild (**BS**) (Meißner und Vetter 1976).

dämmt unter Wasser oder in Bohrlöchern, sind dazu erforderlich. Der Seismometerabstand auf dem Profil sollte 5 km nicht übersteigen, um eine zuverlässige Korrelation zusammengehöriger Einsätze auf benachbarten Seismogrammen zu gewährleisten. Funk-Zeitsignale dienen als gemeinsame Zeitbasis für alle Stationen.

Es zeigen sich charakteristische Unterschiede zwischen kontinentalen und ozeanischen Krustenstrukturen. Im Rahmen der homogenen Mehrschichtmodelle (Kap. 5.8) läßt sich die **kontinentale Kruste** in erster Näherung mit einer Zweigliederung beschreiben. Unter Sedimenten variabler Mächtigkeit folgt die **Oberkruste** mit Mittelwerten $\bar{\alpha}$ zwischen 5,8 und 6,2 km/s, darunter bis zur Moho die **Unterkruste** mit $\bar{\alpha}$ zwischen 6,6 und 7,0 km/s. Die Gesamtmächtigkeit („Moho"-Tiefe) der kontinentalen Kruste beträgt im paläozoisch geformten Mitteleuropa etwa 30 km, unter den alten präkambrischen Schilden (z. B. Kanada, Afrika, Australien) 40–45 km und unter jungen Faltengebirgen in tertiären bis quartären Kollisionszonen (Alpen, Kaukasus, Himalaya) 50–70 km (Abb. 5.33). Auffallend ist, daß unter Zonen junger Dehnungstektonik (Ostafrikanischer Graben, Rheingraben) neben verringerter Krustenmächtigkeit anomal niedrige Sub-„Moho"-Geschwindigkeiten auftreten, was auf hohe Temperatur schließen läßt.

Mit guten Meßdaten und aufwendigen Interpretationsverfahren läßt sich das 2-Schicht-Modell der kontinentalen Kruste beträchtlich verfeinern

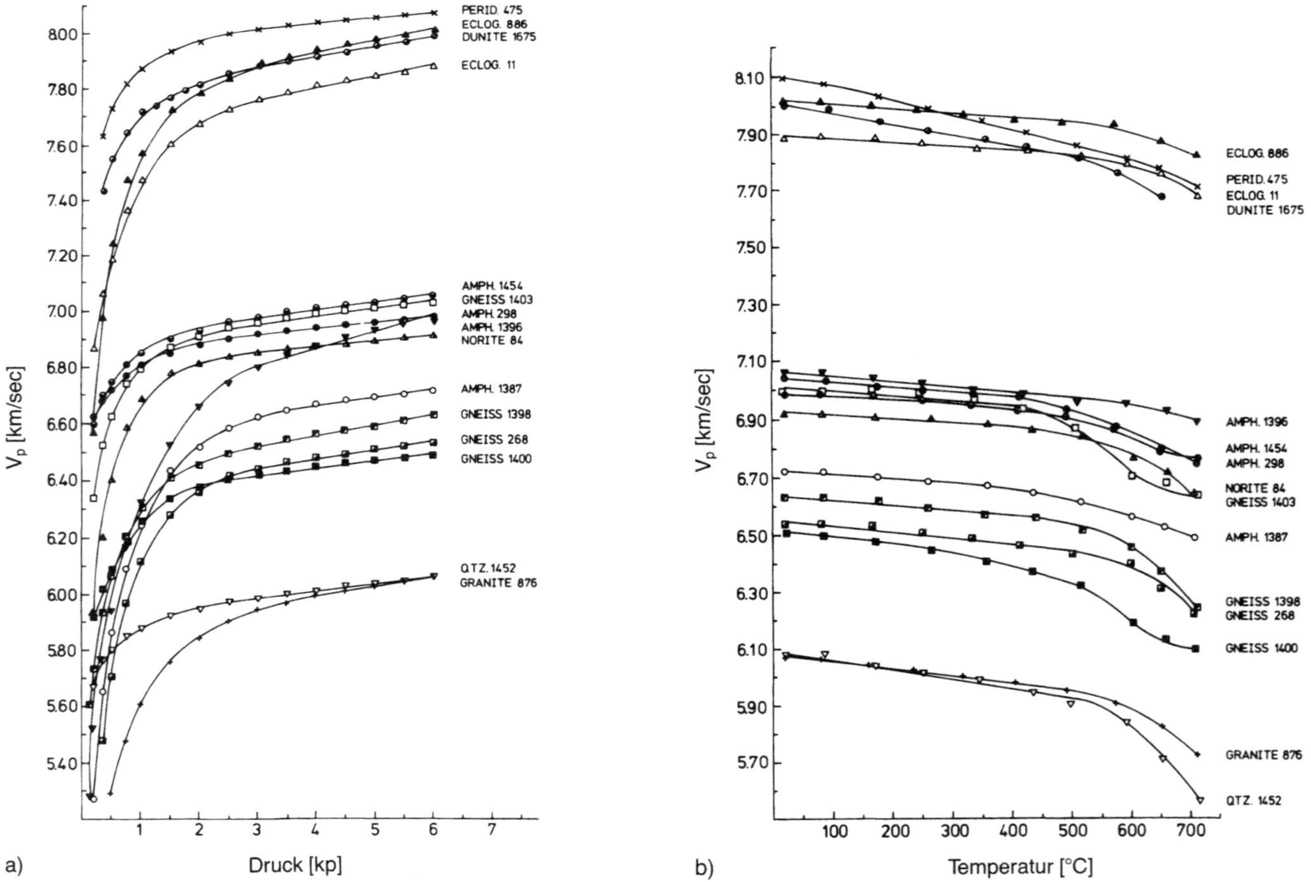


Abb. 5.30 a) **P**-Wellen-Geschwindigkeiten (Vp) von Krusten- und Mantelgesteinen in Abhängigkeit vom Umgebungsdruck bei Zimmertemperatur.
b) **P**-Wellen-Geschwindigkeiten (Vp) in Abhängigkeit von der Temperatur, bei Atmosphärendruck (Kern und Richter 1981).

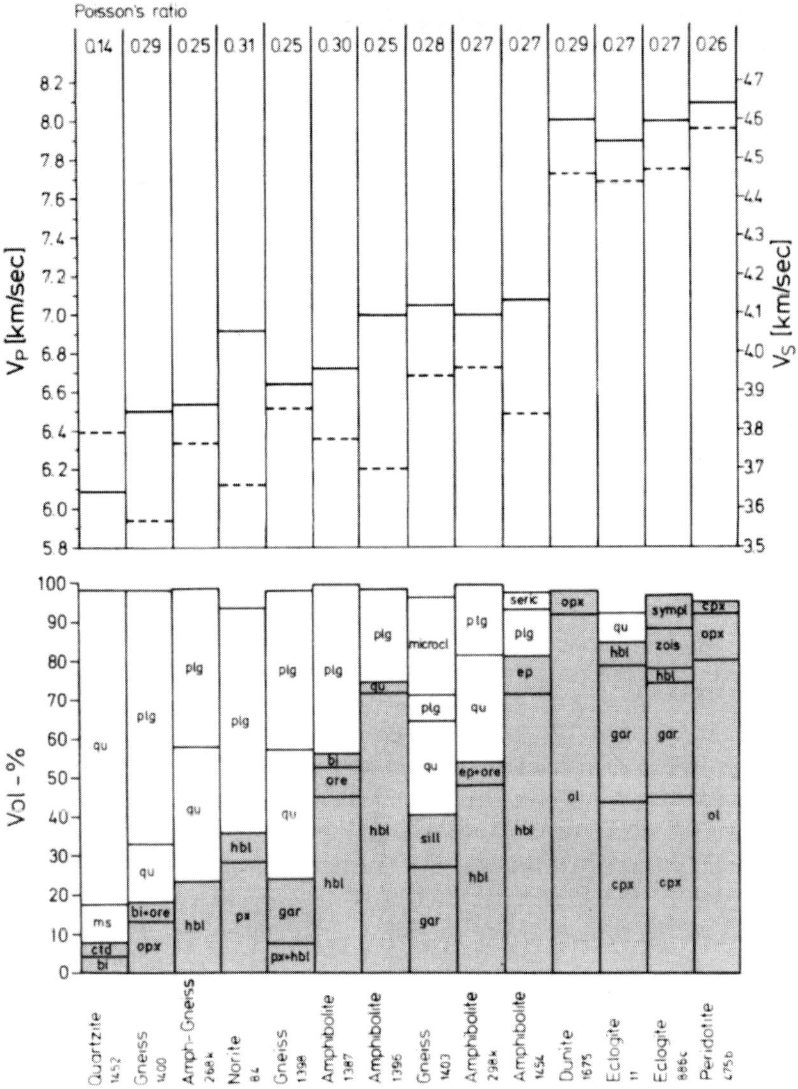


Abb. 5.31 Zusammenhang zwischen seismischen Wellengeschwindigkeiten und Mineralzusammensetzungen von Krusten und Mantelgesteinen (Kern und Richter 1981).

(Abb. 5.29). Häufig nimmt in den oberen 10 km die Geschwindigkeit mit der Tiefe deutlich zu, was zum wesentlichen Teil auf Verfestigung durch Schließen von Klüften und Poren zurückzuführen ist (vergleiche Labormessungen). Nicht selten nehmen in der mittleren Kruste aber die Geschwindigkeitswerte nach unten sogar wieder ab **(Geschwindigkeitsinversionen)**, was, wie wir sogleich sehen werden, auf den Einfluß erhöhter Temperatur hinweist, die in diesem Bereich zur Mobilisation leicht schmelzender Mineralien **(Anatexis)** führen kann. Die früher oft als **„Conrad-Diskontinuität"** bezeichnete Grenze zwischen Ober- und Unterkruste scheint, sofern überhaupt erkennbar, nicht von einheitlicher petrographischer oder struktureller Natur zu sein. Jedoch erweist sich auch die „Moho" selbst keineswegs als einfache, scharfe Grenzfläche, sondern eher als eine Übergangszone mit lamellenartiger Struktur.

Direkten Einblick in den **Stoffbestand** der kontinentalen Kruste erlaubt uns die Erde nur an den wenigen Stellen, wo die tiefe Kruste durch tektonische Vorgänge angehoben und aufgeschlossen ist (z. B. Zone Ivrea-Verbano an der Innenseite des Westalpenbogens). Indirekte Schlüsse sind jedoch möglich durch Vergleich von Meßwerten elastischer Wellengeschwindigkeiten an Gesteinsproben im Labor mit den „in situ"-Geschwindigkeiten der seismischen Tiefensondierung. Natürlich müssen bei den Labormessungen die Druck- und Temperaturbedingungen der Tiefe berücksichtigt werden. Ultraschallgeschwindigkeiten in Probekörpern aus Kruste- und Mantelgesteinen in Abhängigkeit von Druck und Temperatur (*Kern und Richter* 1981) zeigt Abb. 5.30a und b. Der rasche Geschwindigkeitsanstieg unterhalb 3 kbar (entsprechend Tiefen bis zu 10 km) ist, wie schon bemerkt, Folge der Gesteinsverfestigung durch Schließen von Rissen und Poren. Der langsame stetige Anstieg bei höheren Drücken rührt im wesentlichen von der Druckabhängigkeit des Kompressionsmoduls her. Im Gegensatz dazu bewirkt steigende Temperatur Geschwindigkeitsabnahme. Diese wird bedeutend beim Beginn **partieller Schmelze**. Aus der Zusammenstellung in Abb. 5.31 (bezogen auf 6 kbar und Zimmertemperatur) ist ersichtlich, daß zwar keine eindeutige Zuordnung von Geschwindigkeit und Gesteinsart möglich ist, daß jedoch quarz- und feldspatreiche, helle Gesteine systematisch niedrigere Geschwindigkeiten haben als olivin-, granat- und pyroxenreiche, dunkle (mafische) Gesteine. Das kristalline Grundgebirge der Oberkruste dürfte daher vorwiegend aus $SiO_2$-reichen **„sauren"** Quarziten, Gneisen und Graniten bestehen, die Unterkruste dagegen aus weniger $SiO_2$-reichen **„intermediären"** bis **„basischen"** Granatgranuliten, Amphiboliten und Gabbros (äquivalent mit Norit in Abb. 5.31). Übrigens steht diese Lagerung auch im Einklang mit der Mineralausscheidungsfolge aus der Schmelze im Schwerefeld. Die früher gebräuchliche Gliederung der Kruste in **sialische** Granit- und **simatische** Gabbrozone ist offensichtlich zu vereinfachend.

Tab. 5.6 **P**-Wellen-Geschwindigkeiten

| | km/s |
|---|---|
| Wasser 10°C | 1,45 |
| Sand, Ton | 1,5–2,5 |
| Sandstein, Kalkstein | 3,5–5,5 |
| Granit, Quarzit* | 5,6–6,3 |
| Gabbro* | 6,5–6,8 |
| Amphibolit* | 6,9–7,0 |
| Granatgneis* | 6,6–7,0 |
| Peridotit* | 7,9–8,1 |
| Eklogit* | 7,8–8,1 |

* Ultraschallmessungen bei 5 kbar Umgebungsdruck und Zimmertemperatur (Clark 1966, Kern u. Richter 1981)

Die Frage nach dem Mineralbestand des **oberen Mantels** läßt sich allein mit Mitteln der Geophysik nicht eindeutig beantworten. Sowohl olivin-(peridot-)reicher Peridotit bzw. Dunit, wie auch das Granat-Pyroxengestein Eklogit befriedigen die seismischen „in situ“-Werte (Abb. 5.31). Der petrologisch entscheidende Unterschied zwischen den beiden Alternativen ist der, daß im Falle eines Peridotitmantels die „Moho“ eine stofflich-chemische Grenze darstellt, während Eklogit die dem Gabbro chemisch äquivalente Hochdruckmineralassoziation ist und damit die „Moho“ eine druck- und temperaturabhängige Phasengrenze wäre. Petrologische Argumente (z. B. *Ringwood* 1975) wie auch die Existenz ausgedehnter Peridotitkörper in der Zone von Ivrea-Verbano am südlichen Alpenrand sprechen für einen peridotitischen Erdmantel (Berckhemer 1969).

Anders und wesentlich einheitlicher als die kontinentale Kruste ist dieje-

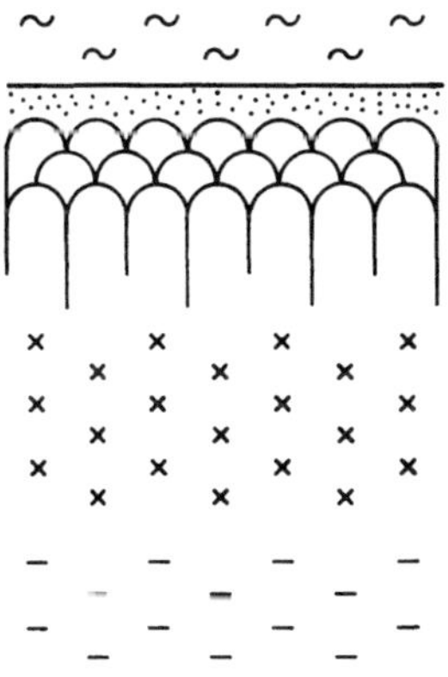


Abb. 5.32 Schematischer Aufbau der ozeanischen Erdkruste.

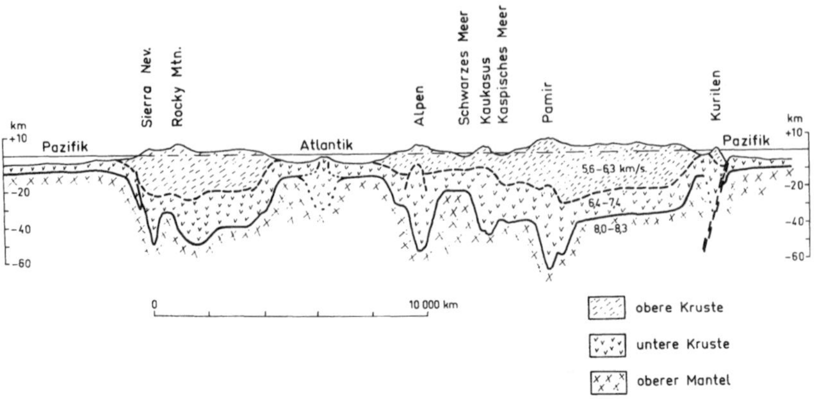


Abb. 5.33 Schnitt durch die Erdkruste in 45° nördlicher Breite nach Ergebnissen seismischer Messungen (Berckhemer 1968).

nige im Bereich der großen und geologisch jungen Ozeangebiete (Pazifik, Atlantik, Indischer Ozean). Unter Sedimenten unterschiedlicher Mächtigkeit folgt eine obere Krustenschicht von 1–2 km Dicke mit ca. 5 km/s, darunter der 4–6 km mächtige Hauptteil der **ozeanischen Kruste** mit $\alpha \approx 6{,}7$–7,1 km/s. Die Gesamtmächtigkeit der ozeanischen Kruste beträgt also nur etwa 6–8 km. Aus genetischen Gründen, von freigelegten (obduzierten) Krustenpartien (z. B. Ophiolitabfolge im Troodosmassiv von Zypern) und aus Bohrungen des „Deep Sea Drilling Project" ist bekannt, daß die gesamte ozeanische Kruste von basaltischem Chemismus ist. Dabei wird die Deckschicht meist aus submarinen Lavaergüssen gebildet, sogenannten Kissenlaven, die Zentralkruste aber aus basaltischen Spaltintrusionen und massigen Gabbrokörpern, die an der „Moho" in olivinreiche Peridotit- oder Dunitgesteine übergehen (Abb. 5.32).

Einen Schnitt durch die Erdkruste in 45° nördlicher Breite zeigt die Abb. 5.33. Die große Krustenmächtigkeit unter jungen Gebirgszügen entspricht weitgehend den Airyschen Vorstellungen des isostatischen Massenausgleichs. Die ozeanische Kruste zeichnet sich durch das Fehlen einer sialischen Oberkruste aus. In den tektonisch besonders aktiven Zonen des Mittelatlantischen Rückens und der zirkumpazifischen Inselbögen ist teilweise die „Moho" nicht deutlich auszumachen.

**Merke:** Die Grenze zwischen Erdkruste und Erdmantel ist geophysikalisch definiert durch einen markanten Anstieg der **P**-Wellen-Geschwindigkeit von etwa 6,8–7,3 km/s in der Unterkruste auf 7,9–8,3 km/s im oberen Erdmantel, die Mohorovičić-Diskontinuität oder die „Moho". Die kontinentale Kruste hat eine Mächtigkeit von 25 bis 70 km. Die Oberkruste besteht aus $SiO_2$-reichem „saurem" Kristallingestein, die Unterkruste aus $SiO_2$-ärmerem „intermediären" bis „basischen" Tiefengesteinen. Die „Moho" stellt wahrscheinlich eine stoffliche Grenze zu einem „ultrabasischen" Erdmantel peridotitischer Zusammensetzung dar. Typisch ozeanische Kruste ist 5–15 km mächtig und hat überwiegend basaltische Zusammensetzung.

## 5.10 Messung der seismischen Bodenbewegung

Das Fundamentalproblem für die Messung der seismischen Bodenbewegungen ist, einen **Bezugspunkt** zu schaffen, der nicht an der Bewegung der Erdoberfläche teilnimmt oder sich zumindest nicht synchron mit dieser bewegt. Dies läßt sich näherungsweise durch geeignete Aufhängung einer (trägen) Masse erreichen. Die Masse erhält durch die Aufhängung nur einen Freiheitsgrad der Beweglichkeit. Der räumliche **Verschiebungsvektor** der Bodenbewegung ist deshalb in drei zueinander senkrechte Komponenten zu zerlegen, die getrennt als Funktion der Zeit mit drei **Seismometern** aufgenommen und dann registriert werden. Ein Vertikalseismometer ist im Prinzip ähnlich aufgebaut wie das Gravimeter in Abb. 4.9. Das Gewicht der Masse wird von einem Federsystem getragen. Rückstellkräfte sind erforderlich, um die Masse bei Bodenruhe in einer stabilen Lage zu halten. Gerade hierdurch aber werden bei Bewegung des Bodens und damit des Seismometergestells Kräfte auf die Masse ausgeübt, welche diese in unerwünschte Bewegungen versetzen. Deshalb wird versucht, die Rückstellkräfte möglichst klein zu halten. Masse und Rückstellkraft bilden ein schwingungsfähiges System mit der **Eigenperiode** $T_0$. Es läßt sich zeigen, daß für Bodenbewegungen mit Perioden $T < T_0$ die Masse weitgehend in Ruhe bleibt, sofern durch eine **Dämpfungsvorrichtung** Resonanzschwingungen der Masse verhindert werden. Zur Aufnahme kurzperiodischer sprengseismischer Signale genügt $T_0 \approx 0.1$–$1$ s. Solche Seismometer können sehr klein gebaut werden und heißen dann **Geophone** (siehe Abschnitt 5.7). Besonders für langperiodische seismische Bodenbewegungen wird aber $T_0$ möglichst groß, etwa 20–30 s gemacht. Die Relativbewegung von Gestell und Masse wird mit einem geeigneten Meß- und Registriersystem, dem **Seismograph,** aufgenommen. Vergrößerung und Frequenzübertragungsbereich werden durch elektronische Verstärker und Filter bestimmt. Langperiodische Stationsseismometer müssen sorgfältig vor Störeinflüssen wie technische Bodenunruhe, Wind, Temperatur- und Luftdruckschwankungen geschützt werden, um noch kleinste seismische Bodenbewegungen von einigen Nanometer auflösen zu können. Die Seismometer werden deshalb an ausgewählt ruhigen Orten in Observatorien unterirdisch, teilweise sogar in Bohrlöchern,

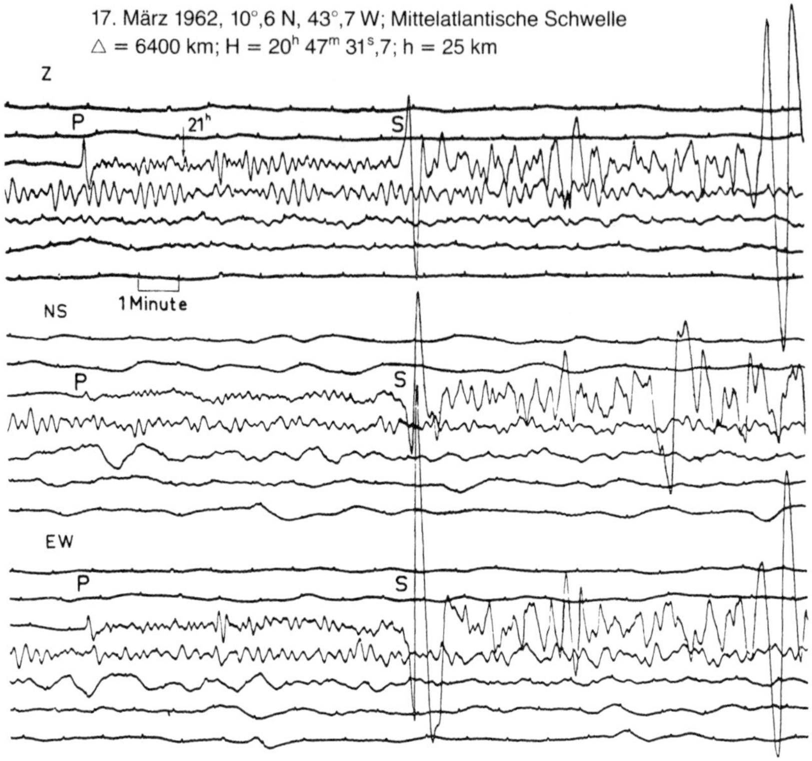


Abb. 5.34 3-Komponenten-Seismogramm,
aufgezeichnet an der Erdbebenstation Stuttgart.
Ausschlag nach oben bedeutet Bodenbewegung nach oben, nach Nord, nach Ost.

installiert. Die Übertragung der Signale zum Registriergerät erfolgt über Kabel oder Funkverbindung. Moderne Seismographenanlagen registrieren analog oder digital auf Magnetband. Alle Seismographenregistrierungen benutzen als einheitliche **Zeitbasis** Weltzeit **UT** (**U**niversal **T**ime), die von Zeitzeichensendern ausgestrahlt wird. Die geophysikalischen Institute der Bundesrepublik verfügen mit ihrem Seismologischen Zentralobservatorium in Erlangen über ein modernes Forschungsinstrument höchster Qualität.

Abb. 5.34 zeigt die drei **Komponenten** einer Erdbebenregistrierung in 6400 km Entfernung vom Herd. Aus der Laufzeitdifferenz von **S**- und **P**-Wellen läßt sich mit Hilfe einer Standard-Laufzeittabelle die Herdentfernung ermitteln. Da uns bekannt ist, daß der 1. Impuls stets vom Typ einer Longitudinalwelle ist, läßt sich aus der Resultierenden der beiden Horizontalkomponenten die Richtung des Großkreises durch Station und Herd festlegen. Die Horizontalbewegung weist auf den Herd zu, wenn gleichzeitig die Vertikalbewegung nach unten geht und umgekehrt. Dies wird sofort klar, wenn man beachtet, daß der seismische Strahl immer von unten an der Station auftaucht (Abb. 5.38). Im Beispiel von Abb. 5.34 ist die Richtung (das Azimut) von der Station zum Herd etwa 240° (WSW).

**Merke:** Bezugspunkt für die Messung der seismischen Bodenbewegung ist eine im Seismometergehäuse federnd aufgehängte Masse. Eigenperiode und Dämpfung dieses Systems bestimmen das dynamische Verhalten gegenüber Bodenschwingungen unterschiedlicher Periode. Aufnehmer für die kurzperiodischen Wellen der sprengseismischen Tiefensondierung werden Geophone genannt.

## 5.11 Erforschung des tiefen Erdinnern mit Erdbebenwellen

Sieht man einmal von großen unterirdischen Nuklearexplosionen ab, so läßt sich der Erdkörper als Ganzes nur mit Hilfe natürlicher Erdbeben hinreichender Stärke (M > 6) seismisch durchstrahlen. Sind Erdbebenstationen genügend dicht und gleichmäßig über die Erde verteilt, so lassen sich die auf Weltzeit bezogenen Seismogramme als Funktion der Herdentfer-

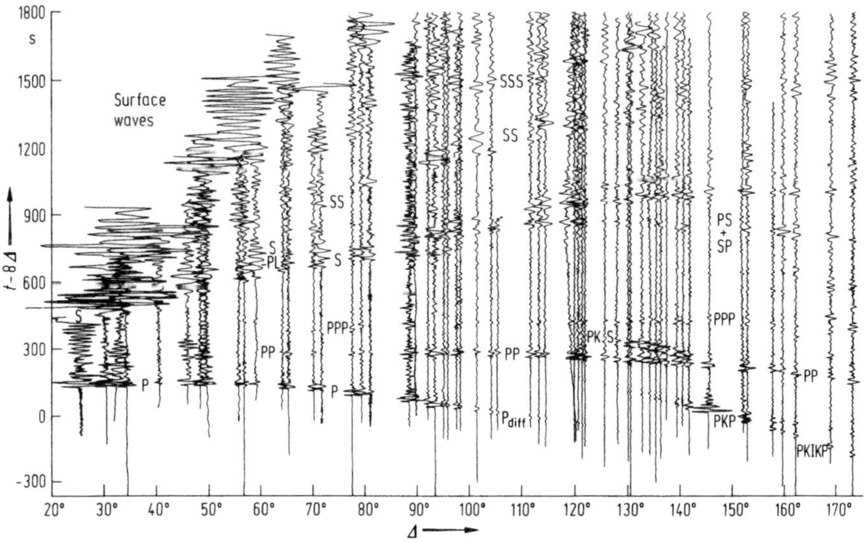


Abb. 5.35 Seismogramme (Vertikalkomponente) zusammengestellt als Funktion der Herdentfernung △ [in Grad]. Von der Laufzeit t [in s] ist zum Zweck der besseren Zeitauflösung der Betrag 8 △ subtrahiert (Müller und Kind 1976).

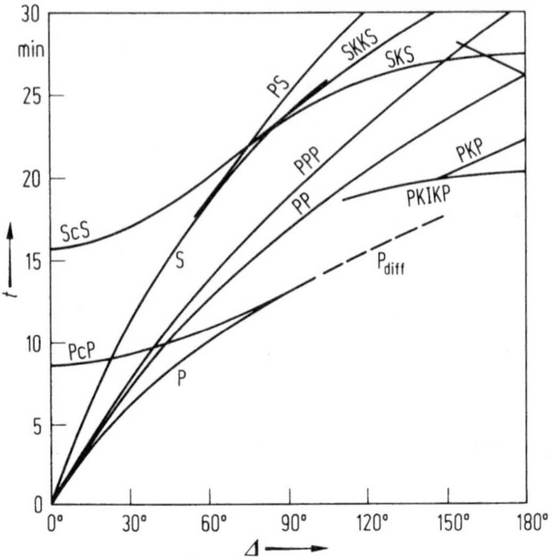


Abb. 5.36 Standard-Laufzeitkurven für seismische Wellen von einem oberflächennahen Herd (nach Jeffreys und Bullen 1958).

nung, wie in Abb. 5.35 gezeigt, anordnen und die Einsätze durch **Laufzeitkurven** verbinden. Es ist nun ein sehr bemerkenswertes Resultat, daß sich für die unterschiedlichsten Herd- und Stationslagen bis auf kleine Abweichungen für gleiche Herdentfernungen und gleiche Herdtiefen stets gleiche Laufzeiten ergeben. Dies ist Folge und zugleich Beweis des weitgehend kugelsymmetrischen Aufbaus des Erdinnern. Die aus Tausenden von Erdbebensignalen ermittelten **Standard-Laufzeitkurven** (*Gutenberg* 1935, *Jeffreys und Bullen* 1958, *Herrin* u. a. 1968) sind unmittelbar dazu geeignet, für ein beliebiges Seismogramm aus der Laufzeitdifferenz der wesentlichen Einsätze die Herdentfernung $\Delta$ zu bestimmen (Abb. 5.36). $\Delta$ wird für weit entfernte Beben meist als Zentriwinkel Station–Erdmittelpunkt–Herd angegeben (siehe Abb. 5.38). $\Delta = 1°$ entspricht 111,1 km an der Erdoberfläche. Die Laufzeitkurven enthalten aber auch alle Informationen, aus denen durch Inversion (vgl. Kap. 2) der Geschwindigkeits-Tiefenverlauf in der Erde bestimmt werden kann. Für Vergleichszwecke wird heute als Bezugsmodell meist das **PREM-Modell** (**P**reliminary **R**eference **E**arth **M**odel) von *Dziewonski und Anderson* (1981) verwandt.

Das physikalisch-mathematische Problem der **Laufzeitinversion** in einer sphärischen Erde kann in diesem Rahmen nur aufgezeigt, aber nicht gelöst werden. Das Snelliussche Brechungsgesetz bestimmt auch hier die Strahlausbreitung, nimmt aber bei radialsymmetrischer Geschwindigkeitsvertei-

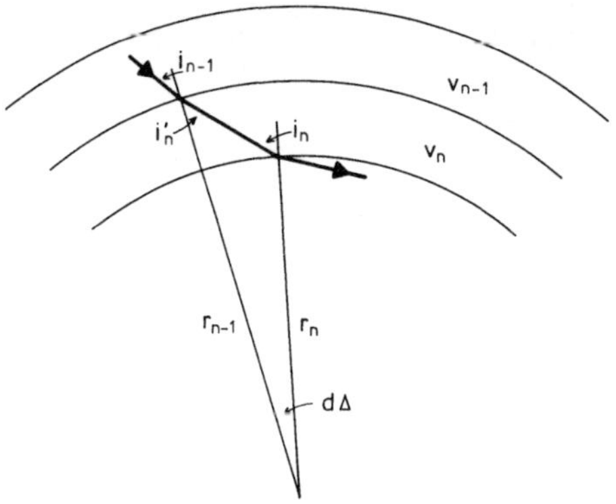


Abb. 5.37 Zur Herleitung des Brechungsgesetzes bei konzentrischem Schalenaufbau der Erde.

lung eine von Gl. 5.18 abweichende Form an. Für eine aus Kugelschalen mit konstanten Geschwindigkeiten $v_n$ (auf **P**- oder **S**-Wellen anwendbar) bestehende Erde gilt an der Grenzfläche der (n–1)-ten zur n-ten Schicht (Abb. 5.37)

$$\frac{\sin i_{n-1}}{v_{n-1}} = \frac{\sin i'_n}{v_n}$$

Durch Anwendung des Sinussatzes der ebenen Trigonometrie

$$\frac{\sin i'_n}{\sin i_n} = \frac{r_n}{r_{n-1}}$$

läßt sich $i'_n$ eliminieren mit dem Resultat

$$\boxed{\frac{r_{n-1}\sin i_{n-1}}{v_{n-1}} = \frac{r_n \sin i_n}{v_n} = p} \qquad 5.30$$

p ist der für den gesamten Strahlweg konstante **Strahlparameter.** Gl. 5.30 gilt gleichermaßen für kontinuierliche Geschwindigkeitsänderung mit der Tiefe.

Insbesondere muß 5.30 für zwei wichtige Spezialfälle gelten, nämlich den Auftauchpunkt des Strahles und seinen Scheitelpunkt. Die Wellenfront erreicht die Oberfläche mit der Geschwindigkeit $v_0$ unter dem Winkel $i_0$ (Abb. 5.38). Sie streicht dieser entlang mit der **Scheingeschwindigkeit**

$$\bar{v} = \frac{R \cdot d\Delta}{dt} = \frac{v_0}{\sin i_0} \qquad 5.31$$

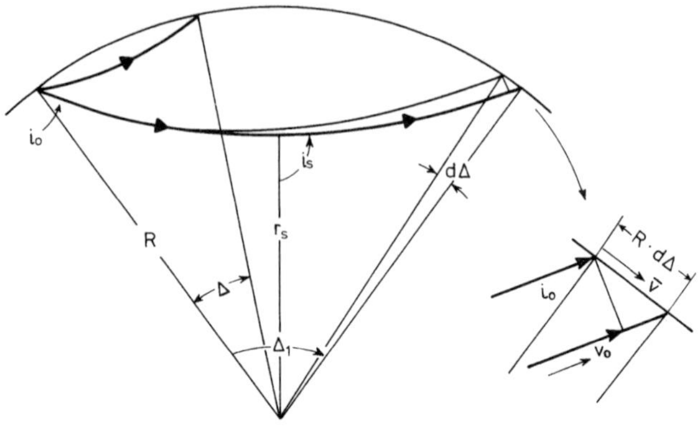


Abb. 5.38 Strahlenbetrachtung zur Anwendung des Herglotz-Wiechert-Verfahrens.

Mit 5.30 folgt aus 5.31

$$\frac{R \cdot \sin i_0}{v_0} = \frac{dt}{d\Delta}(\Delta) = p\,(\Delta) \qquad 5.32$$

Für einen Strahl mit der Auftauchentfernung $\Delta$ kann also p direkt als Steigung der Laufzeitkurve entnommen werden. Für den tiefsten Punkt des Strahlwegs, den Scheitelpunkt $r_s$, gilt wegen $i_s = 90°$ bzw. $\sin i_s = 1$

$$p = \frac{r_s}{v_s} \qquad 5.33$$

und somit

$$\boxed{\frac{r_s}{v_s}(\Delta) = \frac{dt}{d\Delta}(\Delta) = p} \qquad 5.34$$

Zu jedem Punkt der Laufzeitkurve gehört also ein Wert $v_s/r_s$. Wäre $r_s$ bekannt, so könnte die Geschwindigkeits-Tiefenverteilung v(r) unmittelbar angegeben werden. Die Lösung des Problems, nämlich die Bestimmung der Scheiteltiefe aus der Laufzeitkurve selbst, fanden *G. Herglotz* und *E. Wiechert* in Göttingen in Form der Integralbeziehung

$$\boxed{\ln r_s(\Delta_1) = \ln R - \frac{1}{\pi}\int_0^{\Delta_1} \cosh^{-1}\frac{(dt/d\Delta)_\Delta}{(dt/d\Delta)_{\Delta_1}}\,d\Delta} \qquad 5.35$$

Zur Bestimmung der Strahlscheiteltiefe für die Herdentfernung $\Delta_1$ ist über alle $dt/d\Delta$-Werte von $0 < \Delta < \Delta_1$ zu integrieren. Dies geht natürlich nur,

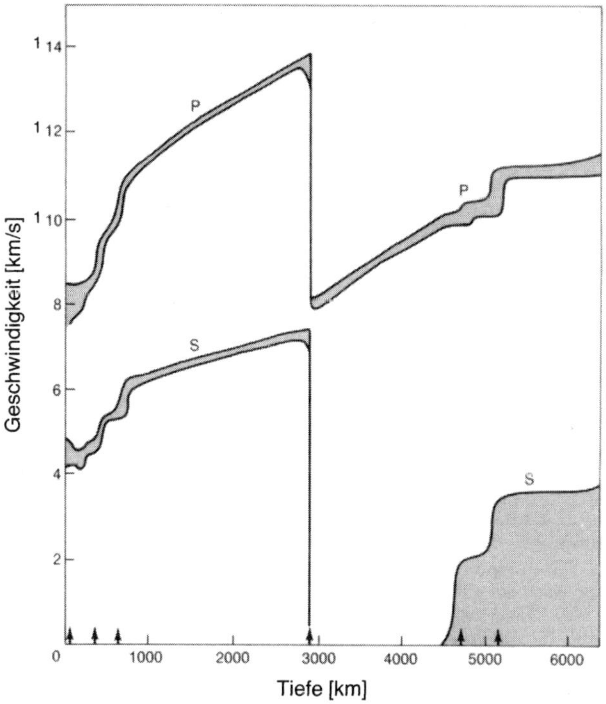


Abb. 5.39 Geschwindigkeits-Tiefenverteilung für **P**- und **S**-Wellen im Erdkörper nach Bolt (1976). Unsicherheitsbereiche sind grau getönt.

soweit die Laufzeitkurve keine Unterbrechung aufweist, was aber der Fall ist, wenn die Geschwindigkeit mit der Tiefe zunimmt.

Das Ergebnis dieser Inversion ist in Abb. 5.39 zusammengefaßt. Sofort ins Auge fallend ist der abrupte Rücksprung der **P**-Wellen-Geschwindigkeit von 13 km/s auf 8 km/s in etwa 2900 km Tiefe. Er definiert die Grenze vom **Erdmantel** zum **Erdkern**. Im Laufzeitdiagramm (Abb. 5.36) drückt sich die Abschattung seismischer Raumwellen durch den Kern (Abb. 5.40) im Abbrechen der **P**- und **S**-Laufzeitkurven bei $\Delta \approx 105°$ aus. Tatsächlich setzt sich die **P**-Laufzeitkurve mit schwachen Einsätzen noch etwas weiter fort. Es handelt sich um Wellen, die entlang der Kerngrenze gebeugt werden. Erst für $\Delta > 142°$ treten, allerdings um mehrere Minuten verspätet, wieder kräftige **P**-Signale auf (Abb. 5.35), die jetzt aber den Kern durchlaufen haben und deshalb als **PKP**-Wellen bezeichnet werden, wobei **K** für Kernwelle steht. Von weitreichenden geophysikalischen Konsequenzen ist das völlige Ausbleiben von **S**-Wellen im Kern. Dies bedeutet nach Gl. 5.15, daß der Schermodul $\mu$ verschwindet, und dies kennzeichnet den flüssigen Zustand.

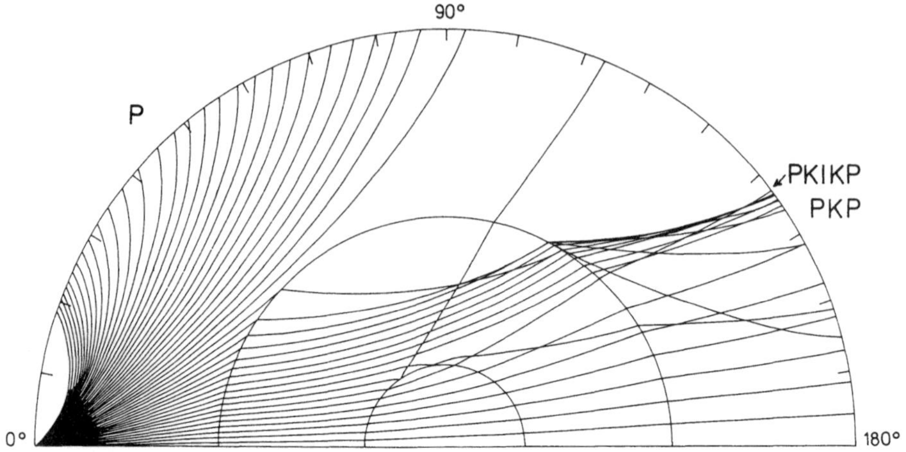


Abb. 5.40 Seismische Strahlen im Erdkörper (Julian und D. Anderson 1968).

Zwar gibt es überzeugende Argumente dafür, daß sich der **innere Erdkern** unterhalb von etwa 5100 km wieder im festen Zustand befindet, doch stammen die **S**-Wellen-Geschwindigkeitswerte in Abb. 5.39 nur aus indirekten Abschätzungen. Ohne an dieser Stelle auf die Frage des Stoffbestands des Kernes eingehen zu wollen, sei bemerkt, daß die Grenze vom inneren zum äußeren Kern meist als Schmelzgrenze für das Stoffsystem des Kerns angesehen wird. Die Entdeckung des inneren Kerns gelang *I. Lehmann* 1936 aus schwachen Ersteinsätzen, die von der **PKP**-Laufzeitkurvengabelung zu kleineren Entfernungen in den Kernschattenbereich hineinreichen und als **PKIKP**-Wellen bezeichnet werden, wobei **I** für Welle durch den inneren Kern steht (Abb. 5.40). Die in Abb. 5.35 und 5.36 mit **PP**, **PPP**, **SS**, **SSS**, **PS** bezeichneten Wellen sind auf ihrem Weg vom Herd zur Station ein- bzw. zweimal an der Erdoberfläche reflektiert worden. **PcP** und **ScS** sind Reflexionen an der Kern-Mantel-Grenze.

Im **Unteren Erdmantel** nehmen die Geschwindigkeiten ziemlich gleichmäßig mit der Tiefe zu, was sich bei einheitlichem Stoffbestand durch den zunehmenden Druckeinfluß erklärt (siehe Kap. 5.9). Der **Obere Mantel** (bis 1000 km Tiefe) weist dagegen einige signifikante Anomalien auf, die wir in Abb. 5.41 genauer betrachten wollen. Im Hinblick auf dynamische Bewegungsvorgänge der Erdrinde besonders wichtig ist eine mehr oder weniger ausgeprägte Zone verringerter Geschwindigkeit in Tiefen zwischen 60 und 250 km. Diese Zone liegt unter Kontinenten tiefer als unter Ozeanen und ist stärker ausgeprägt für **S**-Wellen als für **P**-Wellen. Sie manifestiert sich in der Laufzeitkurve als Lücke (Schattenzone) bei $\triangle \approx 20°$. Diese von *B. Gutenberg* entdeckte **"low velocity zone"** oder **„Gutenberg-Zone"**

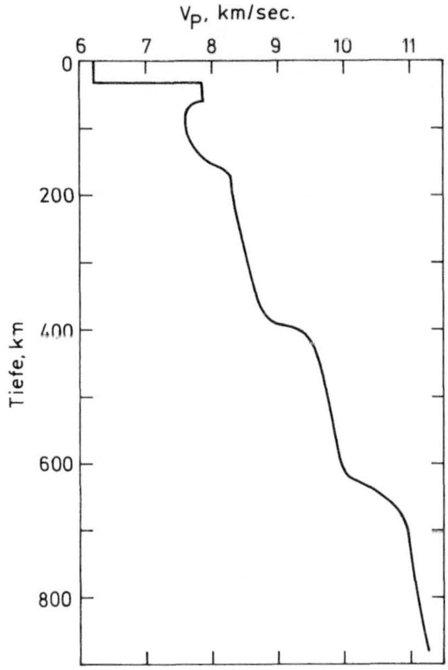


Abb. 5.41 **P**-Wellen-Geschwindigkeit im oberen Erdmantel unter Nordamerika (Julian und Anderson 1968).

scheint eine Folge temperaturbedingter Geschwindigkeitserniedrigung (vgl. Kap. 5.9) zu sein. Es werden hier sogar in geringen Mengen (1–5%) basaltische Schmelzeinschlüsse im peridotitischen Mantelgestein vermutet. Die Zone erniedrigter Geschwindigkeit wird deshalb häufig, aber physikalisch keineswegs zwingend, als Zone geringer Festigkeit, d. h. niederer Viskosität, angesehen. Eine solche nachgiebige Schwächezone **(Asthenosphäre)** ist auch vom Standpunkt des isostatischen Ausgleichsprozesses (Kap. 4.7) und als Gleitschicht für die darüberliegenden wesentlich steiferen bis spröden Lithosphärenplatten zu fordern. Der Übergang von der die Kruste und den obersten Mantel umfassenden **Lithosphäre** zur Asthenosphäre dürfte ziemlich stetig verlaufen.

Die Geschwindigkeitsschwelle in etwa 400 km Tiefe fällt in den Druckbereich (p = 100–150 kbar), in dem die experimentelle Petrologie den Übergang von forsteritreichem Olivin in eine dichtere Atompackung mit der Struktur des Spinell nachgewiesen hat. Dichtere Packung bedeutet nicht *wegen* höherer Dichte, sondern *trotz* höherer Dichte höhere Wellengeschwindigkeit. Die elastischen Moduln nehmen nämlich rascher zu als die Dichte (vgl. Kap. 5.5). Auch der zweite Anstieg bei etwa 670 km Tiefe läßt sich petrologisch erklären als Übergang von der Spinellstruktur des Olivin in das

Mineral Perowskit und die Oxidphasen (MgO, FeO, $SiO_2$), obwohl hierfür noch wenig experimentelle Beweise vorliegen. Jedenfalls stützen diese Befunde durchaus das Postulat eines Mantels von olivinähnlichem Chemismus.

**Merke:** Laufzeiten von Erdbebenwellen führen zu einem zuverlässigen, quantitativen Bild von der physikalischen Struktur des Erdinnern. In guter Näherung kann der Erdkörper durch einen kugelschalenförmigen Aufbau beschrieben werden. Die prominenteste Grenzfläche im Erdinnern ist die Mantel-Kern-Grenze in etwa 2900 km Tiefe. Aus dem Fehlen von S-Wellen folgt, daß sich der äußere Erdkern in flüssigem Zustand befindet.

## 5.12 Oberflächenwellen und freie Eigenschwingungen der Erde

Wir haben bisher den auffallendsten Teil des Seismogramms (Abb. 5.42), einen oft fast periodischen Wellenzug großer Amplitude, der den Raumwellen zeitlich folgt, noch nicht erwähnt. Für konstante Schwingungsperioden sind die Laufzeiten dieser Wellen etwa der Herdentfernung proportional. Dies bedeutet, daß sie sich längs der Erdoberfläche ausbreiten, weil dann auch der Wellenweg der Herdentfernung proportional ist. Die Amplitude der Bodenbewegung klingt nach unten rasch (exponentiell) ab. Sie beträgt in Tiefen von der Größe der Wellenlänge nur noch wenige Prozent ihres Wertes an der Oberfläche, weshalb diese Wellen Oberflächenwellen genannt werden. Nach dem Charakter der Bodenbewegung lassen sich zwei Arten von Oberflächenwellen unterscheiden.

*Lord Rayleigh* hat bereits 1885 theoretisch nachgewiesen, daß sich an der Oberfläche des homogenen elastischen Halbraumes eine Welle ausbreiten kann, die mit der uns besser vertrauten Wasserwelle äußerlich viel Ähnlichkeit hat. In beiden Fällen ist die Bewegungsbahn eines Punktes an der Oberfläche eine senkrecht stehende Ellipse, die in Wellenausbreitungsrichtung

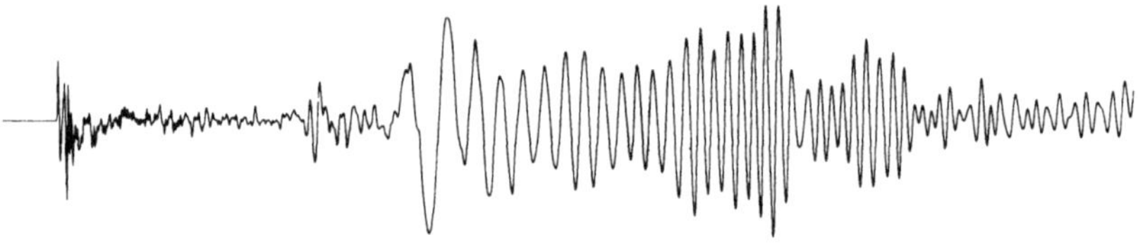


Abb. 5.42 Seismogramm der vertikalen Bodenbewegung mit **P-**, **S-** und Rayleigh-Wellen. Seismologisches Zentralobservatorium Erlangen. Herd: Jan Mayen.

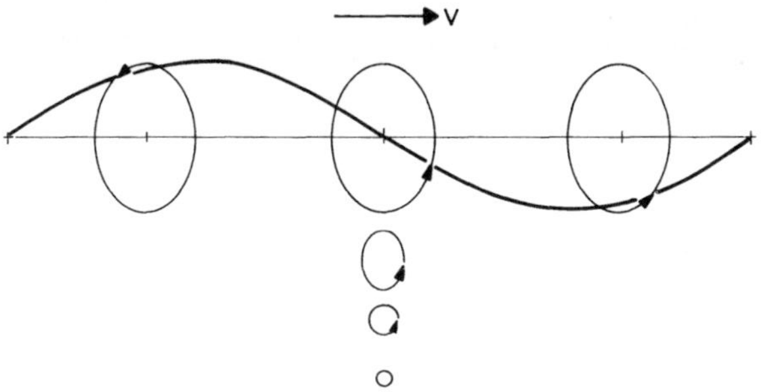


Abb. 5.43 Bodenbewegung der Rayleigh-Welle in einem homogenen, ideal-elastischen Medium mit freier Oberfläche.

orientiert ist. Im Falle der Wasserwelle wird die Ellipse im oberen Scheitelpunkt in Ausbreitungsrichtung (prograd), im Falle der **Rayleigh-Welle** entgegen der Ausbreitungsrichtung (retrograd) durchlaufen (Abb. 5.43). Die Vertikalkomponente der Rayleigh-Welle ist etwa 1½mal so groß wie die Horizontalkomponente. Während es bei der Wasserwelle die Schwerkraft ist, welche die schwingenden Teilchen in ihre Ruhelage zurücktreibt, sind dies bei der Rayleigh-Welle elastische Kräfte. Formal läßt sich die Rayleigh-Welle aus **P**- und **S**-Anteilen aufbauen.

Der zweite Typ von Oberflächenwellen, der allerdings nur in einer geschichteten Erde existieren kann, wurde von *A. E. H. Love* postuliert und wird deshalb als **Love-Welle** bezeichnet. Es ist im Grunde eine in der Hori-

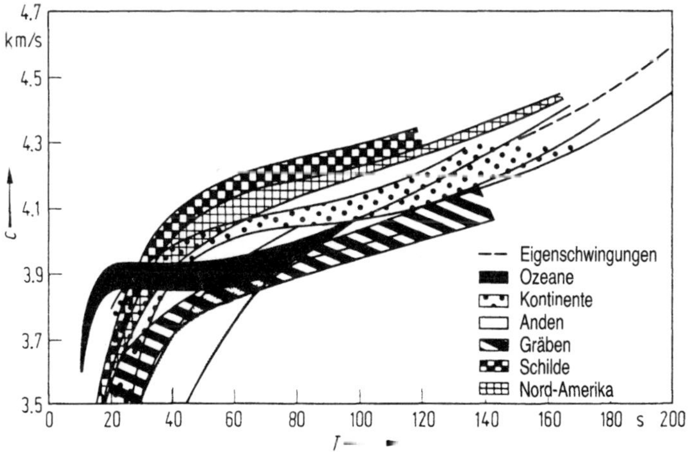


Abb. 5.44 Geschwindigkeits-Dispersion von Rayleigh-Wellen bei unterschiedlicher Krustenstruktur (Knopoff 1972).

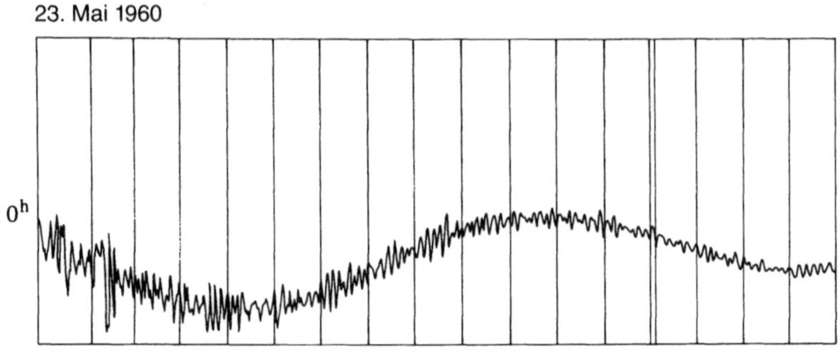


Abb. 5.45 Aufzeichnung des Ausschwingens der Erde nach dem großen Chile-Beben 1960. Die Schwingungen reiten auf der Gezeitenbewegung mit etwa halbtägiger Periodizität. Linienabstand 1 Stunde (nach Bolt 1982).

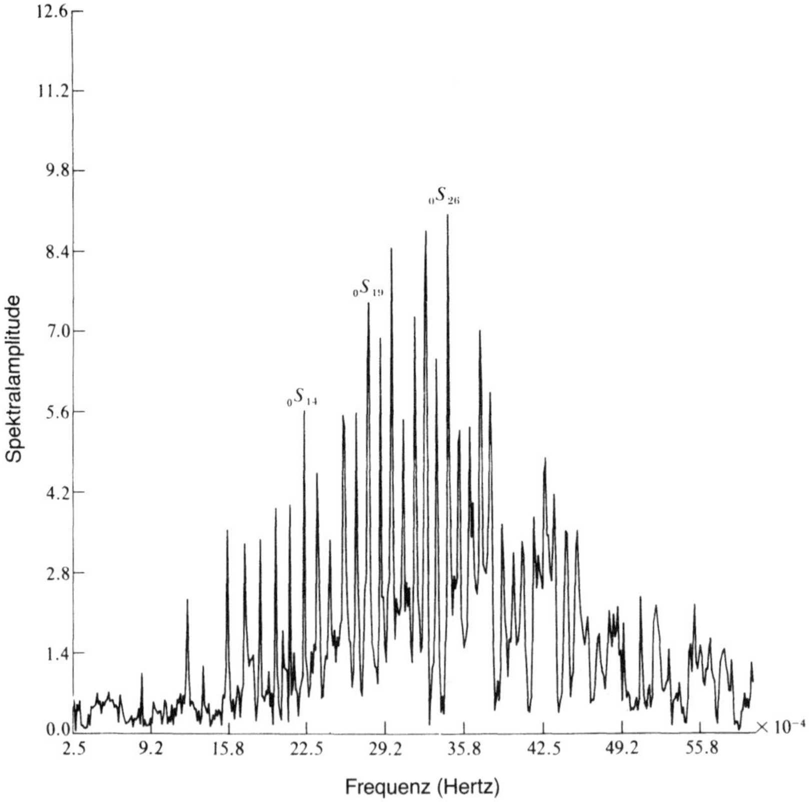


Abb. 5.46 Spektralanalyse von Eigenschwingungen der Erde. Jede „Spitze" entspricht einer bestimmten Schwingungsordnung (nach Bolt 1982).

zontalebene schwingende **S**-Welle, die zwischen Erdoberfläche und Schichtgrenze vielfach hin- und herreflektiert wird.

In der geschichteten Erdrinde ist die Ausbreitungsgeschwindigkeit beider Wellentypen von der Eindringtiefe, d. h. der Wellenlänge bzw. der Wellenperiode T, abhängig. Dies bewirkt die laufzeitmäßige Trennung **(Dispersion)** von Wellenanteilen unterschiedlicher Periode. Umgekehrt liefert die Dispersion Informationen über die durchschnittlichen elastischen Eigenschaften längs des durchlaufenen Wegs (Abb. 5.44). Eine quantitative Inversion der beobachteten Dispersion V(T) ergänzt die Informationen aus Raumwellen besonders über die Kruste, aber bei genügend großen Wellenlängen (T > 60s) auch über den Erdmantel.

Ist die Wellenlänge λ der Oberflächenwellen so groß, daß ein ganzzahliges Vielfaches davon gleich dem Erdumfang 2πR ist, so kommt es wie bei Saitenschwingungen zu stehenden Wellen oder zu Eigenschwingungen. Nach sehr starken Erdbeben klingt der Erdkörper oft über mehrere Tage mit einem reichen Gemisch seiner **Eigenschwingungen** (engl.: free oscillations) nach, wie eine mit dem Hammer angeschlagene Glocke (Abb. 5.45 und 5.46).

Entsprechend den Rayleigh- und Love-Wellen werden Radial-(${}_nS_l$-) und Torsions-(${}_nT_l$-)Schwingungen (engl.: spheroidal und toroidal modes) unterschieden (Abb. 5.47). Es ist eine Art seismisch-terrestrische Spektroskopie

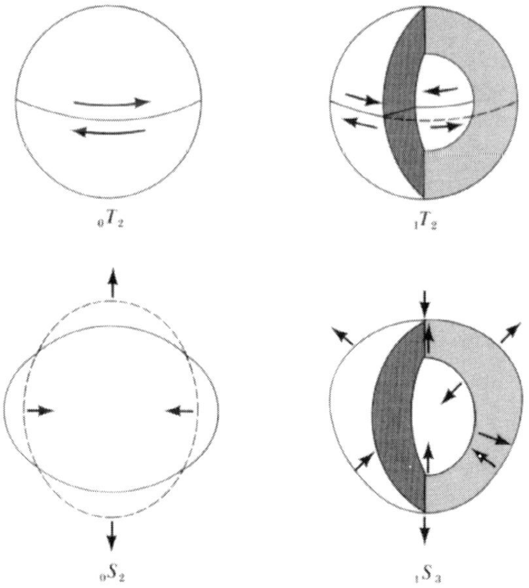


Abb. 5.47 Beispiele toroidaler und sphäroidaler Eigenschwingungen der Erde.

entwickelt worden, um die Frequenzen der Eigenschwingungen bis zu hohen Ordnungen (große n- und l-Werte) mit hoher Genauigkeit zu bestimmen. Die niedrigste Eigenschwingung, die durch Erdbeben angeregt wird, ist ${}_0S_2$ mit T = 53,83 min. Dabei schwingt die Erde wie ein Fußball beim Abschlag (Abb. 5.47 links unten).

Da die Eigenschwingungen auch ganz spezifische Tiefenbereiche des Erdkörpers in unterschiedlicher Weise erfassen, enthalten die Werte der Eigenperioden wichtige und von den Raumwellen völlig unabhängige Informationen über das Erdinnere. So sprechen sie z. B. besonders empfindlich auf die Wahl der Dichte in Erdmodellen an. Auch die Abschätzung der Scherwellengeschwindigkeit im inneren Kern stammt von Eigenschwingungen, zu denen der innere Kern angeregt wird.

# 6. DICHTE UND DRUCK IM ERDINNERN

Mit der räumlichen Verteilung ihrer Geschwindigkeiten haben die seismischen Wellen ein erstaunlich präzises Bild von der Schichtstruktur der Erde geliefert, jedoch ist für Fragen nach dem Stoffbestand, dem Druck, druckbedingter Zustandsänderungen der Materie und Massenbewegungen durch Instabilitäten im Erdinnern die Dichte ein weit wichtigerer physikalischer Parameter. Wegen der schon mehrfach erwähnten Vieldeutigkeit der Inversion von Gravitationsfeldern ist aber die Dichteverteilung im Erdinnern aus der Schwere an der Erdoberfläche allein nicht eindeutig bestimmbar. Zwar gibt es einige quantitative Bedingungen, die jedes Dichtemodell zu erfüllen hat, aber die Grundlage für detaillierte Aussagen über die Dichteverteilung bilden auch hier die seismischen Geschwindigkeiten. Dies ist nicht ganz überraschend, wenn wir uns die Gleichungen 5.14 und 5.15 ansehen, in denen die Dichte $\varrho$ vorkommt.

Zunächst sind es zwei integrale Bedingungen, denen die Dichteverteilung in der Erde genügen muß:

1. Die **Gesamtmasse** der Erde – bestimmt aus der Schwere an der Erdoberfläche – ergibt sich zu

$$M = 4\pi \int_0^a \varrho(r)\, r^2\, dr = 5{,}974 \cdot 10^{24}\,\text{kg} \qquad 6.1$$

wobei r der Abstand vom Erdmittelpunkt und a der Erdradius ist.

2. Das sogenannte **Trägheitsmoment** C der Erde um ihre Rotationsachse, definiert durch das Integral über die Massenelemente $\varrho\, dV$ multipliziert mit dem Quadrat ihres senkrechten Abstandes d von der Rotationsachse, ist

$$C = \int_V d^2 \varrho\, dV = \frac{8}{3}\pi \int_0^a \varrho(r)\, r^4\, dr \qquad 6.2$$

Aus der Potentialtheorie für die rotierende Erde (*Jeffreys* 1970) ergibt sich mit den in (4.11) definierten Größen n und f

$$C = \frac{2}{3} M a^2 \left(1 - \frac{2}{5}\left(\frac{5}{2}\frac{n}{f} - 1\right)^{1/2}\right) \qquad 6.3$$

Es gibt auch noch andere, von 6.3 unabhängige Möglichkeiten zur Bestimmung von C aus Beobachtungswerten. Durch Einsetzen der gemessenen Werte in 6.3 erhält man

$$C = 0{,}3308\, M a^2 \qquad 6.4$$

Dagegen folgt für eine Kugel homogener Dichte aus 6.2

$$C_H = 0.4\,M\,a^2 \tag{6.5}$$

Es ist leicht einzusehen, daß Werte für $C < C_H$ nur durch eine Dichtezunahme nach innen zu erreichen sind und daß dies auch die Voraussetzung für eine gravitativ stabil geschichtete Erde ist.

Als weitere Bedingung für globale Dichtemodelle kann der **Dichtewert im obersten Erdmantel** (Peridotit bei 1 GPa und 600 °C) mit

$$\varrho_0 = 3.3\ \mathrm{g/cm^3} \tag{6.6}$$

angesetzt werden.

An der Kern-Mantel-Grenze, wo vermutlich sehr unterschiedliches Material zusammentrifft, ist ein **Dichtesprung** zu erwarten. Seine Höhe bleibt zunächst offen und ergibt sich durch die Modellanpassung.

Ein Konzept, um die gut meßbaren seismischen **P**- und **S**-Wellen-Geschwindigkeiten zu Aussagen über die Dichte zu nutzen, wurde erstmals 1923 von den amerikanischen Geophysikern *L. H. Adams* und *E. D. Williamson* entwickelt. Zunächst läßt sich aus

$$\alpha^2 = \frac{K + \frac{4}{3}\mu}{\varrho}\ (5.14)\ \text{und}\ \beta^2 = \frac{\mu}{\varrho}\ (5.15)$$

$\varrho$ nur in der Verbindung

$$\frac{K}{\varrho} = \alpha^2 - \frac{4}{3}\beta^2 = \varnothing \tag{6.7}$$

in Abhängigkeit von der Tiefe angegeben, wobei $\varnothing$ auch als **Seismischer Parameter** bezeichnet wird. Die Frage ist, ob sich noch andere, von 6.7 unabhängige Zusammenhänge von K und $\varrho$ finden lassen, um K aus 6.7 zu eliminieren. Nach der Definitionsgleichung 5.7 gibt der Kompressionsmodul K an, welche Druckzunahme dp zur Erzeugung der relativen Verdichtung $d\varrho/\varrho = -\,dV/V$ erforderlich ist, also

$$dp = K\frac{d\varrho}{\varrho} \tag{6.8}$$

Die uns interessierende Dichteänderung mit der Tiefe bzw. dem Abstand r vom Erdmittelpunkt kann nur 3 Ursachen haben:

a) Dichteänderung mit dem Auflastdruck
b) Dichteänderung mit der Temperatur
c) Dichteänderung mit der Stoffzusammensetzung.

Berücksichtigt man bei der Tiefenabhängigkeit der Dichte nur den Druck, so ist mit (6.8)

$$\frac{d\varrho}{dr} \approx \frac{d\varrho}{dp}\frac{dp}{dr} = \frac{\varrho}{K}\frac{dp}{dr} \tag{6.9}$$

Die Änderung dp des Auflastdrucks mit zunehmendem Abstand dr vom Erdmittelpunkt ist analog zu (4.40) durch die **statische Grundgleichung**

$$\boxed{dp(r) = -\, g(r)\, \varrho(r)\, dr} \qquad 6.10$$

gegeben. Damit folgt aus 6.9

$$\frac{d\varrho}{dr}(r) \approx -\left(\frac{\varrho}{K}\right)(r)\; g(r)\; \varrho(r) \qquad 6.11$$

Die zunächst unbekannte Schwere g(r) läßt sich eliminieren, da sie selbst eindeutig von der radialen Dichteverteilung ϱ(r) abhängt. Zur Schwere g(r) im Innern der Erdkugel tragen nur diejenigen Massen bei, deren Abstand r′ vom Erdmittelpunkt kleiner als r ist. Unter Vernachlässigung der Zentrifugalbeschleunigung (g ≈ b) ergibt sich in Anlehnung an (3.9)

$$g(r) = G\,\frac{m(r)}{r^2} = \frac{G}{r^2}\int_{r'=0}^{r'=r} 4\pi\,\varrho(r')\, r'^2\, dr' \qquad 6.12$$

In (6.11) ersetzen wir K/ϱ durch den Seismischen Parameter ∅ aus (6.7) und erhalten

$$\boxed{\frac{d\varrho}{dr}(r) \approx -\,\frac{g(r)\cdot\varrho(r)}{\varnothing(r)} = -\,\frac{g(r)\cdot\varrho(r)}{\alpha^2(r) - \frac{4}{3}\beta^2(r)}} \qquad 6.13$$

Was bedeutet der zuletzt vorgenommene Schritt für die Temperaturabhängigkeit von dϱ/dr? K in ∅ ist nicht der Kompressionsmodul für statische Kompression bei konstanter Temperatur, sondern derjenige, der für rasche Druckänderungen beim Durchgang seismischer Kompressionswellen gültig ist. Wie in Kap. 7 näher beschrieben, wird durch Kompression einem elastischen Körper Energie zugeführt, die sich bei fehlendem Wärmeausgleich mit seiner Umgebung als adiabatische Temperaturerhöhung bemerkbar macht. Diese wirkt über die thermische Ausdehnung der Kompression entgegen, so daß der adiabatische Kompressionsmodul stets höher ist als der isothermale.

Die **Gleichung von Adams und Williamson** (6.13) gibt also die Änderung der Dichte mit der Tiefe dort korrekt wieder, wo **stoffliche Homogenität** und **adiabatische Temperaturzunahme** mit der Tiefe vorliegt. Wie ebenfalls in Kap. 7 ausgeführt, dürfte der tatsächliche Temperaturgradient überall dort in der Erde nur unwesentlich über dem adiabatischen liegen, wo vertikaler Massenaustausch durch Konvektion möglich ist, d. h. insbesondere im flüssigen äußeren Erdkern, aber auch in weiten Teilen des unteren und mittleren Erdmantels. *K. Bullen* berechnete, ausgehend von $\varrho_0 = 3.3$ g/cm$^3$,

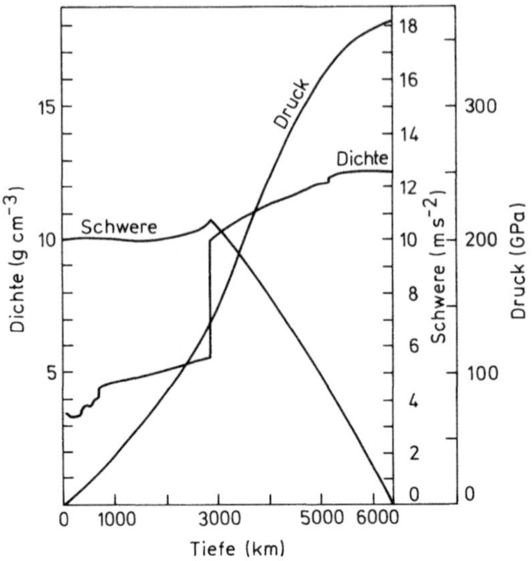


Abb. 6.1 Dichte, Druck und Schwere im Erdinnern (Brown, Mussett 1981).

mit Hilfe der Gleichung von Adams und Williamson den Dichteverlauf bis zur Mantel-Kern-Grenze. Um den Bedingungen der Gesamtmasse und des Trägheitsmoments der Erde zu genügen, hätte die Dichte im Erdkern nach innen abnehmen müssen. Dies würde aber in einer Flüssigkeit einen instabilen Zustand hervorrufen, der nicht lange beständig wäre. Der einzige plausible Ausweg aus diesem Dilemma hat zu der wichtigen Erkenntnis geführt, daß im oberen Erdmantel (bis in Tiefen von etwa 1000 km) die Annahme stofflicher Homogenität und damit die Voraussetzung für die Anwendung von (6.13) nicht erfüllt sein kann. Ob es sich dabei um Änderungen des Chemismus der Materie oder um strukturelle Phasenumwandlungen mit Umlagerung der Atome im Kristallverband handelt, kann mit dieser Betrachtung allein nicht entschieden werden. Gewichtige Argumente dafür, daß bis in Tiefen von etwa 700 km mehrere Phasenumwandlungen im Gestein des oberen Mantels auftreten, liefert die Seismologie (vgl. Kap. 5.11).

In vielen Schritten mit verfeinerten Methoden und verbesserten Daten wurden globale **Dichtemodelle** entwickelt, deren Unsicherheit für den Erdmantel nicht größer als 0.2–0.3 g/cm$^3$ sein dürfte. Besonders aber für den (festen) inneren Erdkern, der mit seinem kleinen Volumen nur schwach bei der Massenbilanz der Erde zu Buche schlägt, ist mit Unsicherheiten von 1 g/cm$^3$ und mehr zu rechnen. Die Bemühungen um die Ermittlung der Dichteverteilung in der Erde ist eng mit dem Namen des australischen Geophysikers *K. Bullen* und seinen Schülern verbunden. Die Voraussetzung stabiler Dichteschichtung in der Erde, d. h. Dichtezunahme mit der Tiefe, dürfte überall erfüllt sein mit Ausnahme des Lithosphären-Asthenosphären-Bereichs im obersten Erdmantel, wo zumindest regional leichte Dichteinversion und damit gravitative Instabilität zu erwarten ist.

Aus der Dichteverteilung $\varrho(r)$ läßt sich auf direktem Weg die **Schwere** $g(r)$ durch Integration von (6.12) und danach der **Druck** $p(r)$ durch Integration von (6.10) berechnen. Die Ergebnisse sind in Abb. 6.1 dargestellt. Es ist bemerkenswert, daß g bis hinunter zur Kerngrenze annähernd den gleichen Wert von etwa 10 m/s$^2$ behält, dann aber zum Erdmittelpunkt hin stetig auf Null abfällt.

Der Druck p in der Erdkruste und im oberen Erdmantel läßt sich mit $\varrho \approx$ 3 g/cm$^3$ und $g \approx 10$ m/s$^2$ bequem durch die Faustformel

$$p\,[\text{kbar}] \approx 0{,}3\, z\,[\text{km}]$$

abschätzen. Der Druck an der Kruste-Mantel-Grenze liegt also in der Größenordnung von 10 kbar = 1 GPa, an der Kern-Mantel-Grenze bei 1 Mbar = 100 GPa und erreicht im Erdmittelpunkt fast 4 Mbar = 400 GPa.

Die Kenntnis des Drucks (und der Temperatur) ist entscheidend für den Zustand der Materie im Erdinnern. Hinweise auf den Stoffbestand des Erdkörpers lassen sich aus dem Vergleich experimentell und theoretisch ermittelter Dichtewerte mit solchen im Erdinnern ziehen. *L. Knopoff* und *R. J. Uffen* haben die von *P. W. Bridgman* experimentell bestimmten Dichte-

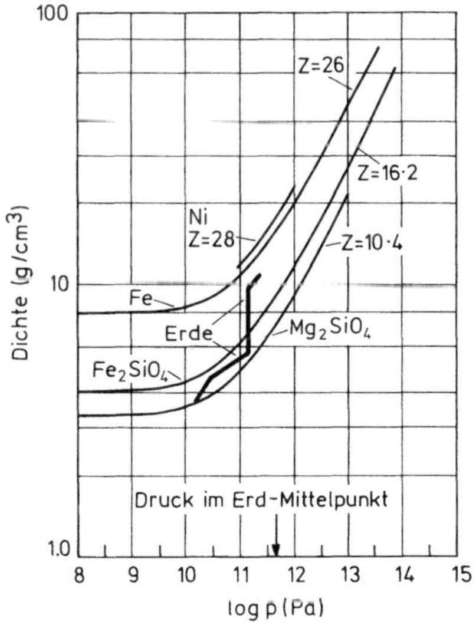


Abb. 6.2 Druck-Dichte-Kurven für die Erde, für Eisen, Nickel, Forsterit und Fayalit (Knopoff u. Uffen 1954).

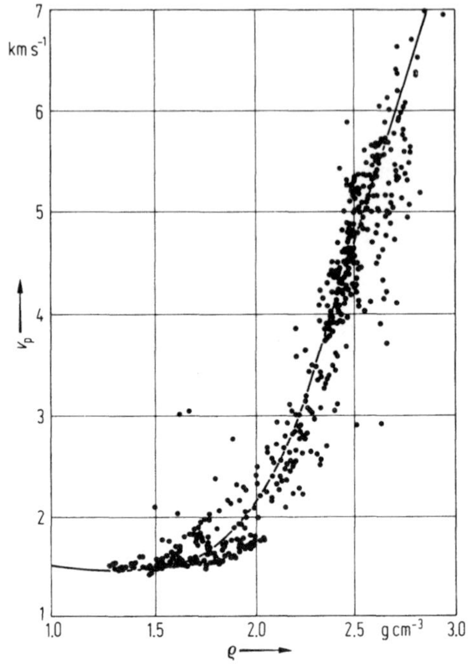


Abb. 6.3 Zusammenhang von Dichte ϱ und Kompressionswellengeschwindigkeit $V_p = f(\varrho)$ für zahlreiche Gesteine. Die durchgezogene Linie wurde von Nafe und Drake (1959) ermittelt.

werte von Eisen, Nickel und Silikaten mit Hilfe theoretischer Zustandsgleichungen nach hohen Drücken hin extrapoliert und mit der dem Druck entsprechenden Dichte in der Erde verglichen (Abb. 6.2). (Abschätzungen ergaben, daß der nichtberücksichtigte Temperatureinfluß die Dichten nur wenig verändern würde.) Die Zustandskurven sind durch die mittlere Ordnungszahl Z der untersuchten Substanzen gekennzeichnet. Die Dichtekurve des Erdmantels liegt etwa in der Mitte zwischen denen der Olivinminerale Forsterit ($Mg_2\,SiO_4$) mit Z = 10.4 und Fayalit ($Fe_2\,SiO_4$) mit Z = 16,2, also bei Z ≈ 12–14. Dies ist zwar kein Beweis, aber eine Unterstützung für die Vorstellung, daß der Erdmantel etwa die Zusammensetzung von Steinmeteoriten (Chondriten) hat (vgl. Kap. 3.2). Dies kann aber keinesfalls für den Erdkern zutreffen, dessen Dichte Z ≈ 22 entspricht. Dies ist deutlich höher als die Dichte von Silikaten, aber auch signifikant niedriger als die des reinen Eisens mit Z = 26. Aufgrund seiner Dichte, der kosmischen Häufigkeitsverteilung und genetischer Vorstellungen über den Erdkern wird angenommen, daß dieser im wesentlichen aus Eisen (und Nickel) besteht mit Beimengungen von etwa 15–20% leichterer Elemente, z. B. S, Si oder O (siehe hierzu auch Kap. 7).

Zum Schluß dieses Kapitels sei noch darauf hingewiesen, daß zwischen der Dichte $\varrho$ und der **P**-Wellen-Geschwindigkeit $\alpha$ von Gesteinen ein empirischer Zusammenhang besteht, der für die gemeinsame Interpretation seismischer und gravimetrischer Meßwerte oft nützlich ist (Abb. 6.3). Der Zusammenhang versagt, wenn sich Material bei sehr hohen Temperaturen im Bereich partieller Schmelze befindet.

**Merke:** Obwohl die Dichteverteilung im Erdkörper nicht direkt meßbar ist, werden die Variationsmöglichkeiten für Dichtemodelle durch strenge Randbedingungen und den Zusammenhang mit den seismischen Wellengeschwindigkeiten in engen Grenzen gehalten. Schwere und Druck sind eindeutige Funktionen der Dichteverteilung. Dichte und Druck geben wichtige Hinweise auf den möglichen Stoffbestand im Erdinnern.

# 7. DIE TEMPERATURVERTEILUNG IM ERDINNERN UND IHR EINFLUSS AUF DIE ENTWICKLUNG DER ERDE

Die Temperatur bestimmt in vieler Hinsicht das physikalische Verhalten der Materie im Erdinnern. So sind Fließviskosität, anelastische Dämpfung seismischer Wellen, elektrische Leitfähigkeit bei hohen Temperaturen Eigenschaften, die durch **thermisch aktivierte Diffusion** von Atomen bzw. Elektronen im Atomverband bewirkt oder gesteuert werden. Sie hängen deshalb, wie die Diffusion selbst, sehr stark, nämlich entsprechend einem Exponentialgesetz exp – (A/RT), von der Temperatur ab. Hierbei ist T die Temperatur in [K], R die allgemeine Gaskonstante und A die sogenannte **Aktivierungsenergie,** die material- und prozeßspezifische Werte annimmt. Stets wirkt der Einfluß des Umgebungsdrucks dem der Temperatur entgegen.

Drastisch ändert sich das Materialverhalten beim Überschreiten der **Schmelzgrenze.** Bei Mehrstoffsystemen, wie wir sie in der Erde fast überall haben, ist zwischen Schmelzbeginn der leicht schmelzbaren Anteile **(Solidustemperatur)** und vollständigem Aufschmelzen **(Liquidustemperatur)** zu unterscheiden. Im Zwischenbereich **partieller Schmelze** oder, anders ausgedrückt, **„fraktionierter Kristallisation"** können sich im Gravitationsfeld schwerere Komponenten absetzen, während die leichteren aufsteigen. Durch solche Prozesse **„gravitativer Differentiation"** (Trennung) im Zustand partieller Schmelze hat sich aus der ursprünglich wohl stofflich ziemlich einheitlichen Erdmaterie der uns bekannte Schalenaufbau herausgebildet.

Durch lokale Temperaturunterschiede ändert sich wegen der thermischen Ausdehnung die Dichte. Bereits kleine Dichtedifferenzen $\Delta\varrho$ können im Schwerefeld durch unterschiedliche spezifische Gewichtskraft großräumige Massenumlagerungen in Gang setzen, die als **thermische Konvektion** bezeichnet werden. Die Natur benutzt Konvektion in erster Linie als ein Mittel zum Zweck effektiven Wärmetransports von der Wärmequelle weg zur kühleren Umgebung durch Mitführung von Wärme mit der strömenden Materie. Die mechanischen Auswirkungen der Strömung sind Folgeerscheinungen. Eine konvektierende Flüssigkeit kann also als einfache Wärmekraftmaschine angesehen werden mit allerdings sehr schlechtem Wirkungsgrad. Konvektion beobachten wir z. B. im Kochtopf beim langsamen Erhitzen flüssiger Speisen, wodurch Wärme vom heißen Boden des Topfes

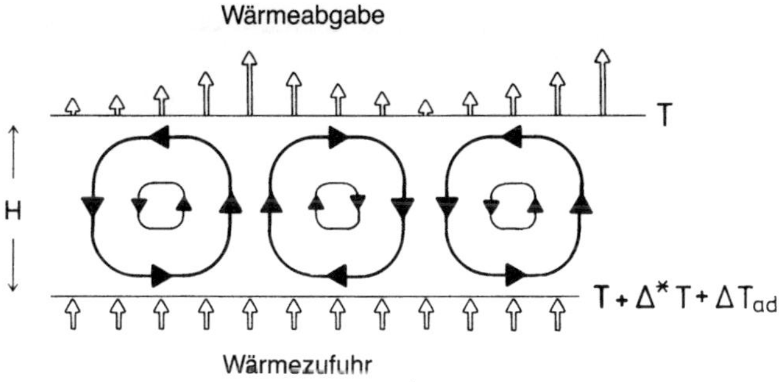


Abb. 7.1 Wärmetransport durch Konvektion.

zur kühleren Umgebungsluft an der Flüssigkeitsoberfläche transportiert wird. Auch in älteren Warmwasserheizanlagen wird die Wärme durch das Übertragungsmittel Wasser ohne zusätzliche Pumpe allein durch Schwerkraftkonvektion vom tiefer gelegenen Heizkessel zum höher gelegenen Radiator befördert und dort an die Luft abgegeben, übrigens wiederum vorwiegend durch Konvektion. Konvektion kommt nicht zustande, wenn der Strömungswiderstand, d. h. die Fließviskosität des Transportmediums, zu groß ist und wenn durch gute Wärmeleitung die Wärme auch ohne Konvektion abgeführt werden kann. Bei stationärer, d. h. gleichmäßiger Konvektion in einer Flüssigkeitsschicht bildet sich Strömung in Form geschlossener Zellen aus. Sofern die Strömung nicht anderweitig beeinflußt oder behindert wird, ist die Breite der Zellen von der Größenordnung der Schichtdicke H (Bénard-Zellen, Abb. 7.1).

Die notwendige Bedingung für Konvektion ist nach theoretischen Untersuchungen von *Lord Rayleigh* erfüllt, wenn eine dimensionslose Größe, die **„Rayleigh-Zahl"**

$$Ra = \frac{\alpha \, \Delta T^* \, g \, \varrho \, H^3}{\varkappa \, \eta} \qquad 7.1$$

einen gewissen kritischen Wert $Ra_k \approx 2000$ überschreitet. In Gl. 7.1 ist

$$\alpha = \frac{1}{V}\frac{dV}{dT} = -\frac{1}{\varrho}\frac{d\varrho}{dT} \qquad 7.2$$

der thermische Volumausdehnungskoeffizient, g die Schwere, $\varrho$ die Dichte, H die Schichtdicke, $\varkappa$ die Temperaturleitfähigkeit des Mediums und $\eta$ die (dynamische) Viskosität. $\triangle T^*$ ist die über die **adiabatische Temperaturzunahme** $\triangle T_{ad}$ hinausgehende Temperaturdifferenz zwischen Unter- und Oberseite der konvektierenden Schicht. Dies bedarf einer näheren Erläuterung.

Wird ein Probekörper komprimierbarer Materie unter erhöhten Druck gebracht, so leistet dieser an der Probe Verdichtungsarbeit und erhöht dadurch deren innere Energie. Findet kein Wärmeaustausch mit der Umgebung statt (adiabatische Kompression), so wirkt sich die Zunahme der inneren Energie als adiabatische Temperaturerhöhung aus. Entsprechend der *Thomson*schen Gleichung ist

$$\left(\frac{dT}{dp}\right)_{ad} = \frac{\alpha T}{\varrho Cp} \qquad 7.3$$

wobei Cp die spezifische Wärme (pro Masseneinheit) bei konstantem Druck ist. Mit

$$\frac{dp}{dz} = g\,\varrho$$

wird die adiabatische Temperaturzunahme mit der Tiefe

$$\Delta T_{ad} = \frac{\alpha T g}{Cp}\,\Delta z \qquad 7.4$$

## 7.1 Die Temperaturen im Erdinnern

Nach diesen grundsätzlichen Betrachtungen über die Auswirkungen der Temperatur auf die Erde stellt sich die Frage nach ihrer Bestimmbarkeit. Wir sind bei der Ermittlung der so wichtigen Temperaturverteilung in der Tiefe noch weit mehr als bei der Dichteverteilung auf indirekte Hinweise angewiesen. Die Oberflächentemperatur der Erde ist in diesem Zusammenhang von geringer Bedeutung, denn sie ist in erster Linie das Resultat des Gleichgewichts aus Wärmeeinstrahlung von der Sonne und Rückstrahlung der Erde. Die mittlere Oberflächentemperatur beträgt 8–10 °C. In 30 m Tiefe ist diese jahresperiodische Temperaturwelle bereits auf $10^{-3}$ °C abgeklungen. Die Erde ist ein hervorragender Thermostat, was sich die Geophysiker bei der Installation empfindlicher Meßgeräte zunutze machen!

Viel aussagefähiger als der Oberflächenwert des Temperaturfeldes ist der durch die Wärmeleitung aus der Tiefe an die Erdoberfläche gelangende Wärmestrom. Normiert auf Zeit- und Flächeneinheit steht die **Wärmeflußdichte** Q über die Wärmeleitungsgleichung

$$Q = -k \cdot \operatorname{grad} T \approx -k\,\frac{dT}{dz} \qquad 7.5$$

im Zusammenhang mit dem Gradient, im wesentlichen dem Vertikalgradient, der Temperatur und der **Wärmeleitfähigkeit** k der entsprechenden

Gesteinsschicht. Zur Bestimmung von Q sind also zwei Arten von Messungen nötig: Temperaturgradientmessungen durch Temperaturdifferenzmessungen in mindestens 2 verschiedenen Tiefen und Wärmeleitfähigkeitsmessungen am jeweiligen Gestein im Labor oder „in situ". Für die meisten Krustengesteine bewegen sich die k-Werte zwischen 2 und 4 W/m °C. Typische **Temperatur-Tiefengradienten** in Mitteleuropa liegen bei 30°/km, erreichen aber z. B. am Rheingrabenrand bei Landau örtlich Werte bis zu 100°/km. Früher wurde häufig der Kehrwert des Temperatur-Tiefengradienten angegeben und als **geothermische Tiefenstufe** bezeichnet. Ihr Mittelwert ist dementsprechend etwa 33 m/°C. Temperaturgradientmessungen werden mit elektrischen Temperatursonden in Bohrlöchern an Land oder auf dem Meeresboden ausgeführt. Die Temperaturdifferenzen sind klein. Entsprechend können sich Störungen des Temperaturfeldes durch den Bohrvorgang oder durch zirkulierende Wässer stark auswirken. Als Einheit der Wärmeflußdichte wurde früher

$$1\ \text{HFU (\textbf{h}eat \textbf{f}low \textbf{u}nit)} = 1\ \mu\text{cal/s cm}^2$$

benutzt. Im SI-System ist die Einheit

$$1\ \text{mW/m}^2 = 1 / 41{,}9\ \text{HFU} \qquad 7.6$$

Die mittlere kontinentale Wärmeflußdichte beträgt $Q \approx 60\ \text{mW/m}^2 \approx 1.4$ HFU. Q kann aber im Zentralbereich der mittelozeanischen Schwellen und in anderen Magmenaufstiegszonen Werte von 300 mW/m$^2$ erreichen. Der gesamte Wärmestrom aus dem Erdinnern, der durch Strahlung in den Weltraum abgegeben wird, ergibt sich aus den Wärmeflußdichtemessungen zu $4.2 \cdot 10^{13}$ W. Zum Vergleich sei der menschliche Welt-Primärenergiebedarf mit derzeit etwa $8 \cdot 10^{12}$ W genannt.

Mit den gemessenen Q-Werten ist eine Extrapolation der Temperaturzunahme nach der Tiefe möglich, sofern a) die Wärmeleitfähigkeit k bekannt ist und b) keine Wärmequellen durchquert werden. Für mittlere Oberflächenwerte von Q und k würden wir in einer kontinentalen „Moho"-Tiefe von 30 km also etwa 900 °C erhalten. Dies ist aber sicher ein zu hoher Wert, weil sich gerade in der kontinentalen Kruste selbst die höchste Konzentration wärmeproduzierender radioaktiver Elemente befindet und nach gegenwärtigen Abschätzungen nur etwa 20–50 % des kontinentalen Wärmestroms aus dem tieferen Erdinnern kommt. Als langlebige Produzenten **radiogener Wärme** kommen in erster Linie in Frage: $^{238}$U, $^{235}$U, $^{232}$Th, $^{40}$K. Wegen ihrer großen Ionenradien und ihrer chemischen Affinität sind diese Elemente vorzugsweise an sialische Krustengesteine gebunden. Summarische Daten über die spezifischen **Wärmeproduktionsraten** enthält Tab. 7.1. Eine 20 km mächtige Granitschicht würde genügen zur Produktion des gesamten kontinentalen Wärmestroms.

Tab. 7.1 Radiogene Wärmeproduktionsraten

| | $\mu W/m^3$ |
|---|---|
| Granit | 3,0 |
| Gabbro | 0,5 |
| Peridotit | 0,01 |

Der Gesamtgehalt der Erde an radioaktiven Elementen ist aber unsicher und spekulativ. So ist auch die Frage noch offen, ob der später zu besprechende konvektiv arbeitende Geodynamo etwa durch $^{40}K$ in einem sulfidischen äußeren Erdkern mit gespeist wird. Wegen der exponentiellen Abnahme der Konzentration radioaktiver Elemente mit der Zeit durch Zerfall hat auch die radiogene Wärmeproduktion seit Bildung des Erdkörpers vor $4.6 \cdot 10^9$ Jahren auf etwa 20 % ihres ursprünglichen Wertes abgenommen.

Überraschend ist nun, daß trotz des viel höheren Gehalts der kontinentalen Kruste an radiogener Substanz im Mittel die ozeanischen und die kontinentalen Wärmeflußdichten etwa gleich groß sind. Dies ist nur zu erklären, wenn der Wärmestrom vom Mantel durch die ozeanische Kruste etwa doppelt so hoch ist wie durch die kontinentale „Moho". Dazu ist aber entsprechend Gl. 7.5 ein höherer Temperaturgradient und damit auch höhere Temperatur im obersten Mantel unter den Ozeanen nötig als unter den Kontinenten. Das kommt auch in den **Geothermen** Abb. 7.2 zum Ausdruck.

Im Einklang damit steht die höhere Lage und stärkere Ausprägung der ozeanischen **"low velocity zone"** (Kap. 5.11), in der wir Peridotit mit basaltischen Schmelzanteilen vermuten. Übrigens gibt die Solidustemperatur von Basalt in Gegenwart von wenig Wasser unter Druckverhältnissen von 60–150 km Tiefe mit 1200–1400 °C einen wichtigen Anhaltspunkt für die Temperaturabschätzung in der oberen Asthenosphäre. Unter anomalen Bedingungen, besonders in Zonen mit Lithosphärendehnung, kann basaltische Schmelze allerdings auch bis in die Nähe oder sogar an die Erdoberfläche gelangen. Es kommt zur Ausbildung von Magmenkammern und zum Ausfluß **basaltischer Laven** von 1100–1200 °C an **mittelozeanischen Rücken** oder aus den Vulkanen kontinentaler **Grabenzonen.** Als weiterer Anhaltspunkt für die Temperaturabschätzung im oberen Mantel kann auch der Olivin-Spinell-Phasenübergang in 400–450 km Tiefe herangezogen werden, der für magnesiumreichen Olivin bei 15 GPa = 150 kbar Druck eine Umwandlungstemperatur von 1300 ± 150 °C erfordert. Mit halbempirischen Formeln kann die Schmelztemperatur eines Oxidmantels olivinischer Zusammensetzung an der Grenze zum Erdkern (p = 140 GPa = 1,4 Mbar) auf 4700–6200 °C geschätzt werden. Diese Schranke wird aber offensichtlich nicht erreicht.

Wir wollen uns jetzt von unten, vom Erdkern her, an die Temperatur-

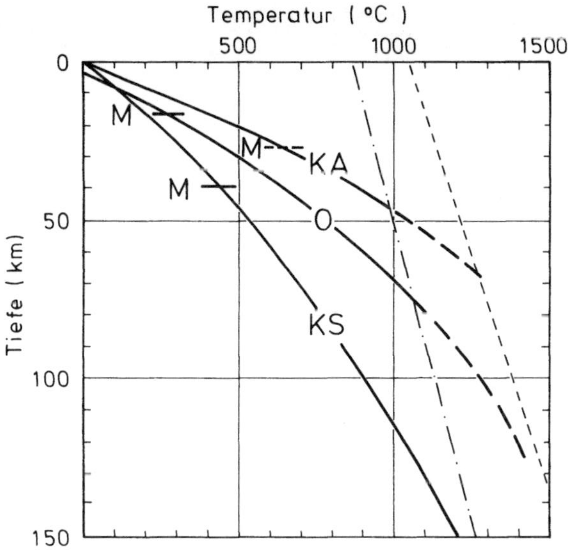


Abb. 7.2 Geothermen für Kruste und oberen Erdmantel (Pollack und Chapman 1977).
**KS** = kontinentaler Schild,
**KA** = tektonisch aktiv – kontinental
**O** = ozeanische Lithosphäre
**M** = Kruste-Mantel-Grenze („Moho")
·–·–· Grenze Lithosphäre–Asthenosphäre.

Tiefenverteilung herantasten. Nach seismischem Befund ist der äußere Kern flüssig, der innere fest. Wird die Grenze innerer/äußerer Kern als **Schmelzgrenze** von reinem Eisen bei 300 GPa = 3 Mbar Umgebungsdruck angesehen, so ergibt sich als weiterer Fixpunkt in unserem Temperaturmodell nach verschiedenen theoretischen Abschätzungen und Extrapolationen dort ein Wert von 4500–5000 °C. Durch die Beimengung leichter Elemente ist aber mit einer Schmelzpunkterniedrigung im äußeren Kern um rund tausend Grad zu rechnen. Liegt die Temperatur des inneren Kerns nur knapp unter dem Schmelzpunkt von Eisen, so dürfte die Temperatur von 5000 ± 500 °C für den Erdmittelpunkt ein realistischer Schätzwert sein. Der flüssige äußere Kern befindet sich mit hoher Wahrscheinlichkeit im Zustand überkritischer Rayleigh-Zahl, d. h. intensiver konvektiver Bewegung. Wegen der sehr geringen Viskosität ist deshalb hier kaum mehr als der adiabatische Temperaturgradient nötig, der für Eisen nach Gl. 7.1 unter entsprechenden Druckbedingungen von *F. D. Stacey* (1977) auf $(\frac{dT}{dz})_{ad} \approx 0{,}15\,°C/km$ veranschlagt wird. Die Temperatur an der Kern-Mantel-Grenze wäre demnach nur um etwa 350 °C niedriger anzusetzen als an der Grenze zum inneren Kern. Setzen wir also für die Kern-Mantel-Grenze als Mindesttemperatur 3700 °C an, so verbleibt bis zum obersten Mantel mit 1300 °C eine Temperaturdifferenz von $\Delta T \approx 2400\,°C$.

Jetzt stellt sich die geodynamisch so wichtige Frage, ob im Erdmantel Konvektion möglich ist oder nicht. Wenn ja, dann wird auch dort der Temperaturgradient nur wenig über dem adiabatischen liegen. Dieser ergibt sich aus Gl. 7.4 für geeignete Werte eines olivinreichen Mantels zu $(\frac{dT}{dz})_{ad} \approx 0{,}4\,°C/km$ und damit für den Mantel $\Delta T_{ad} \approx 1100\,°C$. Es bleibt also im Sinne von Gl. 7.1 eine überadiabatische Temperaturdifferenz $\Delta T^* = \Delta T - \Delta T_{ad}$ von etwa 1300 °C. Wir schätzen die Rayleigh-Zahl für den Mantel ab mit folgenden konservativen Werteannahmen:

$\alpha = 3.10^{-5} K^{-1}$, $g = 10\,m/s^2$, $\Delta T^* = 1300\,K$, $H = 3000\,km$, $\varrho = 3500\,kg/m^3$, $\varkappa = 10^{-6} m^2/s$, $\eta = 10^{22}$ Pa s und erhalten $Ra \approx 3 \cdot 10^6$.

Dieser Wert liegt so hoch über der kritischen Rayleigh-Zahl von etwa 2000, daß Konvektion im Mantel existieren und damit auch weitgehend adiabatischer Temperaturgradient vorhanden sein muß. Wo bleibt aber dann die überadiabatische Temperaturdifferenz von 1300 °C? Genauere Konvektionsrechnungen zeigen, daß es an der Ober- und Unterseite der Konvektionszellen, wo die Strömung horizontal verläuft, schlechte Wärmezu- und -ableitung und damit thermische Grenzschichten mit hohem Temperaturgradient geben muß, um Konvektion als Wärmetransportprozeß effektiv zu gestalten. Solche thermischen Grenzschichten liegen einerseits in der unteren Lithosphäre und andererseits oberhalb der Kern-Mantel-Grenze. Die noch umstrittene Konvektion in mehreren Stockwerken des Mantels würde weitere heiße thermische Grenzschichten erfordern. Eine Entscheidung durch direkten Nachweis, ob es z. B. im oberen und unteren Mantel getrennte Konvektionssysteme gibt, ist derzeit nicht möglich.

**Merke:** Das Temperaturfeld der Erde ist direkten Messungen nur in Oberflächennähe zugänglich (Wärmefluß durch die Oberfläche, geothermische Tiefenstufe). Temperaturschätzungen für große Tiefen stützen sich auf stoffliche Phasengrenzen und auf adiabatische Temperaturzunahmen in konvektionsfähigen Bereichen des Erdinnern. Für den Erdmittelpunkt folgt hieraus eine Temperatur von 5000–7000 °C.

## 7.2 Vorstellungen zur thermischen und stofflichen Entwicklung der Erde

Etwa gleichzeitig mit den anderen Planeten und der Sonne dürfte sich die Erde durch **Akkretion** kosmischer Materie von etwa chondritischer Zusammensetzung (siehe Kap. 3.2) vor etwa 4,6 Milliarden Jahren (Ga) gebildet haben. Der Aufschlag eingefangener Körper bis zu Planetoidengröße (10–100 km Durchmesser) hat die Erde zur partiellen Schmelze aufgeheizt. Der ursprüngliche Wärmeinhalt der Erde wird von *F. D. Stacey* (1981) auf $10^{31}$ J geschätzt. Seither kühlt die Erde ab. Die gravitative Abscheidung der schweren eisenreichen Schmelze und die Formierung des Kerns hat wahrscheinlich bereits in der Akkretionsphase stattgefunden und war nach den ersten hundert Millionen Jahren im wesentlichen beendet (*G. W. Wetherill* 1980). Das mit der Existenz des flüssigen Kerns ursächlich zusammenhängende Magnetfeld der Erde war jedenfalls schon vor mindestens 3,5 Ga (Paläomagnetismus) vorhanden, möglicherweise aber bereits vor 4,4 Ga. Aufgrund der chemischen Affinität und der kosmischen Elementhäufigkeit wird heute überwiegend die Ansicht vertreten, daß im Kern 5–10 % Schwefel an Eisen, legiert mit Nickel, gebunden sind. Dafür sprechen auch die in Eisenmeteoriten häufig zu findenden Sulfideinschlüsse in Form des Minerals Troilit. Wir haben es dann mit einem 2-Stoff-System zu tun, wo beim Abkühlen der Schmelze kristallines Eisen ausfällt, das sich als innerer Kern absetzt. Das **„Ausfrieren"** des inneren Kerns begann nach den thermischen Modellrechnungen von *T. Spohn* (1984) erst vor 2–3 Ga und hält mit einer Wachstumsrate von etwa 250 m/Ma noch heute an (Ma = Millionen Jahre). Für den Antrieb der als Geodynamo (vgl. 8.3) wirkenden Kernkonvektion sind danach 3 Energiequellen verfügbar: 1. Der Wärmevorrat des Kerns, 2. die latente Kristallisationswärme und 3. die gravitative Energie beim Ausfrieren und Absinken des Nickeleisens.

Die ältesten Krustengesteine der Erde, die auf Grönland gefunden wurden, sind 3,8 Ga alt. Die Absonderung der kontinentalen Kruste durch gravitative Differentiation des Mantels begann aber möglicherweise schon früher. Nach thermischen Modellrechnungen war der Wärmefluß vor 2,5 Ga doppelt so groß und die Temperatur im oberen Mantel am Ende des Archaikums um etwa 100 °C höher als heute. Wegen der starken Temperaturabhängigkeit der Viskosität und wegen des höheren Wärmeflusses muß in der Frühgeschichte der Erde (Proterozoikum) die Lithosphäre dünner und in lebhafterer Bewegung gewesen sein als heute. Geologische Hinweise auf kleinräumige Schollen- und Grabenbildungen finden sich in den alten Kontinenten der Erde.

Die kontinentale Kruste beeinflußt das Temperaturfeld im oberen Mantel in kritischer Weise. Mit ihrer hohen Konzentration an radioaktiven Elementen und ihrer schlechten Wärmeleitfähigkeit stellt sie einen Wärmeschild dar, unter dem es zu Wärmestau mit konvektiven **Instabilitäten** und pilzförmigen Magmaaufstiegen (engl.: plume) kommen kann. Dies führt zur Anhebung, Dehnung und Zertrennung (engl.: rifting) kontinentaler Lithosphärenplatten und zur Öffnung junger Ozeane (siehe Kap. 10.1, Plattentektonik). Auch Riesenkontinente wie Pangäa waren vor etwa 400–200 Ma nur relativ kurzlebige Episoden in der Geschichte der Erde.

Derzeit werden global im Durchschnitt etwa $10^4$ MW in Form von Erdbebenenergie freigesetzt, was zweifellos nur einen Bruchteil der insgesamt für tektonische Prozesse aufgewandten Energie darstellt. Der Vergleich mit der von der Erde als Wärmestrom abgegebenen Leistung von $4 \cdot 10^7$ MW zeigt aber, daß Wärme als **Antriebsenergie** tektonischer Prozesse in üppigem Maß zur Verfügung steht. Die Abkühlungsrate der Erde wird durch die stark temperaturabhängige Viskosität des Mantels gedrosselt und reguliert. Lange bevor der Wärmevorrat der Erde aufgebraucht sein wird, werden alle tektonischen Prozesse durch die zunehmende Zähigkeit der Erde erstarrt sein. In Abb. 7.3 sind die drei Hauptentwicklungsphasen der Erde in Anlehnung an *Allègre* (1982) grob schematisch dargestellt.

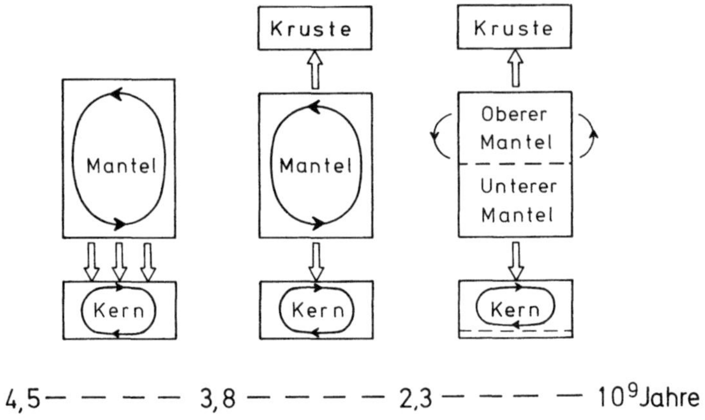


Abb. 7.3 Die drei Hauptentwicklungsphasen der Erde nach Allègre (1982).

# 8. DAS MAGNETFELD DER ERDE

Die Erde ist Träger eines magnetischen Feldes, das noch in mehr als zehn Erdradien Abstand nachweisbar ist. Gemeinhin ist nur die Nutzung des Magnetfeldes als Navigationshilfe mittels Kompaßnadel bekannt. Es kann aber seit einigen Jahren als erwiesen gelten, daß sich z. B. Zugvögel, Bienen und bestimmte Bakterien des Meeresbodens mit eigenen, empfindlichen Sensoren im Magnetfeld orientieren, ja, es gibt sogar vereinzelte Hinweise auf systematische Magnetfeldreaktionen des Menschen (Rocard 1964). Möglicherweise hat die Abschirmungsfunktion des Erdmagnetfeldes gegenüber kosmischer Korpuskularstrahlung einen wichtigen Einfluß auf die Entwicklung des Lebens auf der Erde gehabt. Ein direkter Zusammenhang zwischen Phasen besonders intensiver Artenentfaltung und Fluktuation des Magnetfeldes bei Polumkehr ist jedoch nicht beweisbar.

Geowissenschaftlich hat das Erdmagnetfeld durch den in Gesteinen konservierten Paläomagnetismus für das moderne Bild der Entwicklung der Erdrinde, besonders im Konzept der globalen Plattentektonik, in den letzten Jahrzehnten eine zentrale Bedeutung gewonnen. Durch ihr magnetisches Eigenfeld lassen sich auch magnetische Gesteinskörper mit geophysikalischen Mitteln orten und charakterisieren.

Die Frage nach dem Ursprung des magnetischen Erdfeldes ist so alt wie die Entdeckung seiner Richtwirkung auf die Kompaßnadel im 11. Jahrhundert in China. Eine physikalisch tragfähige Theorie wurde aber erst Mitte der 40er Jahre entwickelt. Danach bilden Strömungssysteme im flüssigen äußeren Erdkern nach hydrodynamischen und elektromagnetischen Gesetzen einen selbsterregenden Magnetfeldgenerator. Umgekehrt kann aus dem Nachweis externer Magnetfelder auf die Existenz eines flüssigen Kerns in einigen anderen Planeten geschlossen werden. Dies gilt für Merkur, Jupiter, Saturn, nicht aber für Mond, Mars und Venus.

## 8.1 Physikalische Grunderfahrungen über das Magnetfeld

Die wesentlichen Eigenschaften des Magnetfeldes lassen sich durch fünf Grunderfahrungen charakterisieren, die auch dem Verständnis der Meßverfahren und des Ursprungs des Erdmagnetfeldes dienen. Wir müssen uns in diesem Rahmen einer formal ganz einfachen Darstellung bedienen.

**1. Wirkung des Magnetfeldes auf einen Magnetstab**

Ähnlich wie beim Schwerefeld läßt sich auch Richtung und Stärke des Magnetfeldes an jedem Ort durch einen Vektor darstellen. Als Indikator für das Magnetfeld eignet sich ein frei drehbarer Stabmagnet, z. B. eine Kompaßnadel. Wirken keine anderen Kräfte, so stellt er sich in Richtung des Magnetfeldes ein. Das Ende, das ungefähr nach Norden weist, wird als **Nordpol** (+ Pol) des Magnetstabs bezeichnet, das andere Ende als **Südpol.** Lenkt man den Magneten um den Winkel φ aus der Ruhelage aus, so ist dazu ein mechanisches Drehmoment

$$N = B\,m \sin \varphi \qquad 8.1$$

aufzuwenden. Hierbei ist B (Betrag der **magnetischen Flußdichte** $\vec{B}$) ein Maß für die Magnetfeldstärke, während das sogenannte magnetische **Dipolmoment** $\vec{m}$ die Magnetstärke des Stabmagneten charakterisiert (Abb. 8.1). Der Vektor $\vec{m}$ liegt bei einem langgestreckten Magnetstab in dessen Längsachse. Mit der physikalisch anfechtbaren Vorstellung der Existenz punktförmiger magnetischer Ladungen entgegengesetzten Vorzeichens der Stärke ±p im Abstand l läßt sich Gl. 8.1 unmittelbar anschaulich verstehen, wenn p im Feld B die Kraft $\vec{K} = p\vec{B}$ erfährt und außerdem die Bedingung gilt

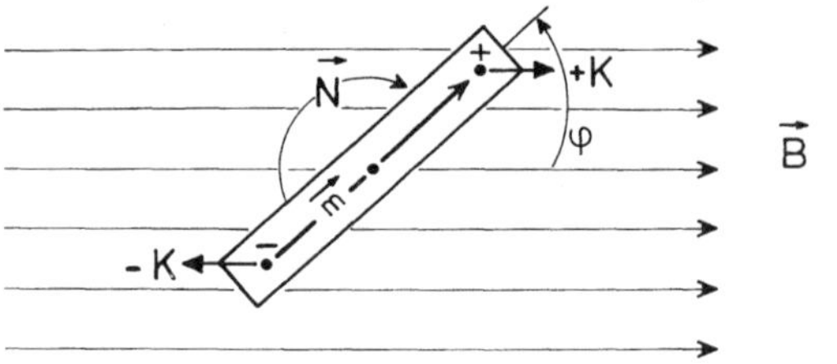


$$\vec{m} = p \cdot \vec{l} \qquad 8.2$$

Abb. 8.1 Auf den Magnetstab mit dem magnetischen Moment m wird im Magnetfeld der Stärke B das Drehmoment N ausgeübt.

Gl. 8.1 zeigt schon eine Möglichkeit auf zur quantitativen Messung von $\vec{B}$. Anschaulich läßt sich B durch die Zahl der Feldlinien pro Querschnittsflächeneinheit darstellen.

**2. Materie im Magnetfeld**

Das Magnetfeld $\vec{B}$ ist die Folge einer magnetfeldverursachenden Größe, der sogenannten **Magnetischen Erregung** $\vec{H}$, und der **spezifischen,** d. h. auf die Volumeinheit bezogenen **Magnetisierung** $\vec{M}$ der Materie, in welcher die Flußdichte $\vec{B}$ gemessen wird. Es ist

$$\vec{B} = \mu\,\vec{H} = \mu_0\,(\vec{H} + \vec{M}) \qquad 8.3$$

wobei μ die sogenannte **magnetische Permeabilität** des Mediums und $\mu_0$ diejenige des materiefreien Raumes bezeichnet. (Es hängt mit den physikalischen Definitionen von B und H zusammen, wenn im internationalen Maßsystem $\mu_0$ nicht den Wert 1 hat.) Die spezifische Magnetisierung $\vec{M}$ besteht aus zwei Anteilen, der durch die Erregung $\vec{H}$ hervorgerufenen und dieser bei kleinen Feldstärken proportionalen **induzierten Magnetisierung** $\vec{M}_{ind}$ und der im Material durch magnetische Vorbehandlung bereits vorhandenen **remanenten Magnetisierung** $\vec{M}_{rem}$, also

$$\vec{M} = \vec{M}_{ind} + \vec{M}_{rem} = \varkappa\vec{H} + \vec{M}_{rem} \qquad 8.4$$

$\varkappa$ wird als **magnetische Suszeptibilität** bezeichnet und ist ein Materialparameter. Bei hohen Werten von H verliert 8.4 seine Gültigkeit. Die Magnetisierung M nähert sich dem Grenzwert der **magnetischen Sättigung** (siehe Abb. 8.16). Bei einheitlicher (homogener) Magnetisierung besitzt ein magnetisierter Körper vom Volumen V das **magnetische Moment**

$$\vec{m} = \vec{M}\,V \qquad 8.5$$

Auf die physikalische Natur der Magnetisierung werden wir im Abschnitt 8.5 etwas näher eingehen.

**3. Magnetfeld eines magnetisierten Körpers**

Ein magnetisierter Körper ruft in seiner Umgebung selbst ein magnetisches Feld hervor. Dieses läßt sich ganz analog zum Gravitationsfeld darstellen, wenn wir in Gl. 3.6 anstelle einer Punktmasse ein Paar magnetischer Punktladungen **(Dipol)** der Stärke $\pm$ p ansetzen, die den gegenseitigen Abstand l haben. Dabei gilt entsprechend Gl. 8.2 $p\vec{l} = \vec{m}$. An die Stelle der Gravitationskonstante G tritt jetzt $\frac{\mu}{4\pi}$, wobei $\mu$ die magnetische Permeabilität der Materie ist, die den Dipol umgibt. In hinreichend großem Abstand s erhält man unter dem Winkel $\vartheta$ zur Dipolachse für die radiale Feldkomponente $B_r$ und die transversale Komponente $B_t$ (Abb. 8.2)

$$B_r = \frac{\mu\, m}{2\pi}\;\frac{\cos\vartheta}{s^3} \quad ; \quad B_t = \frac{\mu\, m}{4\pi}\;\frac{\sin\vartheta}{s^3} \qquad 8.6$$

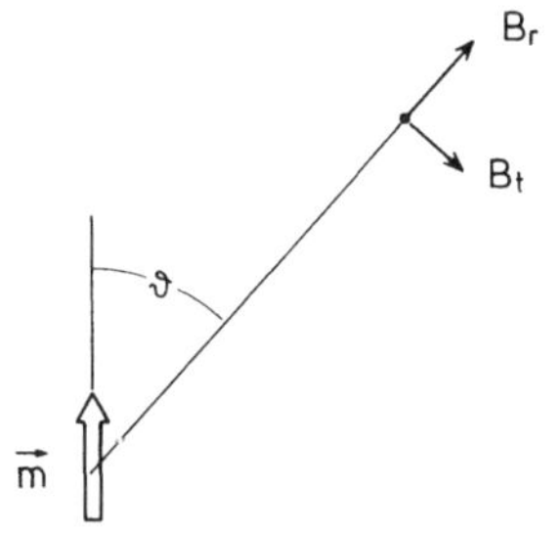


Abb. 8.2 Zur Definition der radialen und tangentialen Feldkomponenten.

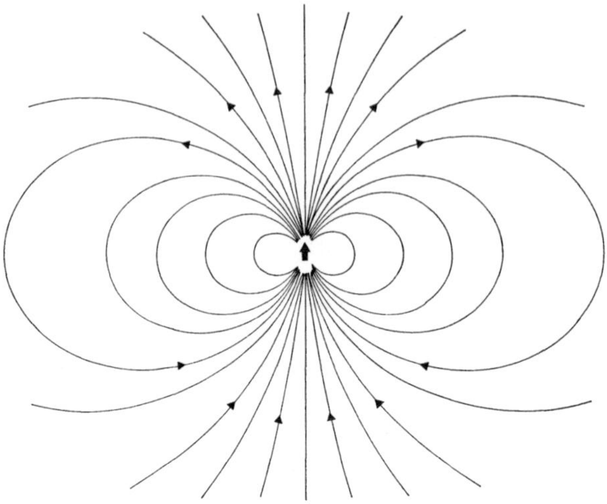

Abb. 8.3 Feldlinien eines magnetischen Dipols.

Die Herleitung von Gl. 8.6 sei dem Leser als Übungsaufgabe überlassen, wobei zu beachten ist, daß $s \gg l$ ist. Die Vektoren des Magnetfeldes reihen sich auf zu geschlossenen Feldlinien, die definitionsgemäß vom +Pol ausgehen und im −Pol enden (Abb. 8.3).

Auf diese 3. Erfahrung über das Magnetfeld werden wir vor allem im Zusammenhang mit der Interpretation von Anomalien des Magnetfeldes zurückgreifen.

**4. Elektrischer Strom und Magnetfeld**

Bei tiefgehender physikalischer Betrachtung stellt sich heraus, daß Magnetfelder stets einen elektrischen Strom als Ursache haben. Makroskopisch läßt sich z. B. zeigen, daß sich ein geradliniger elektrischer Leiter, in dem ein Strom der Stärke i fließt, mit einem zylindrischen Magnetfeld umgibt, dessen Erregungsstärke im Abstand r von der Leiterachse

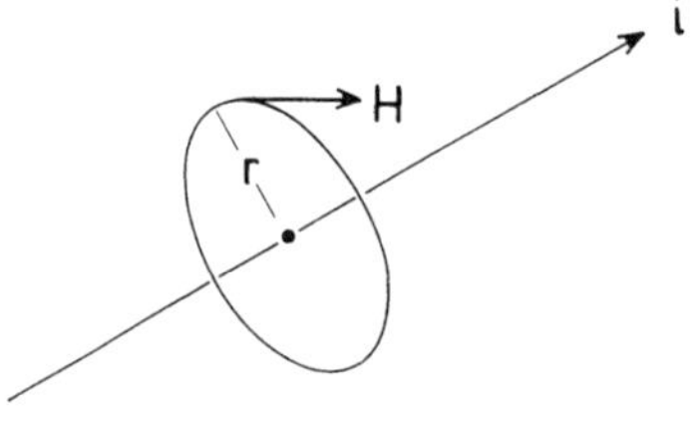


$$H = \frac{1}{2\pi}\,\frac{i}{r} \qquad 8.7$$

beträgt. Im atomaren Bereich, bei der Magnetisierung von Materie, sind es Ströme, die mit dem Umlauf der Elektronen um den Atomkern und mit der

Eigenrotation (Spin) elektrisch geladener Elementarteilchen zusammenhängen.

**5. Induktion elektrischer Spannungen im Magnetfeld**

Ändert sich die durch eine Leiterschleife umschlossene Zahl magnetischer Feldlinien, der **Magnetische Fluß** $\varnothing = B\,F$ (F = Fläche der Leiterschleife senkrecht zu B), entweder durch Bewegung der Leiterschleife im Magnetfeld oder durch zeitliche Änderung von B bei ruhender Schleife, so entsteht im Leiter die Spannung

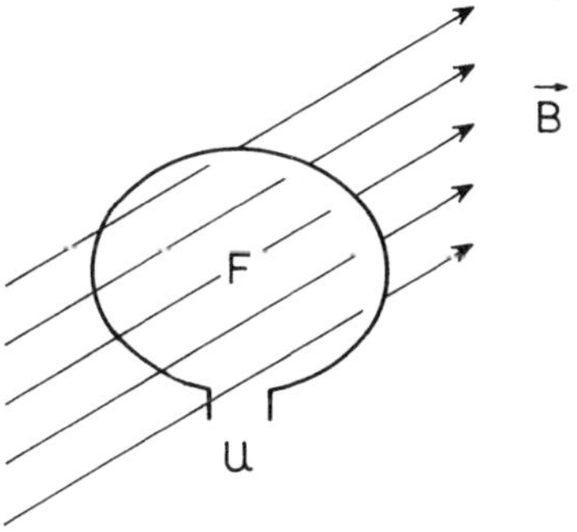


$$U = -\frac{d\varnothing}{dt} \qquad 8.8$$

Das ist die Aussage des Induktionsgesetzes. Die Erfahrungen 4 und 5 bilden die Grundlage für das Verständnis des geomagnetischen Dynamos im Erdkern und für die Induktion von Strömen im Erdkörper und in der Ionosphäre.

## 8.2 Messung des erdmagnetischen Feldes

### 8.2.1 Einheiten und Dimensionen

Auf Empfehlung der Internationalen Union für Geodäsie und Geophysik (siehe Kap. 1) sollen auch im Bereich des Erdmagnetismus nur noch die internationalen **SI-Einheiten** benutzt und die Stärke des magnetischen Erdfeldes durch die Feldgröße B (magnetische Flußdichte) ausgedrückt werden. Die Erdmagnetiker tun sich mit der Umstellung von den klassischen magnetischen **cgs-Einheiten** besonders schwer, weil diese einst von *C. F. Gauß* speziell zur Messung des erdmagnetischen Feldes eingeführt und seit über 150 Jahren in Gebrauch waren. Die nachfolgende Tabelle 8.1 ermöglicht den Vergleich und die Umrechnung magnetischer Größen.

Für alle praktischen Zwecke ist es üblich, die Stärke des magnetischen Erdfeldes in der Maßgröße $\gamma$ ($1\gamma = 1$ nT) auszudrücken.

Tab. 8.1 Einheiten magnetischer Größen

| **Größe** | **SI-Einheit** | | **cgs-Einheit** |
|---|---|---|---|
| B | $1\ \mathrm{Vs/m^2} = 1$ Tesla (T) | = | $10^4$ Gauß (Γ) |
| | $1\ \gamma = 10^{-9}\ \mathrm{T} = 1\ \mathrm{nT}$ | = | $10^{-5}\ \Gamma$ |
| H | 1 A/m | = | $4\pi \cdot 10^{-3}$ Oersted (Oe) |
| $\mu_0$ | $4\pi \cdot 10^{-7}$ Vs/Am | = | 1 Γ/Oe |
| M | 1 A/m | = | $4\pi \cdot 10^{-3}$ Oe |
| m | $1\ \mathrm{A\ m^2}$ | = | $4\pi \cdot 10^{-3}\ \mathrm{Oe\ cm^3}$ |
| $\varkappa$ | 1 | $\varkappa' =$ | $\varkappa/4\pi$ |

## 8.2.2 Darstellung des magnetischen Feldvektors

Der Magnetfeldvektor $\vec{B}$ kann in verschiedener Weise durch jeweils 3 voneinander unabhängige Zahlengrößen dargestellt werden, die als **„Elemente des magnetischen Erdfeldes"** bezeichnet werden und mit entsprechenden Geräten bestimmt werden können. Einige gebräuchliche Größen und deren Bezeichnung sind in Abb. 8.4 definiert.

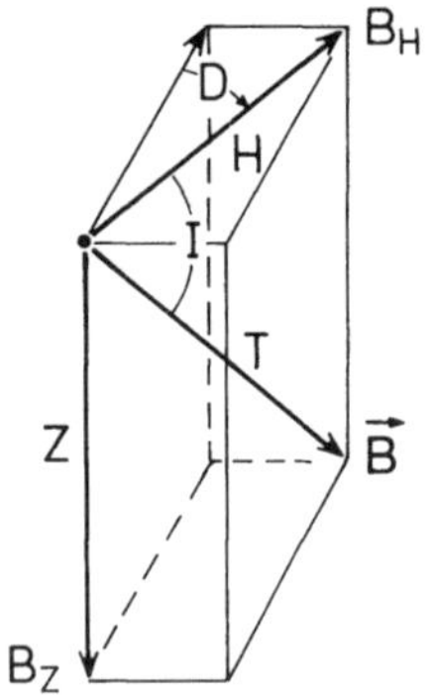


| | |
|---|---|
| Deklination oder magnetische Mißweisung | D |
| Inklination | I |
| Horizontalintensität | $B_H \equiv H$ |
| Vertikalintensität | $B_Z \equiv Z$ |
| Totalintensität | $B \equiv T$ |

Abb. 8.4 Elemente des magnetischen Erdfeldes.

Bei wiederholten Messungen zeigt sich, daß das Magnetfeld der Erde langsamen zeitlichen Veränderungen unterworfen ist. So ergeben sich für magnetisch ungestörte Orte im Raum Frankfurt die Werte von Tab. 8.2.

Da diese langsamen, „säkularen" Änderungen ziemlich stetig vor sich gehen, ist es zulässig, die Werte auch noch für einige Jahre nach vorne zu extrapolieren.

Tab. 8.2 Magnetische Elemente 1940 und 1980 für Frankfurt

| | 1940 | 1980 |
|---|---|---|
| D | − 6.1° | − 2.1° |
| I | 65.6° | 65.5° |
| H | 19 200 γ | 19 800 γ |
| Z | 42 300 γ | 43 400 γ |
| T | 46 400 γ | 47 600 γ |

## 8.2.3 Meßmethoden für das magnetische Erdfeld

Von praktischer Bedeutung für die Kompaßnavigation ist die Kenntnis der magnetischen **Deklination.** Sie läßt sich als Winkel zwischen der Horizontalkomponente von $\vec{B}$ und der durch die Rotationsachse der Erde definierte N-Richtung im einfachsten Fall mit dem Kompaß selbst, genauer aber mit dem Magnettheodoliten bestimmen. D ist positiv für östliche Mißweisung der Kompaßnadel.

Die Bestimmung der Inklination I ist von untergeordneter Bedeutung und wird deshalb hier nicht besprochen.

Räumliche und zeitliche Änderungen des Magnetfeldes werden meist als **Intensitätsmessungen** durchgeführt. Die wichtigsten Meßprinzipien und deren Eigenarten seien deshalb kurz skizziert.

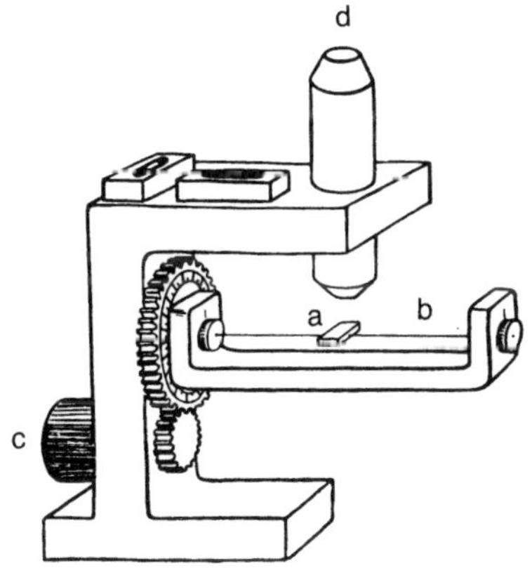


Abb. 8.5 Konstruktionsprinzip des Torsionsmagnetometers **Gfz** der Firma ASKANIA.
**a)** Meßmagnet mit Spiegeloberfläche
**b)** Metalltorsionsbändchen
**c)** Drehknopf
**d)** Ableseoptik

**Statische Magnetometer**

Statische Magnetometer beruhen auf der Messung des mechanischen Drehmoments, das entsprechend Gl. 8.1 durch das Erdfeld auf einen im Meßgerät eingebauten Permanentmagneten ausgeübt wird. Je nach der räumlichen Orientierung dieses Magneten bzw. seines magnetischen Moments $\vec{m}$ kann die vertikale oder horizontale Komponente von $\vec{B}$ gemessen werden. Die ursprünglich von *A. Schmidt* entwickelten magnetischen Feldwaagen, wo nach dem Prinzip einer Balkenwaage das magnetisch erzeugte Drehmoment durch Schwerkraft kompensiert wird, sind heute wegen ihrer mechanischen Empfindlichkeit und der erheblichen Meßdauer kaum noch im Gebrauch. Dagegen findet das **Torsionsmagnetometer** insbesondere zur Messung räumlicher Variationen von $B_z$ noch Verwendung, obwohl auch dieses Gerät zunehmend durch modernere und schneller arbeitende Verfahren verdrängt wird. Seine Wirkungsweise ist aus Abb. 8.5 zu erkennen.

Der kleine Meßmagnet ist zwischen zwei gespannten Metallbändchen drehbar gelagert. Durch Torsion eines der Bändchen kann der Magnet exakt in horizontale Lage gebracht werden. Der hierzu erforderliche Torsionswinkel $\alpha$, der am Teilkreis des Drehknopfs abgelesen wird, ist ein Maß für $B_z$. Die Gleichgewichtsbedingung lautet

$$m\, B_z = \tau\, (\alpha - \alpha_0)$$

oder

$$\Delta B_z \equiv \Delta Z = \frac{\tau}{m}\, \Delta\alpha = C\, \Delta\alpha \qquad 8.9$$

wobei $\tau$ die Torsionskonstante des Spannbandes und C der sogenannte Skalenwert des Geräts ist. Die Lage des Magneten wird optisch über einen am Magneten angebrachten Spiegel kontrolliert, wozu vorher das Gerät auf dem Stativ horizontiert wird. Mit diesen Magnetometern können, ähnlich wie mit einem Gravimeter, nur orts- oder zeitabhängige Unterschiede $\Delta Z$ gemessen werden. Zur Bestimmung des Skalenwerts C wird das Magnetsystem in das bekannte Feld einer stromdurchflossenen Eichspule gebracht. Die Meßgenauigkeit der Askania-Torsionswaage **Gfz** liegt bei $\pm$ 2–5$\gamma$. Trotz guter Temperaturkompensation sollte das Gerät vor stärkeren Temperaturschwankungen während der Messungen geschützt werden; Meßdauer pro Meßpunkt ca. 5 Minuten.

**Kernsättigungs-Magnetometer** (engl.: flux gate magnetometer)

Das Meßelement besteht hier aus einem stabförmigen Eisenkern hoher Permeabilität und scharf ausgeprägter magnetischer Sättigung (vgl. Kap. 8.1.2), der im Erdfeld magnetisiert wird. Der Grad der Magnetisierung wird festgestellt durch Überlagerung eines künstlichen magnetischen Wechselfeldes, das bis in die Sättigung des Kerns reicht. Die Unsymmetrie der magnetischen Flußdichte, die sich dabei in beiden aufeinanderfolgen-

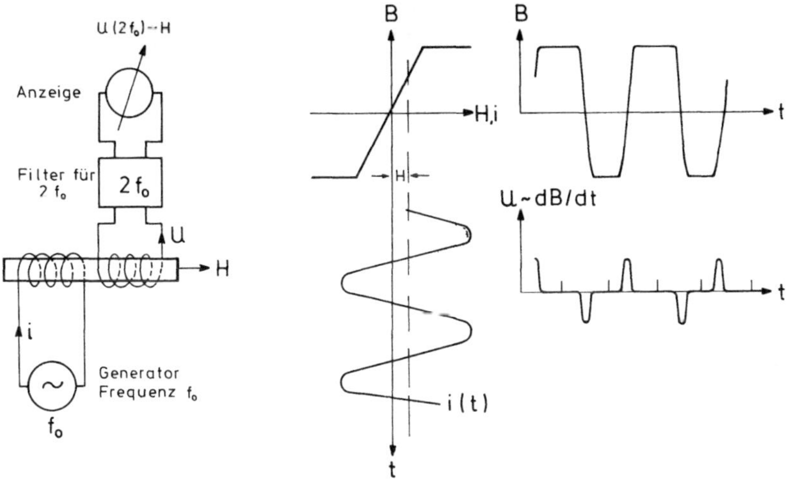


Abb. 8.6 Meßprinzip des Kernsättigungs-Magnetometers.

den Magnetisierungsrichtungen zeigt (Abb. 8.6), ist ein Maß für die Stärke $H_0$ des Erdfeldes in Richtung der Achse des Eisenkerns. Sie bewirkt eine Verschiebung der induzierten positiven und negativen Spannungsimpulse gegeneinander, die mit geeigneten elektronischen Hilfsmitteln gemessen wird. Auch bei diesem Meßprinzip ist die Skalenwertbestimmung mit Hilfe einer Eichspule erforderlich. Je nach Orientierung des Eisenkerns können unterschiedliche Komponenten von $\vec{B}$ gemessen werden.

Es gibt sehr handliche Instrumente zur Messung von $\triangle B_z$, bei denen der Eisenkern so aufgehängt ist, daß er selbständig in die Lotrichtung einpendelt. Das Meßprinzip eignet sich auch zur Messung sehr schwacher Magnetfelder, wie sie im interplanetarischen Raum vorkommen, sowie zur Messung der Magnetisierung von Gesteinsproben im Labor.

**Protonenpräzessions-Magnetometer**

Der Wasserstoffkern (Proton) besitzt von Natur aus ein magnetisches Moment $m_p$, das mit der Richtung des Eigendrehimpulses $I_p$ (Spin) des Protons zusammenfällt (Abb. 8.7). Im äußeren Magnetfeld B verhält sich das Proton wie ein Kreisel, auf den entsprechend Gl. 8.1 ein Drehmoment N ausgeübt wird. Dies führt wie beim Kinderkreisel im Schwerefeld zu einer Präzession des kreiselnden Protons um die Magnetfeldrichtung mit der Winkelgeschwindigkeit

$$\omega_p = \frac{N}{I_p} = \eta_p B \qquad 8.10$$

$\eta_p$ wird als **gyromagnetisches Verhältnis** des Protons bezeichnet. Es ist eine

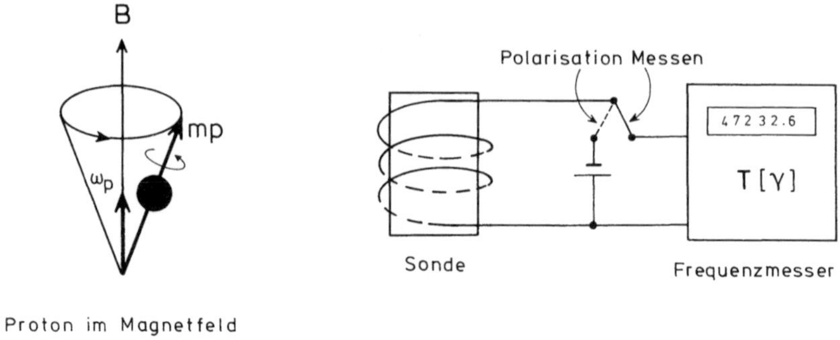


Abb. 8.7 Protonenmagnetometer.

durch Quantenbedingungen festgelegte atomphysikalische Naturkonstante, die von äußeren Einflüssen wie Temperatur und Druck unbeeinflußt bleibt. Stets gilt

$$B \equiv T = 23{,}4874 \cdot \nu_p \qquad 8.11$$

wobei die Präzessionsfrequenz $\nu_p = \omega_p/2\pi$ in Hertz und B in $\gamma$ gemessen wird.

Der Betrag oder die Totalintensität des Magnetfeldes ist also streng proportional der Protonenpräzessionsfrequenz, die elektronisch mit hoher Genauigkeit meßbar ist. Allerdings gelang dies erst mit Hilfe eines von *Packard* und *Varian* 1954 eingeführten Kunstgriffs.

Die Meßsonde enthält als Protonenträger ein Gefäß mit flüssigen Kohlenwasserstoffen, z. B. Methanol, das von einer eisenfreien Spule umgeben ist.

Die im Erdfeld frei präzedierenden Protonen induzieren in der Spule jedoch nur dann eine meßbare Spannung, wenn ihre magnetischen Momente zuvor parallel zueinander ausgerichtet (polarisiert) worden sind. Zu diesem Zweck wird kurzzeitig ein starker Polarisationsstrom in die Spule geschickt und diese anschließend sofort auf „Messen“ umgeschaltet (Abb. 8.7). Jetzt präzediert ein Großteil der Protonen in gleicher Phase und induziert dabei in der Spule ein schwaches, aber deutliches Signal, dessen Frequenz $\nu_p$ zu messen ist, bevor es nach wenigen Sekunden im thermischen Rauschen wieder untergeht. Die damit erreichbare Meßgenauigkeit für den Absolutwert von T liegt heute bei $0.1\gamma$, ältere Geräte haben meist $1\gamma$ Meßgenauigkeit. Die Anzeige von T erfolgt digital. Eine Nacheichung des quarzgesteuerten Frequenzzählers ist nur selten erforderlich. Der Polarisations- und Frequenzzählprozeß beträgt 5–10 Sekunden, und dies ist auch der Zeitaufwand für die Durchführung einer Messung. Da die räumliche Orientierung der Sonde weitgehend gleichgültig ist, sofern nur die Spulenachse nicht mit der

Magnetfeldrichtung zusammenfällt, wird kein Stativ benötigt. Messungen mit dem Protonenmagnetometer werden auch vom Flugzeug (Aeromagnetik) und vom Schiff aus durchgeführt. Protonenmagnetometer wurden zu hoher Perfektion entwickelt und werden wegen ihrer vielen vorteilhaften Eigenschaften heute bevorzugt zur Vermessung magnetischer Feldanomalien, aber auch stationär in Observatorien eingesetzt. Allerdings sind Anomalien von T theoretisch weniger leicht interpretierbar als solche von Z.

Bei der Messung rasch veränderlicher Felder sind dem Protonenmagnetometer durch den Polarisationsvorgang Grenzen gesetzt. Kontinuierliche Messungen auf atomistischer Basis können unter Ausnutzung der Aufspaltung von Spektrallinien im Magnetfeld (Zeeman-Effekt) mit **Rubidium-** und **Cäsium-Dampf-Magnetometern** mit hoher Genauigkeit ausgeführt werden. Der Aufwand ist jedoch beträchtlich, weshalb sich die Anwendung auf Sonderprobleme beschränkt.

**Merke:** Die physikalische Maßgröße für das Magnetfeld ist die magnetische Flußdichte $\vec{B}$. Der Feldvektor läßt sich durch jeweils drei voneinander unabhängige sogenannte Elemente des Magnetfeldes D, I, H, Z, T darstellen. Die Stärkeeinheit für das magnetische Erdfeld ist $1\gamma = 1$ nano Tesla (nT). Atomistische Meßprinzipien (Protonenpräzessions-Magnetometer) verdrängen wegen ihrer hohen Konstanz, mechanischen Unempfindlichkeit und kurzen Meßzeit die klassischen magnetischen Meßverfahren.

## 8.3 Eigenschaften und Ursprung des globalen magnetischen Erdfeldes

Angeregt durch *Alexander von Humboldt,* hat der Göttinger Mathematiker und Astronom *Carl Friedrich Gauß* die wissenschaftlichen Grundlagen für eine systematische, quantitative Bestimmung und Darstellung des magnetischen Erdfeldes geschaffen und 1838 in dem Buch ›Allgemeine Theorie des Geomagnetismus‹ dargestellt. Gemeinsam mit dem Physiker *W. E. Weber* wurde die klassische Methode zur Absolutbestimmung der Horizontalintensität $B_H$ des Magnetfeldvektors entwickelt. Mit der Gründung des Göttinger „Magnetischen Vereins“ wurden erstmals in weltweitem Maßstab zu vereinbarten Zeiten erdmagnetische Messungen vorgenommen und nach einheitlichen Gesichtspunkten ausgewertet. Eigens hierzu entwikkelte Gauß die auf potentialtheoretischen Grundlagen beruhende Methode der Reihenentwicklung des Erdmagnetfeldes nach sogenannten **Kugelfunktionen.** Dieses mathematische Hilfsmittel hat universelle Bedeutung für die Darstellung und Analyse von Potentialfeldern auf der Erd-„Kugel“ gewonnen, so insbesondere auch für das Schwerefeld. Mit Hilfe der Kugelfunk-

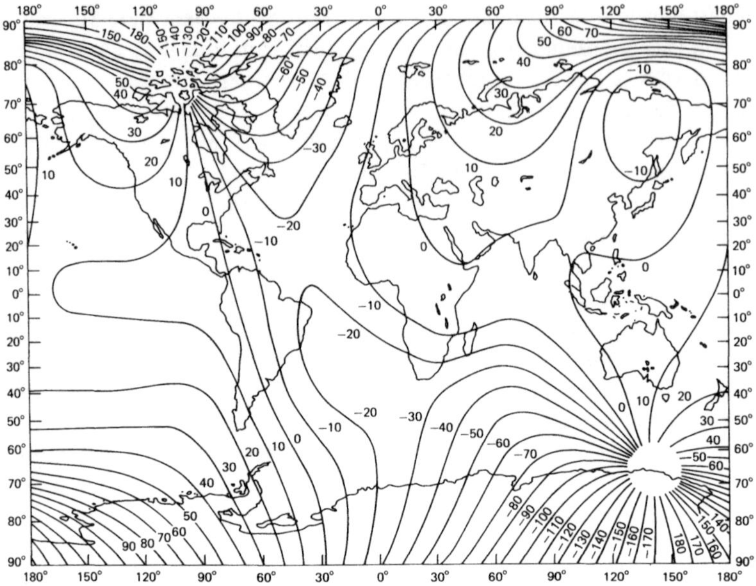

Abb. 8.8a Weltkarte der Deklination D, 1980. [grad]

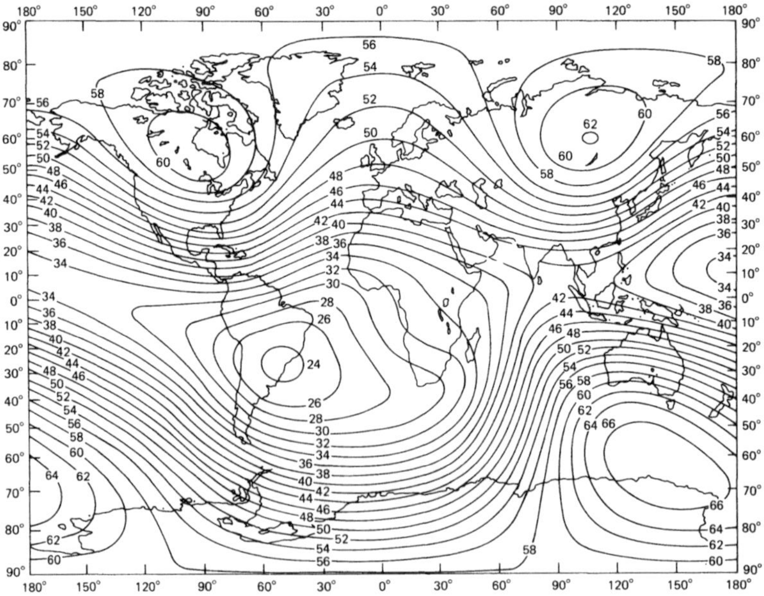

Abb. 8.8b Weltkarte der Totalintensität B, 1980. [1000γ]

tionsentwicklung ist auch dort das Erdfeld optimal darstellbar, wo keine Messungen vorliegen. Weiterhin ist es möglich, Feldanteile, die ihre Quelle im Erdinnern haben, von solchen zu trennen, deren Ursprung im Außenraum der Erde liegt. So konnte Gauß den Beweis erbringen, daß das Magnetfeld der Erde bis auf einen kleinen Rest seinen Ursprung im Erdinnern haben muß, eine Vermutung, die *William Gilbert,* Naturforscher und Leibarzt der Königin Elisabeth I., bereits 1600 in seinem historisch bedeutsamen Lehrbuch ›De Magnete‹ ausgesprochen hat.

Die Glieder niedrigster Ordnung der Kugelfunktionsentwicklung (Abnahme der Feldstärke mit der 3. Potenz des Abstandes vom Erdmittelpunkt) entsprechen dem Feld eines magnetischen Dipols im Erdmittelpunkt und sind dementsprechend durch Gl. 8.6 darstellbar. Die Achse dieses Dipols liegt zwar dicht bei der Rotationsachse der Erde, bildet aber mit dieser derzeit immerhin einen Winkel von etwa 11½°. Die geographischen Koordinaten ihres Durchstoßpunktes durch die Erdoberfläche **(Geomagnetischer Pol)** wurden für 1980 zu 78.8° N und 70.9° W bestimmt. Da die Kompaßnadel mit ihrem Nordpol (+Pol) in Richtung der magnetischen Feldlinien weist und sich ungleichnamige Pole anziehen, so muß offenbar dem Ersatzdipol im Erdzentrum an seinem nordweisenden Ende ein magnetischer −Pol (Südpol) zugeordnet werden. Es sei an dieser Stelle jedoch ausdrücklich betont, daß es sich bei dem Zentraldipol um ein Modell zur näherungsweisen mathematischen Beschreibung des Feldes an der Erdoberfläche handelt. Die Vorstellung der physischen Existenz eines Magnetstabs im Erdzentrum, wie dies oft in populären Darstellungen suggeriert wird, ist, wie wir später sehen werden, irrig.

Zu unterscheiden von der Lage der Dipolachse, die sich aus der weltweiten Analyse der Magnetfeld-Meßwerte ergibt, sind die **„Magnetpole“** des Erdfeldes, die dort liegen, wo der Magnetfeldvektor lotrecht steht. Sie können nur durch tatsächliche Messungen in den Polgebieten gefunden werden. Sie sind in noch stärkerem Maße als die Lage der Dipolachse langsamen zeitlichen Verlagerungen unterworfen.

Durch den magnetischen Dipol im Erdmittelpunkt können etwa 80% des Erdfeldes dargestellt werden. Der Rest entfällt auf die Glieder höherer Ordnung der Kugelfunktionsentwicklung, die als **Nicht-Dipolanteile** zusammenfassend bezeichnet werden. Abb. 8.8a und b zeigt das globale Magnetfeld für das Jahr 1980 in Form von Linien gleichen Deklinationswinkels (Isogonen) und Linien gleicher Totalintensität (Isodynamen).

Es sind nun gerade die Nicht-Dipolanteile, die besonders signifikanten langsamen zeitlichen Änderungen unterworfen sind. Diese sogenannten **Säkularvariationen** können regional die Größenordnung von einigen Prozent der Feldstärke im Jahr erreichen. Der Vergleich der Änderungsraten der Deklination für die Jahre 1912 und 1942 (Abb. 8.9a und b) läßt deutlich eine

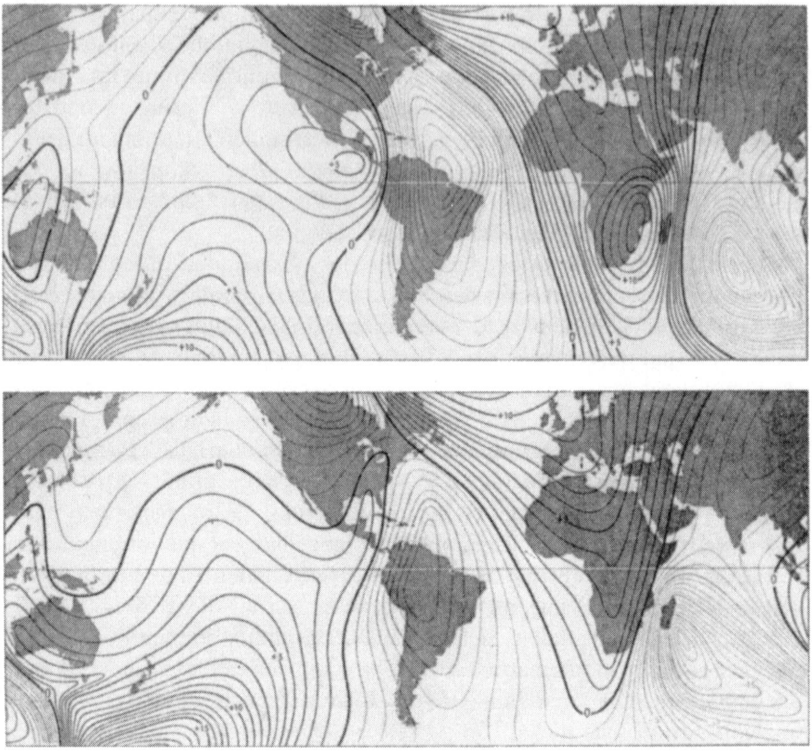

Abb. 8.9 a) Jährliche Änderung der Deklination für das Jahr 1912.
b) Jährliche Änderung der Deklination für das Jahr 1942.
Einheit: Bogenminute/Jahr (Elsasser 1958).

Westwärtsdrift der Änderungen des Nicht-Dipolfeldes erkennen. Sie beträgt im Mittel etwa 0.3 Längengrad pro Jahr, gleichbedeutend mit einer Bewegungsgeschwindigkeit in äquatorialen Breiten von etwa 30 km/Jahr. Dieser Wert liegt aber rund einemillionmal höher als die Driftgeschwindigkeit von Lithosphärenplatten auf dem Erdmantel (vgl. Kap. 9.1). Solch rasche Bewegungen sind nur im flüssigen äußeren Erdkern vorstellbar, wo wir aus diesem Grund die Quelle und den Sitz des Hauptteils des magnetischen Erdfeldes vermuten. Auch die Stärke des Erdfeldes variiert beträchtlich. Meßwerte deuten darauf hin, daß in den letzten 2000 Jahren die Stärke des Dipolfeldes auf die Hälfte abgesunken ist. Es wäre jedoch sehr gewagt, daraus auf das Verschwinden des Erdfeldes nach weiteren 2000 Jahren zu schließen. Wahrscheinlich ist, daß es sich um starke Intensitätsschwankungen handelt.

Andererseits ist heute mit Sicherheit aus der in Gesteinen konservierten remanenten Magnetisierung erwiesen, daß das Erdfeld im Laufe der Erdgeschichte seine Polarität in ungleichmäßiger Folge häufig gewechselt hat; wir werden uns damit ausführlich im Kapitel 8.5 befassen. Der Prozeß der **Feldumkehr** mit Abbau, Umpolung und Wiederaufbau des Dipolfeldes dauert dabei etwa 10000 Jahre. Während dieser Zeit verschwindet aber das Feld nie ganz. Vielmehr dominieren unregelmäßige Anteile des Nicht-Dipolfeldes. All dies ist bei der Suche nach den Ursachen des Erdfeldes zu beachten.

Obwohl seit fast 400 Jahren bekannt ist, daß der Sitz des magnetischen Hauptfeldes im Erdinnern zu suchen ist, blieben lange Zeit alle physikalischen Erklärungsversuche unbefriedigend. Erst seit etwa drei Jahrzehnten scheint man auf der richtigen Spur zu sein. Die ursprünglich von *J. Larmor* ausgesprochene Idee, daß bei geeignetem Bewegungsverlauf elektrisch gut leitender Materie in der Erde diese sich wie eine **selbsterregende Dynamomaschine** verhalten könnte, wurde Anfang der 50er Jahre von *W. Elsasser, Sir Edward Bullard* und anderen zu einem theoretischen Konzept entwikkelt, das als **Magneto-Hydrodynamische Theorie** des Erdfeldes bezeichnet wird.

Das Prinzip des selbsterregenden Dynamos läßt sich an dem in Abb. 8.10 dargestellten Modell veranschaulichen.

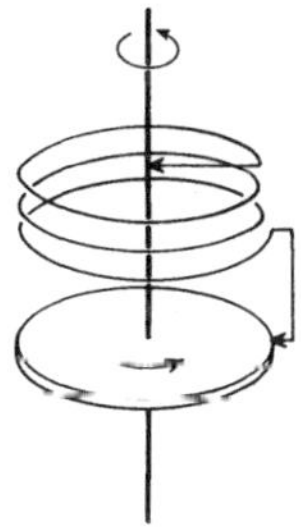

Abb. 8.10 Prinzip des selbsterregenden Dynamos.

Existiert ein wenn auch schwaches magnetisches Initialfeld, so wird in der metallischen Rotorscheibe eine elektrische Spannung induziert. Der induzierte Strom wird über den Schleifkontakt am Scheibenrand abgeleitet und über die Spule zur Achse zurückgeführt. Analog zu Gl. 8.7 wird dabei in der Spule ein Magnetfeld erzeugt, das den Rotor durchsetzt und zusätzliche Spannung induziert. Oberhalb einer kritischen Rotordrehzahl verstärkt sich das Feld selbst („Selbsterregung"), bis sich Gleichgewicht zwischen Antriebskraft und elektromagnetischen Bremskräften (Wirbelstrombremse) einstellt.

In der Erde könnte allenfalls der äußere, flüssige, überwiegend aus Eisen bestehende, elektrisch gut leitende Erdkern die Voraussetzungen für die

Realisierung eines selbsterregenden Dynamos bieten, falls dort Konvektionsströmungen auf geeigneten Bahnen genügend schnell fließen. Um dies zu untersuchen, müssen simultan die strömungsdynamischen Bewegungsgleichungen und die elektrodynamischen Gleichungen gelöst werden. Die mathematischen Schwierigkeiten sind dabei jedoch so groß, daß bis heute noch keine geschlossenen Lösungen vorliegen, die die Bedingung eines selbsterregenden Dynamos erfüllen. Immerhin wurde Ende der 60er Jahre der Beweis für die Existenz solcher Lösungen erbracht. Es fehlt auch nicht an einer großen Zahl vertrauenswürdiger Näherungslösungen. Es besteht die begründete Vermutung, daß die Konvektionsströmungen im äußeren Kern so vehement ablaufen, daß sich eine größere Anzahl walzenförmiger Strömungswirbel bilden, die sich unter der Wirkung der Corioliskraft parallel zur Erdrotationsachse anordnen. *F. Busse* konnte 1975 zeigen, daß das in Abb. 8.11 dargestellte Modell strömungsmechanisch plausibel ist und Eigenschaften eines selbsterregenden Dynamos annehmen kann.

Das an der Erdoberfläche meßbare Feld resultiert aus den Beiträgen der einzelnen Strömungswalzen, die aber unterschiedliche Polarität haben. Es gibt also für das resultierende Feld keine Vorzugspolarität. Fluktuationen im Strömungsmuster erklären die Säkularvariation und können zu Polumkehrungen des Erdfeldes führen. Im Kern sind Strömungsgeschwindigkeiten bis zu etwa 30 km/Jahr zu erwarten im Vergleich zu rund 3 cm/Jahr bei der Drift der Lithosphärenplatten. Zur Aufrechterhaltung des Kerndynamos wird eine Leistung von etwa $10^{10}$W benötigt. Als Energiequellen kommen im Gefolge der allgemeinen Abkühlung des Erdkerns (siehe Kap. 7) hauptsächlich 2 Prozesse in Frage: die frei werdende Erstarrungswärme beim Wachsen des festen inneren Kerns auf Kosten des flüssigen äußeren Kerns und der Gewinn an gravitativer Energie beim Absinken der aus der

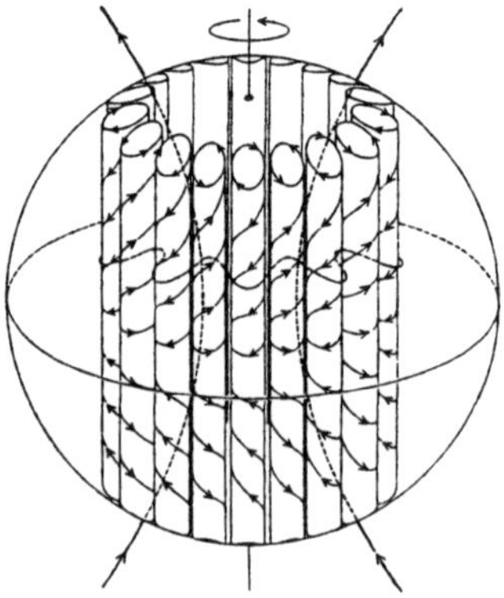

Abb. 8.11 Kerndynamomodell nach F. Busse 1975.

Schmelze des äußeren Kerns ausfallenden spezifisch dichteren Fe- und Ni-Kristalle. Ob radiogene Wärmeproduktion auch eine Rolle spielen kann, hängt von der ungelösten Frage nach dem Gehalt an instabilem $^{40}$K im Erdkern ab. Erstarrt dereinst der ganze Kern, so bleibt der Dynamo stehen, und das Erdfeld verschwindet. Dies ist wahrscheinlich der Grund, weshalb Mond, Merkur und Venus kein der Erde vergleichbares Magnetfeld haben.

**Merke:** 80% des magnetischen Erdfeldes können durch das Feld eines Dipols im Erdmittelpunkt beschrieben werden, dessen Achse nahe bei der Rotationsachse der Erde liegt. Besonders die Nicht-Dipolanteile sind langzeitigen Änderungen (Säkularvariationen) unterworfen, die systematisch westwärts driften.

Die Magneto-Hydrodynamische Theorie des Erdfeldes beweist die grundsätzliche Möglichkeit, daß Konvektionsströmungen im flüssigen, elektrisch gut leitenden äußeren Erdkern sich zu einem selbsterregenden Dynamo formieren können. Turbulente Vielzellenkonvektion mit Fluktuationen des Strömungsmusters können den Bezug der Dipolachse zur Rotationsachse, Säkularvariationen und Polumkehrungen des Erdfeldes erklären.

## 8.4 Extraterrestrische Beiträge zum Erdmagnetfeld

Registriert man mit einem ortsfesten Magnetometer hinreichender Empfindlichkeit den zeitlichen Verlauf des Magnetfeldes, so findet man in einem sehr weiten Frequenzbereich von etwa $10^{-3}$ bis $10^4$ Hz kleine, periodische und unperiodische Variationen der Feldstärke. Die raschen Änderungen schließen einen Ursprung im Erdinnern aus. Die Ursache ist vielmehr letztlich in der intensiven Bestrahlung der Erde durch die Sonne zu suchen. Außer der elektromagnetischen **Wellenstrahlung,** von der nur ein kleiner Teil in den Bereich des sichtbaren Lichts fällt, wird die Erde von der Sonne pausenlos mit energiereichen Teilchen bombardiert. Davon tragen insbesondere Protonen- und Elektronenströme **(Korpuskularstrahlung)** zu Magnetfeldstörungen bei, deren Stärke mit der Aktivität der Eruptionsprozesse an der Sonnenoberfläche (sichtbar als dunkle **„Sonnenflecke“**) wechselt.

Kurzwelliges UV-Licht und Röntgenstrahlung ionisieren Sauerstoffatome der hohen Atmosphäre, wobei hauptsächlich positive Ionen und freie Elektronen entstehen. Ladungstrennung und Wiedervereinigung führen zu strahlungsabhängigen Gleichgewichtskonzentrationen. Zur elektrischen Leitfähigkeit tragen insbesondere die leicht beweglichen Elektronen bei. Die höchste Elektronendichte in der **Ionosphäre** wird in der sogenannten F-Schicht in etwa 300 km Höhe erreicht. Die Luft kann in dieser Höhe nicht mehr als Isolator angesehen werden. Ihre Leitfähigkeit entspricht vielmehr derjenigen einer Kochsalzlösung mit 1 g Salz pro Liter Wasser. Die Existenz der Ionosphäre hat entscheidende Auswirkungen auf die Ausbreitung und Dämpfung von Radiowellen im Kurzwellen- und Ultrakurzwellenbereich. Da dieses und andere Themen der **Extraterrestrischen Physik** nicht in den Rahmen dieser Darstellung gehören, sei auf andere Literatur, z. B. *W. Kertz,* Einführung in die Geophysik II, verwiesen.

Wird die elektrisch leitende Ionosphäre durch Gezeitenkräfte und tagesperiodische Erwärmung in Bewegung gesetzt, so wird unter dem Einfluß des erdmagnetischen Feldes in der Ionosphäre ein elektrischer Strom induziert. Dieser umgibt sich seinerseits mit einem Magnetfeld, das an der Erdoberfläche meßbar ist und als tagesperiodischer Gang des magnetischen Erdfeldes in Erscheinung tritt. Dies ist die Grundidee der sogenannten **Dynamotheorie der Ionosphäre,** wobei das für eine Dynamomaschine erforderliche Magnetfeld in Form des Erdfeldes vorhanden ist; die Ionosphäre stellt den beweglichen Anker dar. Die **tagesperiodischen Variationen** sind von Breite, Ortszeit, Jahreszeit und Sonnenaktivität abhängig. Sie erreichen für die Z-Komponente in unseren Breiten um Mittag ein Minimum von $-10$ bis $-40\gamma$.

Selten findet man einen reinen tagesperiodischen Gang. Meist sind unregelmäßige Störungen überlagert, die als **Variationen** ($t > 10$ min), **Pulsationen** ($0.2 < t < 600$ s) oder schließlich als natürliche elektromagnetische Signale oder **spherics** bezeichnet werden.

Starke magnetische Störungen werden als **magnetische Stürme** bezeichnet. Sie haben trotz Unregelmäßigkeiten im Detail bestimmte charakteristische Eigenschaften. Ein typischer Zeitverlauf der Horizontalintensität ist in Abb. 8.13 wiedergegeben.

Der Sturm setzt, im Gegensatz zum Tagesgang, weltweit gleichzeitig ein mit einem scharfen Intensitätsanstieg (Storm Sudden Commencement, SSC), dem eine Feldschwächung folgt. Erst nach Tagen erreicht das Feld wieder sein altes Niveau. Die magnetischen Stürme korrelieren fast perfekt mit dem Auftreten der Erde zugewandter großer Sonnenflecke. Es steht heute fest, daß magnetische Stürme durch intensive Korpuskularstrahlung verursacht werden. Diese erreicht knapp einen Tag nach ihrer Eruption aus der

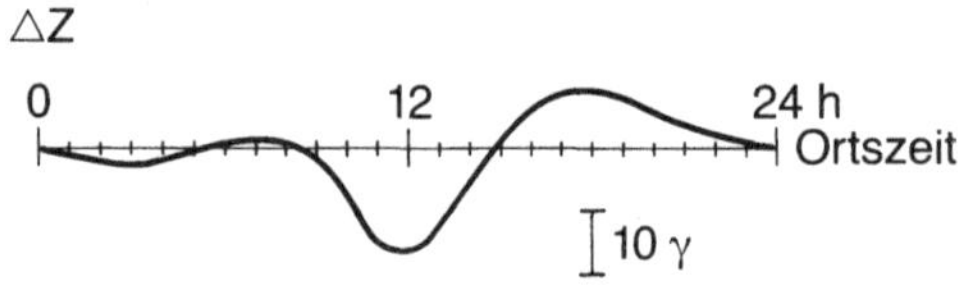


Abb. 8.12 Mittlerer tagesperiodischer Gang von $\Delta Z$ in 45° nördlicher Breite.

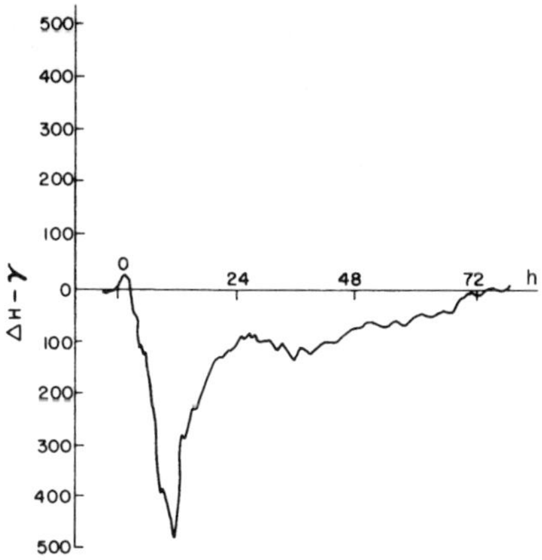


Abb. 8.13 Typischer magnetischer Sturm (H-Intensität).

Sonne die Erde, welche sie unter der Wirkung des magnetischen Erdfeldes als Ringstrom so lange umkreist, bis sich dieser durch Umwandlung in Wärme oder durch Ableitung zur Erde in Form von **Polarlicht** erschöpft. Magnetische Stürme haben Stärken bis zu 3000 γ erreicht.

Tatsächlich entsprechen die am Erdboden gemessenen Feldänderungen nicht genau den in der Ionosphäre oder den Ringströmen erzeugten Feldern. Vielmehr stammt ein Teil der Feldänderungen von Strömen, die im Erdkörper durch die externen Stromsysteme induziert worden sind, zu vergleichen mit den Strömen in Primär- und Sekundärwicklung eines Transformators. Diese natürlichen induzierten Ströme sind geeignet, die elektrische Leitfähigkeit in der Erde zu bestimmen. Die Methode wird als **Magnetotellurische Tiefensondierung** bezeichnet.

Die Magnetotellurische Tiefensondierung wird im Zusammenhang mit anderen Untersuchungsverfahren der elektrischen Leitfähigkeit im Kapitel 9 behandelt.

## 8.5 Gesteinsmagnetismus und Paläomagnetismus

### 8.5.1 Grundlagen des Gesteinsmagnetismus

Wir wissen aus Erfahrung, daß sich unterschiedliche Materialien im Magnetfeld recht verschieden verhalten können. Dies gilt auch für Gesteine. Verändert ein Gestein das Magnetfeld meßbar und hält es insbesondere die Erinnerung an ein magnetisierendes Feld fest, so wird es als magnetisierbar bezeichnet. Träger der Magnetisierung sind aber nur fein verteilte Kristalle

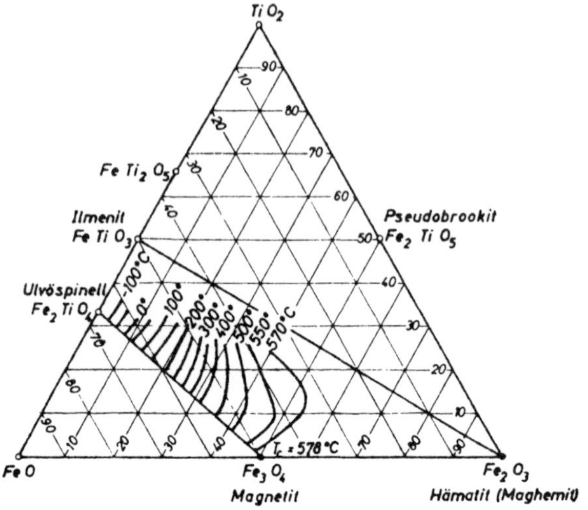


Abb. 8.14 Ternäres System der Titanomagnetite mit Angabe der Curie-Temperatur $T_c$ (nach Kertz 1969).

ganz weniger Minerale, die sich fast alle als Mischkristalle im ternären (3-Komponenten-)System der Eisen- und Titanoxide $FeO$-$Fe_2O_3$-$TiO_2$ darstellen lassen (Abb. 8.14).

Der wichtigste und bekannteste Vertreter ist der aus Oxiden des 2- und 3-wertigen Eisens aufgebaute **Magnetit** $Fe^{2+}O \cdot Fe_2^{3+}O_3$ mit der Bruttoformel $Fe_3O_4$, der nach seinem klassischen Fundort Magnesia, einer altgriechischen Kolonie in Westanatolien, dem gesamten Phänomen des Magnetismus den Namen gegeben hat. Häufig ist im Magnetit ein Teil des FeO durch TiO substituiert. Man spricht dann korrekt von **Titanomagnetit.** Stark magnetische Eigenschaften hat auch der durch Oxidation aus Magnetit hervorgehende Maghemit ($\gamma$ -$Fe_2O_3$), während sein polymorphes Äquivalent, der Hämatit ($\alpha$-$Fe_2O_3$), ebenso wie der sulfidische Magnetkies oder Pyrrhotit, etwa um eine Größenordnung schwächer magnetisch sind.

Verursacht wird dieses besondere Verhalten durch die strenge Ordnung der an den Elektronenspin gebundenen Elementarmagnete, die sich innerhalb größerer Bereiche des Kristallgitters **(Weißsche Bezirke)** durch quantenmechanisch erklärbare Austauschkräfte selbst einstellt. Liegen innerhalb dieser Domänen alle atomaren magnetischen Dipole parallel, wie beim Eisen, so spricht man von **ferromagnetischem** Verhalten. Kompensieren sich im geordneten Zustand die magnetischen Momente teilweise, so wird dies als **Ferrimagnetismus** bezeichnet. Hierzu gehören auch die als Ferrite bekannten technischen Werkstoffe. Die wesentlichen magnetisierbaren Minerale sind ferrimagnetisch (Abb. 8.15).

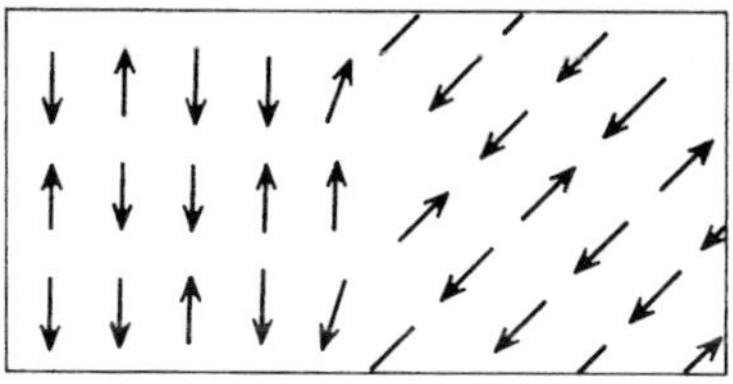

Abb. 8.15 Ferrimagnetische Ordnung der atomaren magnetischen Momente an einer Domänengrenze.

Oberhalb der sogenannten **Curie-Temperatur** $T_c$ verhindern thermische Schwingungen der Atome die Domänenbildung. Das Material verliert seine ferro/ferrimagnetischen Eigenschaften, nämlich hohe Suszeptibilität und remanente Magnetisierung. Aus Abb. 8.14 entnehmen wir, daß dies für reinen Magnetit bei $T_c \approx 580\,°C$ der Fall ist. Für die in (oxidierten) ozeanischen Basalten enthaltenen Titanomaghemite ist ein Wert um $T_c \approx 400\,°C$ typisch.

Wertebereiche der magnetischen Suszeptibilität (siehe Kapitel 8.1.2) sind für einige Gesteine in Tab. 8.3 wiedergegeben. Die Suszeptibilität vieler Gesteine ist häufig einfach durch deren Magnetitgehalt gegeben. Dies erklärt die große Variationsbreite der Werte in Tab. 8.3.

Tab. 8.3 Magnetische Suszeptibilität $\varkappa$

| | $10^{-6}$ |
|---|---|
| die meisten Sedimente | 0– 500 |
| Granite | 10– 10 000 |
| Basalte und Gabbro | 1 500– 90 000 |
| Magnetkies | 1 000–100 000 |
| Hämatit | 420– 10 000 |
| Magnetit | (3–15) $10^6$ |

Die formalen Definitionen der Magnetisierung in Kapitel 8.1.2 bedürfen jetzt einer etwas vertieften Betrachtung, um den wichtigen Begriff der remanenten Magnetisierung besser verstehen zu können. Wird eine unmagnetisierte Gesteinsprobe in einer Stromspule der steigenden Feldstärke (magnetischen Erregung) H ausgesetzt, so nimmt ihre spezifische Magnetisierung M zunächst etwa proportional H zu (Abb. 8.16). Die Anfangssteigung der Neumagnetisierungskurve ist die **Suszeptibilität** $\varkappa = \Delta M / \Delta H$. Mit wachsender Feldstärke H nähert sich M der **Sättigungsmagnetisierung**, d. h., alle Elementarmagnete sind parallel zum Erregungsfeld ausgerichtet. Bei abnehmender Feldstärke läuft nun die Magnetisierungskurve aber nicht wieder durch den Nullpunkt. Vielmehr verbleibt für $H = 0$ die **remanente Magnetisierung** $M_{rem}$, denn nur ein Teil der Weissschen Bezirke springt wie-

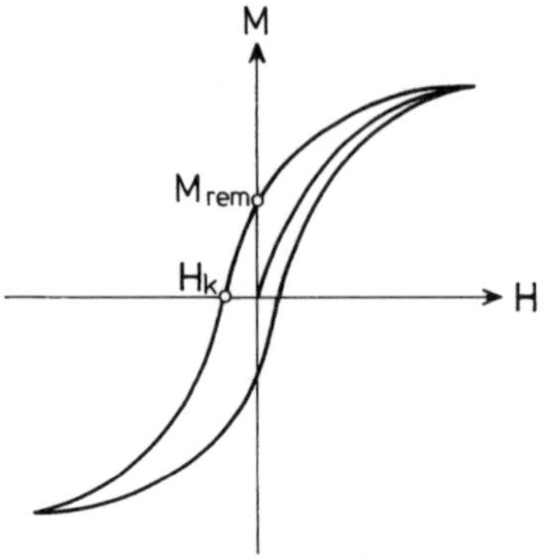


Abb. 8.16 Magnetisierungskurve.

der in seine ursprüngliche Lage zurück. Zur Beseitigung von $M_{rem}$ ist ein Gegenfeld $H_K$ anzulegen, das die **Koerzitivkraft** des magnetisierten Materials überwindet. Je größer $H_K$, desto widerstandsfähiger ist die remanente Magnetisierung gegen Entmagnetisierungsversuche. Wir unterscheiden je nach der Koerzitivkraft hartmagnetische und weichmagnetische Anteile der Magnetisierung. Die Magnetisierungskurve ist jedoch nicht nur vom Material, sondern auch vom Magnetisierungsvorgang abhängig.

## 8.5.2 Thermoremanente Magnetisierung und Sedimentationsmagnetisierung

Erstarrt vulkanische Lava zu Basalt, so hat sie eine Temperatur von 1000–1100 °C. Durchläuft sie dann beim weiteren Abkühlen im magnetischen Erdfeld die Curie-Temperatur, so richtet sich bei der Bildung der Weissschen Bezirke die spontane Magnetisierung vorzugsweise nach dem magnetisierenden Erdfeld aus. Diese **thermoremanente Magnetisierung (TRM)** friert im Gestein ein und erweist sich als außerordentlich stabil (hohe Koerzitivkraft), so daß sie über Hunderte von Jahrmillionen erhalten bleibt. Nachdem die Gesteinsprobe von sekundären, weichmagnetischen Komponenten durch vorsichtiges Abmagnetisieren gereinigt ist, kann die verbleibende TRM Aufschluß über die Polarität des damaligen Erdfeldes und die räumliche Orientierung des Gesteinskörpers in diesem geben. Das ist die Grundlage der **paläomagnetischen Untersuchungsmethoden**, die in den vergangenen 30 Jahren zu sehr bedeutenden geowissenschaftlichen Erkenntnissen geführt haben.

Mit Steigerung der Empfindlichkeit der Gesteinsmagnetometer kann jetzt auch in vielen Sedimentgesteinen eine wenn auch schwache Paläomagnetisierung gemessen werden. Dies setzt voraus, daß der Sedimentationsvorgang so langsam und ungestört verlaufen ist, daß sich vorhandene Magnetitkörner vor oder während der Deposition wie Magnetnadeln im Erdfeld ausrichten konnten. Dies trifft besonders für marine Ablagerungen zu. Erstaunlicherweise zeigen aber auch feinkörnige terrestrische Ablagerungen, wie Tone und Löß, die als Verwitterungsstaub äolisch, d. h. mit dem Wind, transportiert wurden, systematisch orientierte remanente Magnetisierung. Dies wird als **Sedimentationsmagnetisierung** oder englisch: **detrital remanent magnetization (DRM)** bezeichnet.

## 8.5.3 Polwanderung und Kontinentwanderung

Anfang der 50er Jahre begannen vor allem britische Geophysiker mit systematischen Rekonstruktionen der scheinbaren Dipolachsen aus Deklination und Inklination der remanenten Magnetisierung orientiert entnommener und möglichst gut datierter Gesteinsproben. Hier verdient der Name des britischen Geophysikers *K. Runcorn* besondere Erwähnung. Der Rekonstruktion liegt das einfache Dipolmodell der Erde zugrunde. Die Deklination definiert den magnetischen Meridian, d. h. die Richtung zum Pol, die Inklination I den Polabstand $\vartheta$ (im Winkelmaß) der Probenlokation. Der Zusammenhang zwischen I und $\vartheta$ folgt unmittelbar aus Gl. 8.6.

$$\operatorname{tg} I = 2 \operatorname{ctg} \vartheta \qquad 8.12$$

Die Bestimmung der Magnetisierungsrichtungen an altersgleichen Proben vom selben Kontinent haben trotz Streuungen weitgehend übereinstimmende scheinbare Pollagen ergeben. Ergebnisse für Proben verschiedenen Alters von verschiedenen Kontinenten dagegen führen zu signifikant unterschiedlichen **scheinbaren Polwanderungskurven.** Abb. 8.17 zeigt die Polwanderungskurven für Europa (Quadrate) und Nordamerika (Punkte) vom Kambrium (C) bis zur Kreide (K). Da logischerweise zu jeder Zeit nur *eine* wahre Pollage existiert haben kann, stehen wir hier vor einem offensichtlichen Dilemma. Dieses läßt sich nicht anders lösen als durch Verschieben und Drehen der beiden Kontinente gegeneinander, bis sich die Pollagen für gleiches Alter decken. Dies gelingt mit Abb. 8.17 für den Kurventeil vom Silur (S) bis Jura (J) erstaunlich gut durch eine Rotation von Nordamerika um 40° mit dem Rotationspol im Mittelpunkt der Zeichnung. Daraus folgt, daß die Kontinentbewegung von Nordamerika gegen Europa im wesentlichen erst nach der Jurazeit begonnen hat. Der Leser möge dies durch Übertragung einer der beiden Polbahnen auf Transparentpapier prüfen. Entsprechende Ergebnisse auch für andere Kontinentpaare gaben Ende der 50er Jahre den Anstoß, das schon totgesagte, von *A. Wegener* 1912 entwik-

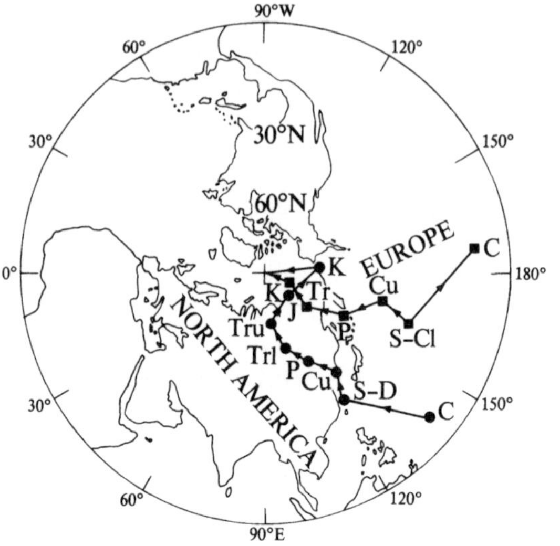


Abb. 8.17 Scheinbare Polwanderungskurven für Europa und Nordamerika vom Kambrium (C) bis zur Kreide (K) mit den Kontinenten in der gegenwärtigen Lage (nach McElhinny 1973).

kelte Konzept großräumiger Kontinentverschiebungen wiederaufzugreifen. Auf Ergebnisse und Zusammenhänge werden wir im Kapitel 10, Geodynamische Prozesse, zurückkommen.

## 8.5.4 Polumkehrung und die paläomagnetische Zeitskala

Es ist schon lange bei gesteinsmagnetischen Untersuchungen aufgefallen, daß häufig die Magnetisierungsrichtung von Gesteinsproben dem Erdfeld gerade entgegengerichtet ist. Dies hat den französischen Erdmagnetiker *B. Brunhes* bereits 1906 zu der Vermutung veranlaßt, das Erdfeld könnte seine Polarität gewechselt haben. Aus Abfolgen vulkanischer Gesteine in Japan und Korea hat *M. Matuyama* in den 20er Jahren eine Polumkehr des Erdfeldes zu Beginn der Eiszeit postuliert. Diese Vorstellung war aber so schwerwiegend und mit keiner der bis dahin erdachten Hypothesen über den Ursprung des Erdfeldes vereinbar, so daß nach allen erdenklichen anderen Erklärungen gesucht wurde. Als *T. Nagata,* unter allerdings sehr unrealistischen Versuchsbedingungen, an einer Basaltprobe **Selbstumkehr** der Magnetisierung herbeiführen konnte und *L. Néel* diese festkörperphysikalisch zu begründen versuchte, schien eine befriedigende Lösung in Sicht. Nachdem aber *A. Cox* und *G. Dalrymple* 1967 bei systematischen Ver-

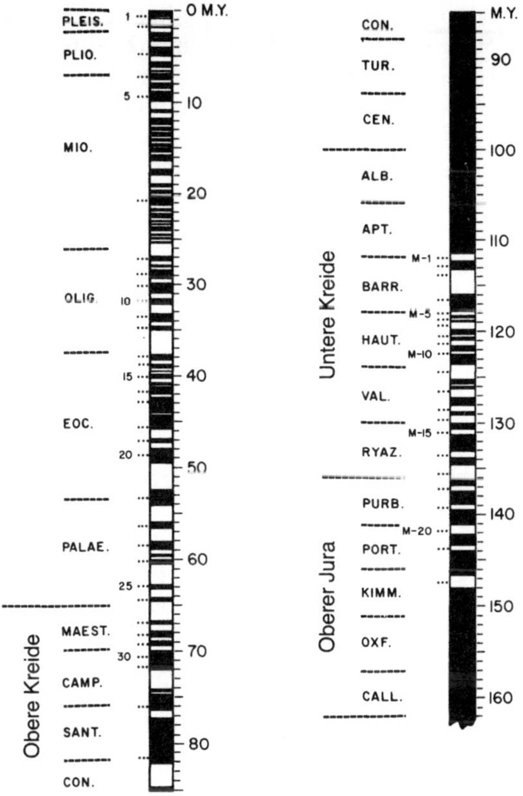


Abb. 8.18 Zeitskala und Numerierung der Polwechsel des magnetischen Erdfeldes für die letzten 160 Millionen Jahre (Larson, Pitman III 1972).

gleichsmessungen an exakt datierten Proben der letzten 4 Millionen Jahre aus aller Welt zeitliche Übereinstimmung der Umkehr der Magnetisierungsrichtung feststellten, mußte die Vorstellung der **Feldumkehr** (engl.: magnetic reversal) als Realität ins Auge gefaßt werden. Gesteinsmagnetische Untersuchungen an Tiefseesedimentkernen untermauerten diesen Befund.

Die fundamentale Bedeutung der Polumkehrungen zur quantitativen Datierung des Wachstums der ozeanischen Lithosphäre ist im Zusammenhang mit der Plattentektonik noch zu besprechen.

Von der jüngsten geologischen Vergangenheit ausgehend, ist inzwischen die **Zeitskala der Feldumkehrungen** bis zurück ins Erdaltertum (Paläozoikum) rekonstruiert worden (Abb. 8.18). Man sieht, daß relativ lange, stabile Zeiträume mit solchen häufiger Umkehr gewechselt haben. Längere

Zeitspannen überwiegend einheitlicher Polarität werden als **„Epochen"** bezeichnet, kurzlebige Umpolungen als **„Events" (Ereignisse, Unterbrechungen).** Wir leben in der sogenannten **Brunhes-Normalepoche,** die vor 690000 Jahren die **Matuyama-Umkehrepoche** abgelöst hat. Der Polwechselprozeß selbst, bei dem das Erdfeld zwar seinen Dipolcharakter weitgehend verliert, aber keineswegs verschwindet, findet im Zeitraum von wenigen tausend Jahren statt.

**Merke:** Gesteinsmagnetismus hat seinen Sitz im wesentlichen in den ferrimagnetischen Titanomagnetitkristallen. Thermoremanente Magnetisierung besitzt eine zeitliche Stabilität und ist deshalb besonders geeignet für paläomagnetische Untersuchungen. Polumkehrungen des magnetischen Hauptfeldes in der Vergangenheit sind erwiesen und datiert bis ins Mesozoikum.

## 8.6 Die magnetische Aufschlußmethode

Magnetische Gesteinskörper erzeugen durch ihr magnetisches Moment entsprechend Gl. 8.6 in ihrer Umgebung ein Eigenfeld, das sich als lokale Anomalie $\Delta B_z \equiv \Delta Z$ bzw. $\Delta B \equiv \Delta T$ dem regionalen Erdfeld überlagert und mit portablen Magnetometern (siehe Kap. 8.2) gemessen werden kann. Da der Magnetismus an wenige Mineralkomponenten gebunden ist (Kap. 8.5), ist die magnetische Prospektion materialspezifischer als andere geophysikalische Aufschlußmethoden und ergänzt diese. Sie eignet sich insbesondere zur Erkennung und Kartierung basischer magmatischer Gesteinskörper. Bei der naheliegenden Anwendung zur Eisenerzlagerstätten-Prospektion ist hinsichtlich wirtschaftlicher Aussagen größte Vorsicht geboten, denn die Suszeptibilität von Magnetit überragt die der meisten anderen Eisenerze um Größenordnungen.

### 8.6.1 Feldmessungen

Wegen des nicht unbeträchtlichen Tagesgangs und anderer zeitlicher Variationen des Magnetfeldes (vgl. Kap. 8.4) ist es zur Bestimmung der räumlichen Anomalien in fast allen Fällen erforderlich, die Meßwerte auf einen einheitlichen Bezugszeitpunkt zu reduzieren. Dies geschieht in der Regel durch Wiederholungsmessungen in etwa einstündigem Abstand an ein oder mehreren Basispunkten des Meßgebiets. Dieses Verfahren bewirkt zudem, daß der zeitliche Gang des Meßgeräts mit eliminiert wird. Bei Vermessungen sehr schwacher Anomalien mit dem Protonenmagnetometer, z. B. in der Archäometrie, wo die Genauigkeit von $1\gamma$ angestrebt wird, ist es ratsam, ein zweites Gerät ortsfest aufzustellen und dieses in regelmäßigen

Abständen visuell oder automatisch abzulesen. Die in der Gravimetrie so wichtige Höhenkorrektur spielt hier nur eine sehr untergeordnete Rolle, denn sie beträgt nur etwa $-2\gamma/100$ m für Z und T. Für die Anbringung von Geländekorrekturen gibt es keine feste Regel. Sie kann allenfalls in direktem Zusammenhang mit der Interpretation des Störkörpers vorgenommen werden. Natürlich muß der Beobachter vor Beginn der Messungen unbedingt sorgfältig prüfen, daß er keinerlei eisenhaltige Gegenstände bei sich trägt, die die Messung beeinflussen können. Größere Objekte, wie Personenwagen, erzeugen noch in 30–50 m Abstand Anomalien von mehreren $\gamma$.

**Aeromagnetische,** flächendeckende Regionalvermessungen werden als kostengünstige Methode häufig zur ersten Erkundung unbekannter Gebiete eingesetzt, aber auch zur einheitlichen Nachvermessung bereits bekannter Gebiete, so z. B. der Bundesrepublik Deutschland. Die Befliegung erfolgt auf engen Parallelprofilen in konstanter Höhe. Wegen des größeren Abstands von den magnetischen Massen werden auf aeromagnetischen Karten kleinräumige Störungen unterdrückt, was die Auswertung erleichtert. Aeromagnetische Karten geben oft schon bei qualitativer Betrachtung wichtige Aufschlüsse über geologische Strukturelemente und Variationen des Gesteinstyps.

### 8.6.2 Interpretation magnetischer Anomalien

Als Potentialfelder haben Magnetfeld und Gravitationsfeld gemeinsam, daß ein bestimmter Feldverlauf an der Erdoberfläche durch eine Mannigfaltigkeit von Quellverteilungen in der Erde realisiert werden kann. Jedoch läßt sich auch beim Magnetfeld mit zusätzlichen geologischen Informationen die Zahl der alternativen Modelle stark einschränken. Erschwerend kommt allerdings gegenüber dem Gravitationsfeld hinzu, daß für die Quelle, den magnetisierten Körper, außer der der Dichte entsprechenden spezifischen Magnetisierungsstärke auch deren Richtung zu berücksichtigen ist. Wir haben aber in Kap. 8.5 erfahren, daß die Richtung der remanenten Magnetisierung durchaus von der des gegenwärtigen Erdfeldes abweichen kann. Wegen dieser vielfältigen Komplikationen begnügt man sich häufig mit einer mehr qualitativen Interpretation magnetischer Anomalien.

Zum grundsätzlichen Verständnis einiger typischer Eigenschaften magnetischer Anomalien betrachten wir das Feld einer homogen magnetisierten Kugel. Diese kann durch einen Dipol mit dem magnetischen Moment $\vec{m} = \vec{M} \cdot V$ (Gl. 8.4) im Kugelmittelpunkt ersetzt werden; $\vec{M}$ ist die spezifische Magnetisierung und V das Volumen der Kugel. Das Feld der unter dem Inklinationswinkel I magnetisierten Kugel an der Erdoberfläche läßt sich mit Gl. 8.6 berechnen. Abb. 8.19 zeigt $\Delta Z$ mit dem für Mitteleuropa repräsen-

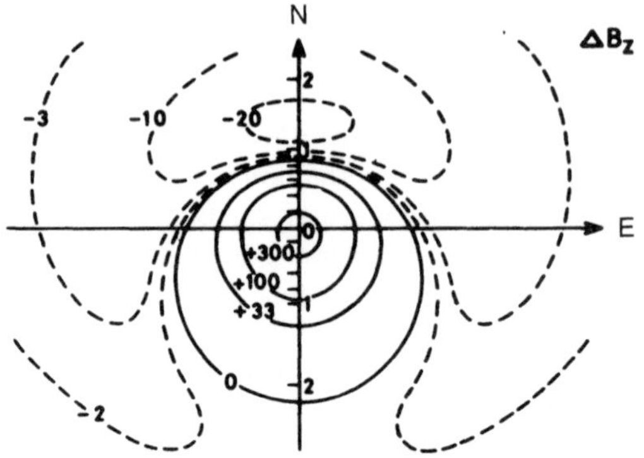


Abb. 8.19 Die magnetische Anomalie $\triangle Z$ über einer homogen magnetisierten Kugel. Magnetisierungswinkel I = 66° (Parasnis 1979).

tativen Inklinationswinkel von I = 66°. Der Dipol liegt in der Tiefe z = 1 unter dem Koordinatenursprung.

In mittleren nördlichen Breiten tritt also bei Magnetisierung in Richtung des gegenwärtigen Erdfeldes über dem Störkörper eine leicht nach Süden versetzte starke positive Anomalie auf. Im Norden schließt sich eine schwächere, sichelförmige negative Anomalie an. Im Ost-West-Schnitt hat die Anomalie eine Halbwertsbreite, deren Zusammenhang mit der Quelltiefe wie beim Schwerefeld durch die Gleichung 4.35 gegeben ist. Die $\Delta T$-Anomalie unterscheidet sich von $\Delta Z$ nicht grundlegend.

Das Feld beliebig geformter, homogen magnetisierter Körper kann näherungsweise und anschaulich aus einer Verteilung von positiven und negativen **magnetischen Ladungen** berechnet werden. Zerlegt man dazu den magnetisierten Körper in Säulen vom Querschnitt 1 parallel zur Magnetisierungsrichtung, so sind an jedem Säulenende magnetische Ersatzladungen vom Betrag

$$q = M \qquad 8.13$$

anzubringen (Abb. 8.20). Dies folgt aus den Gleichungen 8.2 und 8.5.

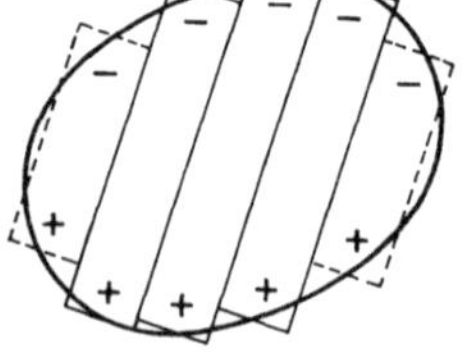

Abb. 8.20 Zerlegung eines homogen magnetisierten Modellkörpers in Säulen.

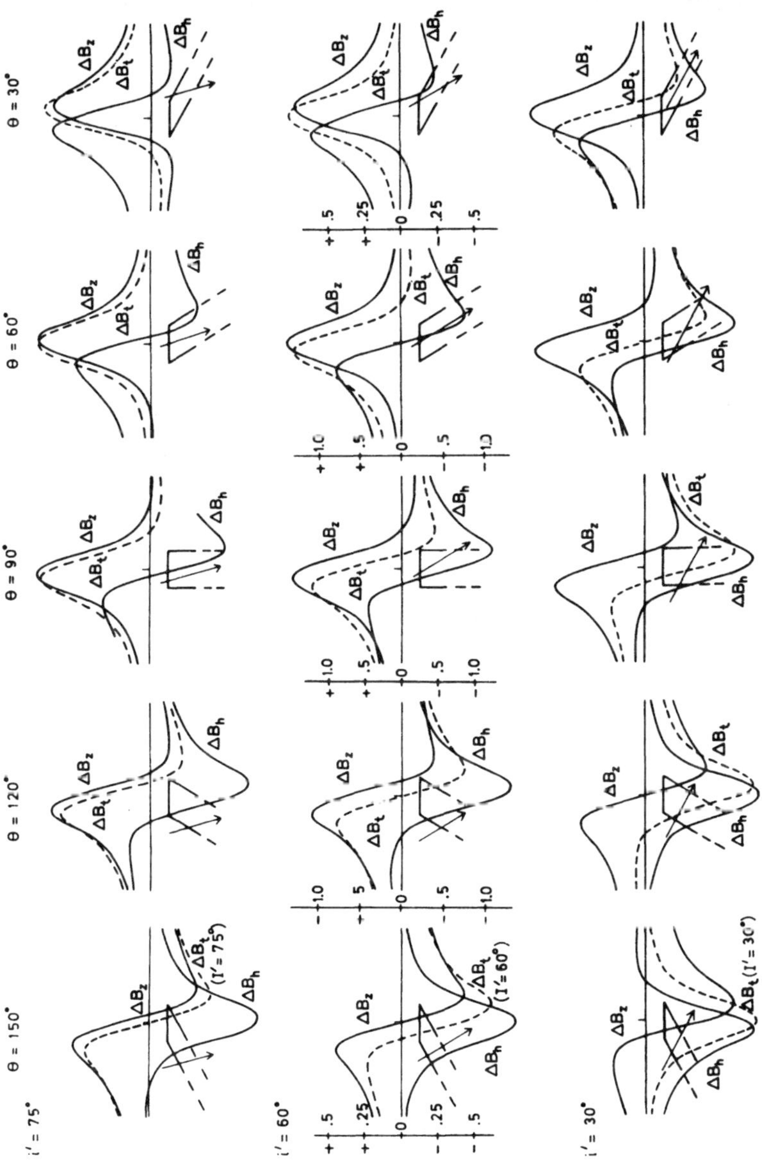


Abb. 8.21 Magnetische Anomalien ΔZ, ΔH, ΔT quer zum Streichen einer magnetischen Platte (Parasnis 1979)

$\Delta Z$ an der Erdoberfläche im horizontalen Abstand x von der Ladung q in der Tiefe z ergibt sich dann in völliger Analogie zur Schwereanomalie (Gl. 4.33, Abb. 4.14).

$$\Delta B_z \equiv \Delta Z = \pm q \frac{\mu_0}{4\pi} \frac{z}{(x^2 + z^2)^{3/2}} \tag{8.14}$$

Ein Minuspol (Südpol) erzeugt ein positives $\Delta Z$, da die positive z-Achse nach unten weist.

Aus der summarischen Wirkung solcher positiver und negativer Quellelemente läßt sich das Feld magnetisierter Körper berechnen. In Abb. 8.21 sind die $\Delta Z$-, $\Delta T$-, $\Delta H$-Anomalien nach unten unbegrenzter, magnetisierter Platten in Abhängigkeit von der magnetischen Inklination und dem Einfallswinkel der Platten dargestellt. Ähnlich würden die Anomalien für zylindrische Störkörper in Richtung des magnetischen Meridians aussehen.

Während im Bereich der Kontinente die magnetischen Anomalien meist örtlich begrenzt und unregelmäßig sind, weisen die mit ozeanischer Kruste bedeckten Gebiete oft regelmäßige Muster fast paralleler linearer Anomalien auf, verursacht durch normal und umgekehrt magnetisierte basaltische Kruste. Diese Anomalien ermöglichen die quantitative Rekonstruktion des Wachstums der Lithosphärenplatten (Kap. 10.1).

**Merke:** Magnetfeldanomalien werden meist durch den Magnetitgehalt der Gesteine verursacht und sind daher stoffspezifischer als andere geophysikalische Felder. Die mit relativ geringem Aufwand vom Boden oder aus der Luft durchführbaren Magnetfeldmessungen ergänzen andere geophysikalische Aufschlußverfahren oft vorteilhaft. Der vektorielle Charakter der Gesteinsmagnetisierung erschwert die quantitative Interpretation. Näherungsweise läßt sich die Magnetisierung durch Verteilung „magnetischer Ladungen" ersetzen. Dann läßt sich das $\Delta Z$-Feld mit Berechnungsmethoden des Gravitationsfeldes behandeln. Häufig begnügt man sich auch mit qualitativen Aussagen.

# 9. ELEKTRISCHE FELDER IN DER ERDE

## 9.1 Natürliche, induzierte elektrische Felder

Im Gegensatz zum Schwerefeld und Magnetfeld der Erde ist es nicht gelungen, ein globales, permanentes, elektrisches Feld im Erdkörper durch Potentialdifferenzmessungen an der Erdoberfläche nachzuweisen. Die Ströme des in Kapitel 8.3 beschriebenen Kerndynamos sind offenbar weitgehend auf den sehr gut leitenden Kern beschränkt und erreichen nicht die Erdoberfläche. Allerdings werden durch die in Kapitel 8.4 erwähnten extraterrestrischen Magnetfeldstörungen im Erdkörper elektrische Spannungen induziert, die zur Ermittlung der Widerstandsverteilung im Erdinnern benutzt werden können.

Mit der als **Magnetotellurische Tiefensondierung** bezeichneten Methode muß zu diesem Zweck zwischen zwei im Horizontalabstand a in die Erde gesteckten Elektroden die elektrische Feldstärke E = U/a und gleichzeitig quer dazu die Magnetfeldstärke B gemessen werden. T ist die Periodendauer des betrachteten Signals. Im Falle eines homogen leitfähigen Untergrunds ergibt sich dann nach einer Formel von *Cagniard* (1953) der **spezifische elektrische Widerstand** $\varrho$ in Ohm-Meter

$$\varrho = 0{,}2\,T\left(\frac{E_x}{B_y}\right)^2 \qquad 9.1$$

mit T in s, E in mV/km, B in nT.

Wegen des sogenannten **Haut-** oder **Skin-Effekts** dringen in ein leitfähiges Medium induzierte Ströme um so tiefer ein, je größer die Periode T des induzierenden Signals ist. Für ein homogen leitfähiges Medium ist die Skin-Tiefe z, bei der der Induktionsstrom auf $1/e \approx 1/3$ abgeklungen ist,

$$z = 503\,\sqrt{\varrho \cdot T}\ [\mathrm{m}] \qquad 9.2$$

Auch für Medien mit Widerstandsschichtung gilt im Grundsatz: je länger T, desto größer z. Da ein weites Periodenspektrum natürlicher magnetischer Signale zur Verfügung steht, ist es möglich, Widerstandssondierungen bis weit in den Erdmantel hinein ohne künstliche Energiequelle durchzuführen.

Verfahren zur erdmagnetischen Tiefensondierung wurden maßgeblich in der Bundesrepublik entwickelt und angewandt. Der elektrische Widerstand in Kruste und Mantel variiert mit dem Stoffbestand und der Temperatur.

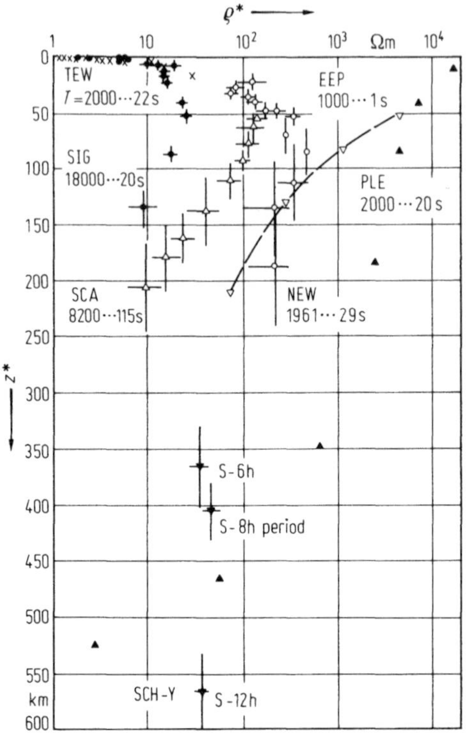


Abb. 9.1 Widerstands-Tiefenverteilung in Kruste und Mantel (Schmucker 1985).
**EEP:** Osteuropäische Plattform
**PLE:** Russische Plattform
**NEW:** Paläozoischer Gebirgsgürtel, Schottland
**SIG:** Rheingraben
**TEW:** Norddeutsche Tiefebene
**SCA:** Skandinavien

Zonen hoher Leitfähigkeit (geringen Widerstands) korrelieren im oberen Erdmantel oft mit Zonen erniedrigter seismischer Geschwindigkeit und hoher Temperatur, aber auch mit Schichten guter elektrolytischer Leitfähigkeit in den Sedimenten. Einige Leitfähigkeits-Tiefenprofile für Kruste und Mantel zeigt Abb. 9.1. Es ist eine Zusammenstellung von Ergebnissen aus verschiedenen Regionen. Allen gemeinsam ist der starke Widerstandsabfall (Leitfähigkeitsanstieg) in Tiefen zwischen 100 und 300 km. (Die $\varrho^*$-Werte sind bereits über einen gewissen Tiefenbereich gemittelte Werte des spezifischen elektrischen Widerstands.)

## 9.2 Eigenpotentialfelder

Kleinräumig können zwischen zwei Punkten an der Erdoberfläche aber auch zeitlich konstante Potentialdifferenzen bis zu einigen mV/m auftreten. Sie haben ihre Ursache in **elektrochemischen Reaktionen** zwischen unterschiedlichen Gesteinen in Gegenwart des als Elektrolyt wirkenden Bodenwassers. Die Wirkung entspricht der eines galvanischen Elements. Solche **Eigenpotentiale** werden als Potentialdifferenzen durch Spannungsmessung zwischen einer ortsfesten Bezugselektrode und einer beweglichen Sonde flächenhaft kartiert. Durch Verwendung sogenannter „unpolarisierbarer Elektroden" kann das Auftreten von Kontaktpotentialen zwischen Elektroden und umgebendem Boden weitgehend vermieden werden. Sie bestehen aus einem Kupferstab in gesättigter Kupfersulfatlösung. Der Kontakt zwischen Lösung und Boden erfolgt durch die poröse Wand eines Keramikgefäßes. Ausgeprägte Eigenpotentiale weisen insbesondere sulfidische Erzlagerstätten und Graphiteinlagerungen auf.

## 9.3 Widerstandsmessungen mit künstlichen elektrischen Feldern

Der spezifische elektrische Widerstand geologischer Körper ist, wie Dichte, elastische Wellengeschwindigkeit, Magnetisierung, ein charakteristischer physikalischer Materialparameter, wobei allerdings weniger die mineralogische Zusammensetzung der Gesteinsmatrix als vielmehr die Gesteinsporosität und Permeabilität, die Wassersättigung und der Ionengehalt des Porenwassers widerstandsbestimmend sind. Es handelt sich, von Graphit und einigen Erzen abgesehen, um **elektrolytische Leitung**. Festkörperleitfähigkeit dominiert erst bei hohen Temperaturen. Ähnlich den seismischen Verfahren mit kontrollierter künstlicher Signalquelle erlauben auch elektrische Widerstandssondierungsverfahren mit künstlichen Feldern eine im Prinzip eindeutige Inversion der Meßdaten und gute räumliche Auflösung der Strukturelemente. Dies gilt besonders in bezug auf vertikale Schichtung. **Geoelektrische Widerstandssondierungen** spielen deshalb unter den geophysikalischen Prospektionsverfahren für die Sedimentkruste eine bedeutende Rolle. Es soll hier neben den bewährten Verfahren der galvanischen Widerstandsmessung *ein* Verfahren der induktiven Widerstandsmessung besprochen werden, das wegen seiner einfachen Handhabung zunehmend eingesetzt wird.

### 9.3.1 Galvanische Widerstandsmessungen

Diese Bezeichnung soll bedeuten, daß dem Boden über Metallspieße **(Elektroden)** Gleichstrom oder sehr niederfrequenter Wechselstrom zugeführt und mit Hilfe zusätzlicher Erdspieße **(Sonden)** elektrische **Potentialdifferenzen** (Spannungen) gemessen werden. Nach dem **Ohmschen Gesetz** läßt sich der Widerstand

$$R = \frac{U}{I} \qquad 9.3$$

eines elektrischen Leiters durch Messung von 2 Größen, der angelegten Spannung U und dem Strom I, bestimmen. R ist vom spezifischen Widerstand $\varrho$ des Materials, aber auch von der Geometrie des Leiters abhängig. Für einen Leiter der Länge l und dem Querschnitt q ist

$$R = \varrho \cdot \frac{l}{q} \qquad 9.4$$

Der spezifische Widerstand $\varrho$ wird in der Einheit Ohm-Meter $[\Omega \cdot m]$ angegeben.

Durch Einführung der **elektrischen Feldstärke** $E = U/l$ und der **Stromdichte** $j = I/q$ folgt aus 9.3 und 9.4 die allgemeine Form des Ohmschen Gesetzes

$$\boxed{E = \varrho \cdot j} \qquad 9.5$$

Ziel der Widerstandssondierung ist es, die Tiefenabhängigkeit von $\varrho(z)$ zu bestimmen. Es wäre naheliegend, hierzu ein Elektrodenpaar in variablem Abstand L in den Boden zu stecken und $\varrho$ aus Speisestrom I und Speisespannung U zu bestimmen. Dieses 2-Punkt-Verfahren ist aber für geophysikalische Anwendung ungeeignet, da wegen der hohen Stromdichte und dem entsprechend großen Spannungsabfall im Elektrodenbereich sich hauptsächlich die dort auftretenden Widerstände im Meßergebnis niederschlagen würden. Deshalb werden **4-Punkt-Anordnungen** benutzt (Abb. 9.2), wobei die Elektroden **(A)** als Quelle und **(B)** als Senke des eingespeisten Stroms I dienen und an 2 dazwischen eingesteckten Sonden **(M)** und **(N)** die Potentialdifferenz $\Delta U$ gemessen wird. Im homogen leitenden Halbraum verteilt sich I gleichmäßig über eine Halbkugelfläche um den Quellpunkt.

Im Abstand r von der Quelle ist dann die Stromdichte $j = I/2\pi r^2$ und, nach dem Ohmschen Gesetz (Gl. 9.5), die Feldstärke oder der Potentialanstieg zwischen r und r + dr:

$$E = -\,dU/dr = \varrho \cdot j = \varrho \cdot I/2\pi\, r^2$$

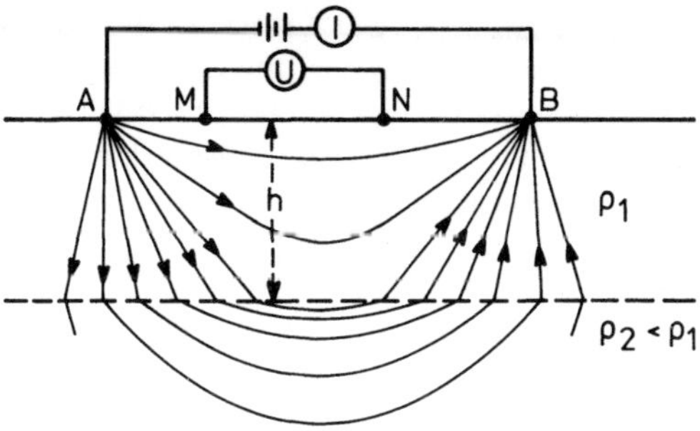


Abb. 9.2 Elektroden(**A–B**)- und Sonden(**M–N**)-Anordnung bei Widerstandssondierung. Stromlinien im einfach geschichteten Medium.

Durch Integration folgt

$$U(r) = I\varrho/2\pi r \qquad 9.6$$

Läßt man den Strom durch die Elektrode B wieder abfließen, so überlagern sich die Potentialfelder von Quelle und Senke.

Aus der Elektrodengeometrie, I und ΔU ergibt sich für ein homogen leitendes Medium der spezifische Widerstand ϱ in der Form:

$$\boxed{\varrho = K \frac{\Delta U}{I}} \qquad 9.7$$

K wird als **Geometriefaktor** der Elektrodenanordnung bezeichnet.

Für den Elektrodenabstand L und den Sondenabstand a ergibt sich allgemein

$$K = \pi \cdot (L^2 - a^2)/4a \qquad 9.8$$

Man überzeuge sich durch Anwendung von Gl. 9.6 von der Richtigkeit.

Besonders einfach wird K für die **„Wenner-Anordnung“** (L = 3a)

$$K = 2\pi a \qquad 9.9$$

Die meist benutzte **„Schlumberger-Anordnung“** arbeitet mit kleinem und über einen größeren Bereich von L-Werten konstantem Sondenabstand a. Für L > 5a reduziert Gl. 9.8 mit Fehlern kleiner als 2% zu

$$K = \pi L^2/4a \qquad 9.10$$

Gleichung 9.8 liefert für den homogen leitenden Untergrund unabhängig von den gewählten Abständen L und a stets den wahren Wert von ϱ.

Im geschichteten Medium mißt man jedoch anstelle des wahren Widerstands ϱ einen **„scheinbaren spezifischen Widerstand“** $\varrho_s$. Er hängt wegen der mit zunehmendem Elektrodenabstand wachsenden Eindringtiefe des Stroms von der Tiefenverteilung von $\varrho$ ab. Als Faustregel gilt, daß die maximal erkundbare Tiefe je nach Widerstandsverhältnissen $1/3$ bis $1/10$ von L beträgt.

Die **Widerstands-Tiefensondierung** erfolgt durch schrittweise Vergrößerung von L. Die Schlumberger-Anordnung bietet den praktischen Vorteil, daß bei Änderung der Elektrodenauslage L der Sondenabstand a konstant gehalten werden kann, solange $\Delta U$ noch gut meßbare Werte liefert. Beim Umsetzen der Sonden kommt es zu kleinen Sprüngen in der $\varrho_s$(L)-Kurve, die durch überlappende Messungen mit dem alten und dem neuen a-Wert ausgeglichen werden können. Die Messungen werden mit alternierendem Gleichstrom (zur Vermeidung der **elektrolytischen Polarisation** an den Metallelektroden) oder mit Wechselstrom sehr niedriger Frequenz zur Vermeidung des „Skin-Effekts“ (vgl. Kap. 9.1) durchgeführt.

Zur Auswertung oder **„Inversion“** werden die gemessenen $\varrho_s$-Werte gegen L/2 auf doppelt logarithmischem Papier aufgetragen. (Die Verwendung des Werts L/2 ist historisch bedingt.) Dies ermöglicht durch Parallelverschiebung längs beider Achsen die Anpassung an theoretische Mehrschicht-Modellkurven, die auf $\varrho_1 = 1$ und $h_1 = 1$ normiert sind. Modellkurven für 2-Schicht-Fälle mit verschiedenen Widerstandsverhältnissen $\varrho_2/\varrho_1$ für die Schlumberger-Anordnung ($a \ll L$) sind in Abb. 9.3 wiedergegeben.

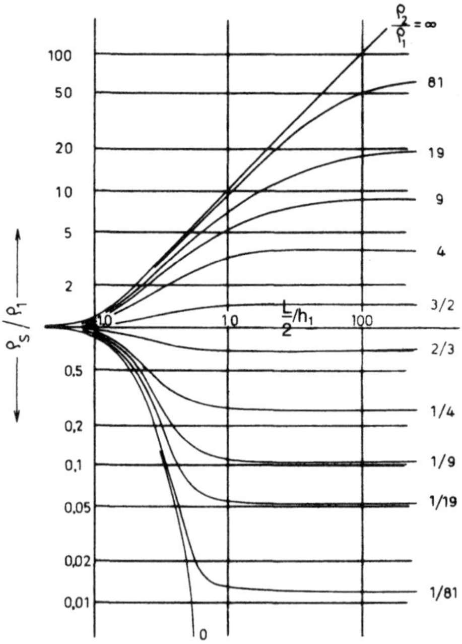


Abb. 9.3 Zwei-Schicht-Diagramm für Schlumberger-Anordnung (nach Flathe, Leibold 1976).

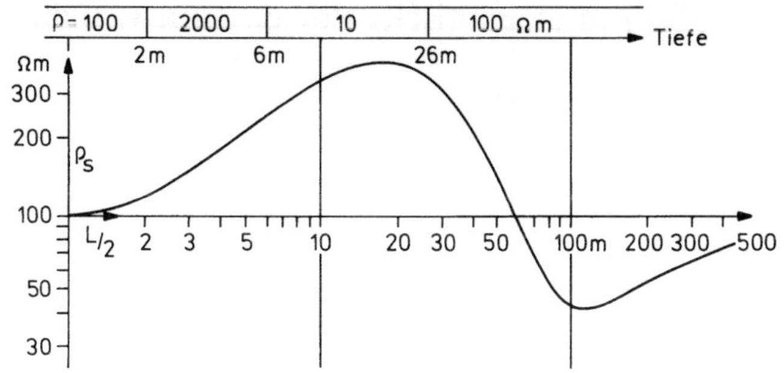


Abb. 9.4 Widerstands-Tiefensondierung, Scheinwiderstand $\varrho_s$ (unten) interpretiert als 4-Schicht-Fall (oben) (Flathe, Leibold 1976).

Für 3-Schicht-Modelle können die Kurven-Atlanten von *van Dam* und *Meulenkamp* (1969) oder von *Mundry* und *Homilius* (1979) benutzt werden. Mehrschichtmodelle lassen sich auch mit dem Taschen- oder Tischrechner behandeln. Wie das Beispiel eines 4-Schicht-Falls (Abb. 9.4) zeigt, sind keine einfachen direkten Zusammenhänge zwischen dem Kurvenverlauf $\varrho_s(L/2)$ und der Widerstandsschichtung zu erkennen. Zur optimalen Anpassung der Modellparameter gibt es einfache Hilfspunktmethoden oder automatisch arbeitende Computerverfahren.

Widerstandssondierungen werden besonders erfolgreich bei der Suche nach guten elektrischen Leitern im Untergrund angewandt, z. B. Grundwasserhorizont, Tonschichten.

Zur Orientierung über Werte des spezifischen Widerstandes dient Tabelle 9.1. Die große Variationsbreite ergibt sich, wie eingangs erwähnt, aus dem Einfluß der für elektrolytische Leitung maßgeblichen Faktoren.

Tab. 9.1 Spezifischer Widerstand von Gesteinen

| | $\varrho$ Ω m |
|---|---|
| kristalline Gesteine | $10^3 - 10^6$ |
| Sandsteine | $10^2 - 10^4$ |
| Tone | $1 - 10^2$ |
| Magnetkies | $10^{-5} - 10^{-1}$ |
| Graphitschiefer | $10^{-3} - 1$ |

Geht es um laterale Widerstandsvariationen, so kann mit konstantem Elektrodenabstand in der Wenner-Anordnung flächenhaft das Meßgebiet beprobt werden. Der geeignete Elektrodenabstand für die **Widerstandskartierung** wird anhand einer vorhergehenden Sondierung so gewählt, daß Variationen in der Tiefenlage der interessierenden Schichtgrenze möglichst ausgeprägt in $\varrho_s$ erscheinen.

## 9.3.2 Elektromagnetische Prospektionsverfahren

Zur Untersuchung der elektrischen Widerstandsverteilung in der oberen Kruste, insbesondere bei lateral heterogener Leitfähigkeitsverteilung und bei hohem Oberflächenwiderstand, sind eine Vielzahl geophysikalischer Prospektionsverfahren entwickelt worden, die auf der Induktion von Sekundärströmen in der Erde durch künstliche elektromagnetische Wechselfelder beruhen (siehe z. B. *Parasnis,* 1979). Das **Primärfeld** wird von der Sendeantenne, häufig einer Antennenspule ausgestrahlt. Die Verteilung der induzierten Ströme in der Erde hängt von der elektrischen Leitfähigkeit des Bodens ab. Der bewegliche Empfänger mit seiner Antennenspule ist so konstruiert, daß er das **induzierte Sekundärfeld** vom Primärfeld zu trennen vermag und so die Kartierung einer Leitfähigkeitsanomalie ermöglicht. In Abb. 9.5 ist schematisch der Feldverlauf bei der Messung über einer gut leitenden Einlagerung dargestellt. Die Arbeitsfrequenz wird nach unten durch den schlechten induktiven Wirkungsgrad, nach oben aber durch die abnehmende **Eindringtiefe** des Primärfeldes infolge des **„Skin-Effekts“** (Gl. 9.2) auf etwa 1–25 kHz eingegrenzt. Je nach der Entfernung von Sende- und Empfangsspule spricht man von Nah- und Fernfeldverfahren. Es soll hier lediglich ein Verfahren dargestellt werden, und zwar ein ausgesprochenes

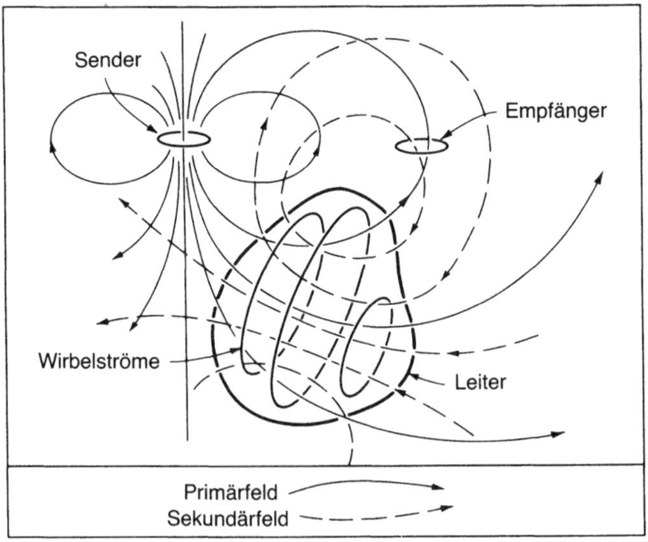


Abb. 9.5 Elektromagnetisches Primär- und Sekundärfeld über einer gut leitenden Einlagerung.

Fernfeldverfahren, das sich wegen seines geringen Aufwandes neuerdings ein breites Anwendungsfeld erobert hat.

**Das VLF-Verfahren**

Dieses Verfahren nutzt die Existenz einiger sehr leistungsstarker Längstwellensender (Very-Low-Frequency-Sender) aus, die in verschiedenen Ländern installiert sind und mehr oder weniger kontinuierlich auf Frequenzen zwischen 15 und 24 kHz senden. Ihre eigentliche Zweckbestimmung ist die Kommunikation mit Unterseebooten. Der Sendestrom oszilliert in der vertikal stehenden elektrischen Dipolantenne. Der Vektor des magnetischen Primärfeldes $\vec{B}(P)$ liegt daher, entsprechend Kap. 8.1.4, horizontal und quer zur Richtung vom Empfänger zum Sender. Befindet sich ein guter elektrischer Leiter im Untergrund, so wird in diesem ein Strom induziert, dessen Feld (Sekundärfeld) auch eine Vertikalkomponente $B_z$ aufweist (Abb. 9.6). Die geophysikalische VLF-Apparatur ist ein empfindlicher Empfänger, der auf einen der VLF-Sender abgestimmt wird und mit dem die Vertikalkomponente $B_z(S)$ des magnetischen Sekundärfeldes $\vec{B}(S)$ gemessen werden kann. Das Signal ist im Empfänger als Dauerton zu hören. Die Ferritstabantenne des Empfängers, die zugleich als Handgriff des Geräts dient, wird nun in der Ebene senkrecht zur Richtung zum Sender so weit aus der Vertikalen geneigt, bis das induzierte Signal mit minimaler Lautstärke zu hören ist. Dann steht die Empfängerantenne senkrecht zur Richtung maximaler Magnetfeldstärke $B_{max}$, wobei sich das resultierende Feld B aus dem Primärfeld B(P) und dem Sekundärfeld B(S) zusammensetzt. Im Gerät kann an einer Skala unmittelbar der **Neigungswinkel** $\vartheta$ von $B_{max}$ gegen die Horizontale oder die Neigung $N = 100 \cdot \mathrm{tg}\,\vartheta$ in % abgelesen und als Meßwert festgehalten werden. Die bei söhliger (horizontaler) Leitfähigkeitsschichtung stets senkrecht stehende Empfangsantenne ($\vartheta = 0$) ist zum Minimumabgleich bei Annäherung an einen guten Leiter auf diesen zuzurichten. Bei Annäherung an einen schlechten Leiter gilt das Gegenteil (siehe Abb. 9.6 und 9.8). Die Neigung N ist also ein geeigneter Indikator für die räumliche Begrenzung des Störkörpers.

Vollständiger Nullabgleich des Empfangssignals ist jedoch allein durch

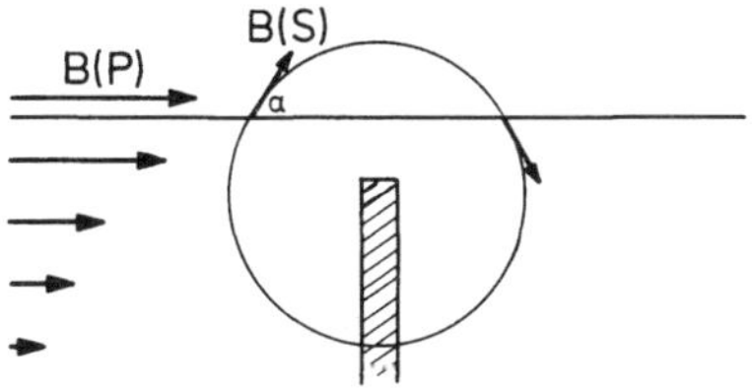


Abb. 9.6 Magnetisches Primärfeld B(P) und induziertes Sekundärfeld B(S) über einem guten Leiter.

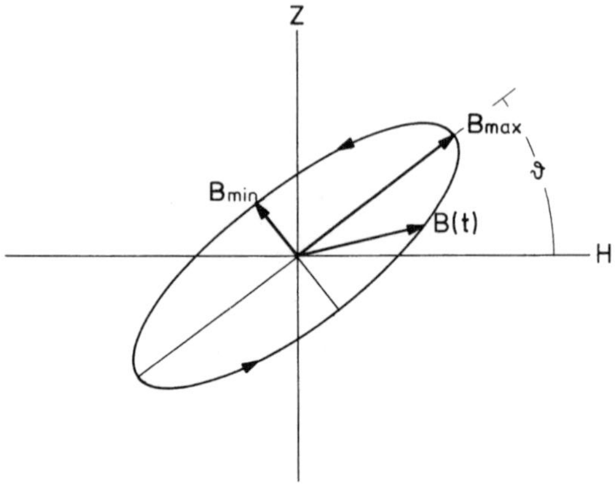


Abb. 9.7 Resultierendes Magnetfeld B(P) + B(S) an der Erdoberfläche.

Kippung der Empfangsantenne im allgemeinen nicht zu erzielen, denn dazu müßten das primäre und sekundäre magnetische Wechselfeld genau in gleicher Phase schwingen. Tatsächlich ist aber das durch die Induktionsströme in der Erde hervorgerufene sekundäre Magnetfeld je nach Leitfähigkeit und Leitergeometrie gegen das Primärfeld um negative oder positive Phasenwinkel verschoben. Bildet der Vektor B(S) mit dem stets horizontalen Vektor B(P) den Winkel $\alpha$ (Abb. 9.6) und ist $\varphi$ die **Phasenverschiebung** von B(S) gegen B(P), so ist die horizontale bzw. vertikale Komponente des resultierenden Feldes B

$$B_H(t) = B(P) \cdot \sin 2\pi f t + B_H(S) \cdot \sin(2\pi f t + \varphi)$$
$$B_Z(t) = B_Z(S) \cdot \sin(2\pi f t + \varphi)$$

mit

$$B_H(S) = B(S) \cdot \cos\alpha$$
$$B_Z(S) = B(S) \cdot \sin\alpha \qquad 9.11$$

Dies bedeutet (Abb. 9.7), daß die Spitze des Magnetfeldvektors B(t) pro Sekunde f mal eine Ellipse durchläuft, deren große Halbachse $B_{max}$ um den Winkel $\vartheta$ gegen die Horizontale geneigt ist und deren Halbachsenverhältnis $\varepsilon = B_{min}/B_{max}$ (in %) ist. $B_{min}$ ist stets um 90° gegen $B_{max}$ in der Phase verschoben. Ist B(S) klein gegen B(P), so gilt näherungsweise:

$$\mathrm{tg}\,\vartheta \approx \frac{B_Z(S)}{B_H} \cos\varphi$$
$$\varepsilon \approx \frac{B_Z(S)}{B_H} \cdot \sin\varphi \approx \mathrm{tg}\,\vartheta \cdot \mathrm{tg}\,\varphi \qquad 9.12$$

Das VLF-Gerät besitzt einen zweiten Empfängerteil, in dem ein zu $B_{max}$ proportionales Referenzsignal erzeugt wird. Nach Phasendrehung um 90°

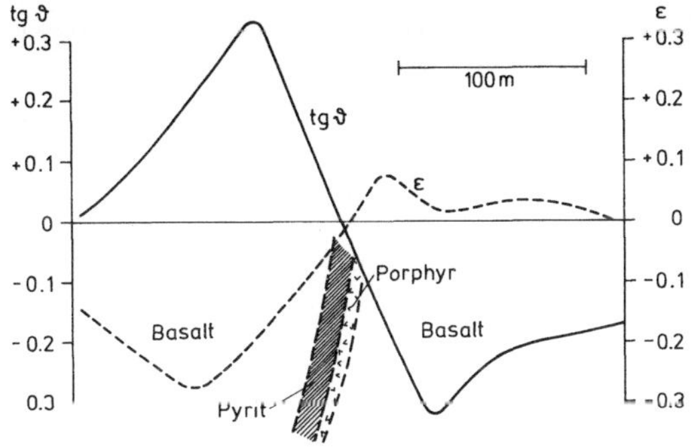


Abb. 9.8 **VLF**-Meßwerte N = 100 tg ϑ % und ε % über einem gut leitenden Erzkörper. (Geonics Ltd. 1979)

und entsprechender Spannungsteilung läßt sich mit dem Referenzsignal $B_{min}$ auf Null abgleichen. Am Spannungsteiler ist als 2. Meßgröße das Achsenverhältnis ε direkt ablesbar. Das Vorzeichen von ε wechselt mit dem Vorzeichen von φ. Ist ein guter Leiter in schlecht leitende Umgebung eingebettet, so ist φ (und tgφ) negativ. Liegt ein schlechter Leiter in nicht leitender Umgebung, so ist φ (und tg φ) schwach positiv. Im ersten Fall ist ein gegensinniger Verlauf von N und ε zu erwarten (Abb. 9.8), im zweiten Fall gleichsinniger Verlauf.

Meßeffekte können nur erzielt werden, wenn sich im Störkörper ein Induktionsstrom ausbilden kann. Dazu soll der Störkörper etwa in Richtung zum Sender streichen. Abweichungen bis zu 45° sind zulässig. Andernfalls ist ein Sender in geeigneterem Azimut zu benutzen. Die Meßprofile verlaufen stets quer zur Richtung zum Sender.

Es gibt auch eine Variante der VLF-Apparatur, mit der, ganz im Sinne der **Magnetotellurik**, der spezifische **Untergrundwiderstand** $\varrho_s$ aus dem Verhältnis der elektrischen Feldstärkenkomponente $E_x$ und der dazu senkrechten Horizontalkomponente $B_y$ des Magnetfeldes nach Gl. 9.1 bestimmt werden kann. Die Messung von $E_x$ erfolgt mit 2 Metallelektroden, die auf den Sender zu ausgerichtet sind. Die Messung von $B_y$ erfolgt mit der im Empfänger eingebauten Ferritstabantenne.

**Merke:** Elektrische Widerstandssondierungen erlauben, vergleichbar mit der refraktionsseismischen Aufschlußmethode, im Prinzip eindeutige Aussagen über die Tiefenschichtung der Erdkruste. Dagegen ist das VLF-Verfahren besonders geeignet zum qualitativen Erkennen lateraler Änderungen des elektrischen Widerstands.

# 10. GEODYNAMISCHE PROZESSE

Wir haben bisher die einzelnen physikalischen Felder der Erde getrennt betrachtet und sind dabei auf viele Erfahrungen gestoßen, die auf Veränderungen in der Erde in geologischen Zeiträumen hinweisen. Wir wollen jetzt diese Beobachtungen ordnen, um zusammen mit solchen aus anderen Bereichen der Geowissenschaften zu einem qualitativen und quantitativen Verständnis globaler Vorgänge im Erdkörper zu gelangen.

Geologische Zeugnisse von Hebungen und Senkungen der Erdoberfläche um Kilometerbeträge, vom Wechsel von Land und Meer, von Abtragung aufsteigender Erdkruste bis tief ins Grundgebirge hinein sind dem Geologen schon Anfang des 19. Jahrhunderts bekannt und z. B. von *Leopold von Buch* deutlich ausgesprochen worden. Horizontale Deckenüberschiebungen und Faltungen mobiler Erdkruste sind speziell im Alpenraum etwa gleichzeitig von den beiden großen Alpengeologen *Eduard Sueß* und *Albert Heim* um 1875 beschrieben worden. Der Nachweis horizontaler Verfrachtung ganzer Kontinente um Hunderte und Tausende von Kilometern erfordert sorgfältige paläogeographische Korrelationen der geologischen Ablagerungen, der Paläo-Fauna und -Flora sowie des Paläo-Klimas. Die Anerkennung der **Kontinentverschiebungshypothese** ist *Alfred Wegener* seit der ersten Veröffentlichung 1912 bis zu seinem Tod im Grönlandeis 1930 nur teilweise beschieden gewesen.

Es hat in der Vergangenheit gewiß nicht an Versuchen gefehlt, globale Entwicklungskonzepte der Erde zu entwickeln, doch haben an sich richtig gedeutete Beobachtungen durch unzulässige und unkritische Verallgemeinerungen oft zu falschen und widersprüchlichen Ergebnissen geführt. Wenn die meisten Geowissenschaftler heute, nach 30 Jahren systematischer interdisziplinärer Erforschung, besonders der marinen Bereiche der Erde, das Konzept der sogenannten **globalen Plattentektonik** für grundsätzlich richtig halten, so gibt es dafür eine Fülle schwer widerlegbarer Gründe. Dennoch muß auch hier vor unzulässigen und unkritischen Simplifizierungen dringend gewarnt werden.

## 10.1 Das Wachstum der ozeanischen Lithosphäre “sea floor spreading”

Wir wollen mit dem harten Kern in der Argumentationskette der Plattentektonik beginnen. Die Zusammenfassung vieler Echolotprofile der Meerestiefe Mitte der 50er Jahre ließ erkennen, daß die großen Ozeane von einem zusammenhängenden Netz breiter **submariner Gebirgsrücken** (engl.: oceanic ridge) durchzogen sind. Dieses ist auch durch eine Kette von Erdbebenherden auf Abb. 5.3 markiert. In der Rückenachse ist ein zentraler

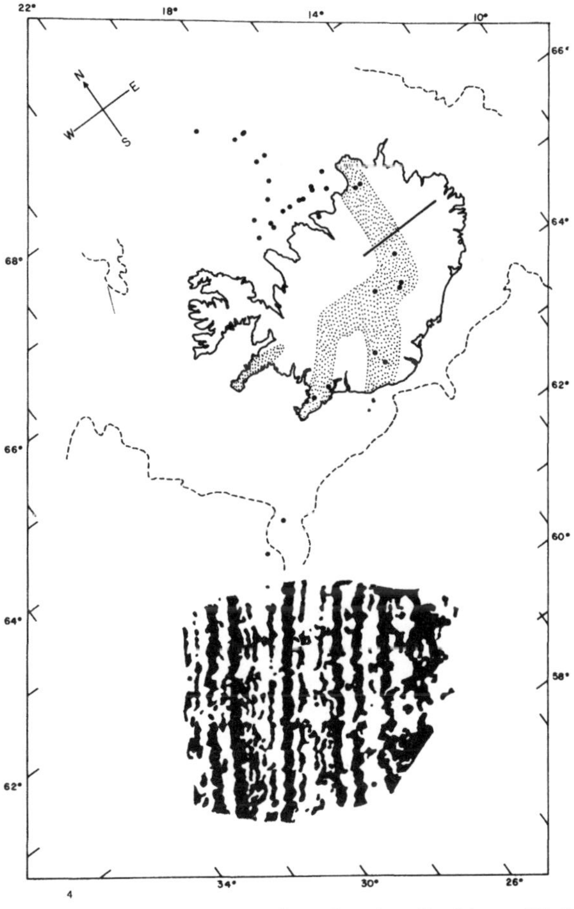


Abb. 10.1 Magnetische Anomalien über dem Reykjanes-Rücken südwestlich von Island. Schwarz: positive Anomalien (nach Heirtzler 1970).

Graben mehr oder weniger gut entwickelt, der häufig durch Bruchzonen sogenannter **Transformationsverwerfungen** (engl.: transform faults) zerschert und versetzt ist. An Transformationsstörungen treten im Versatzbereich der Rückenachse gegensinnige Bewegungen auf, welche die in Abb. 5.3 erkennbare seismische Aktivität hervorrufen. Flächenhafte Vermessungen des Magnetfeldes im Bereich des östlichen Pazifiks und des Mittelatlantischen Rückens (engl.: Midatlantic Ridge) südlich Island (Abb. 10.1) ließen Anfang der 60er Jahre erstmals das später auch in anderen Ozeanbereichen gefundene, zur Rückenachse parallele und fast symmetrische Streifenmuster positiver und negativer magnetischer Anomalien erkennen. Der Erklärungsversuch dieser überraschenden Beobachtung durch die britischen Geophysiker *F. Vine* und *D. Matthews* führte 1963 zu der äußerst fruchtbaren Erkenntnis des **"sea floor spreading"** oder **Meeresbodenwachstums**. Freilich lag dieser Gedanke bereits in der Luft, nachdem die Grundidee ein Jahr zuvor in einer Veröffentlichung des amerikanischen Geologen *H. Hess* geäußert worden war. Danach dringt entlang der Rückenachse kontinuierlich basaltisches Magma auf, erstarrt und erfährt bei Abkühlung unter die Curie-Temperatur thermoremanente Magnetisierung (vgl. 8.5.2) in Richtung des jeweils herrschenden Erdfeldes. Die so neu gebildete basaltische ozeanische Kruste (vgl. Abb. 5.32) wird durch nachfolgend aufdringendes Magma nach beiden Seiten abgedrängt. Über der sich von der zentralen Wachstumszone ausbreitenden ozeanischen Kruste liegt ein Muster magne-

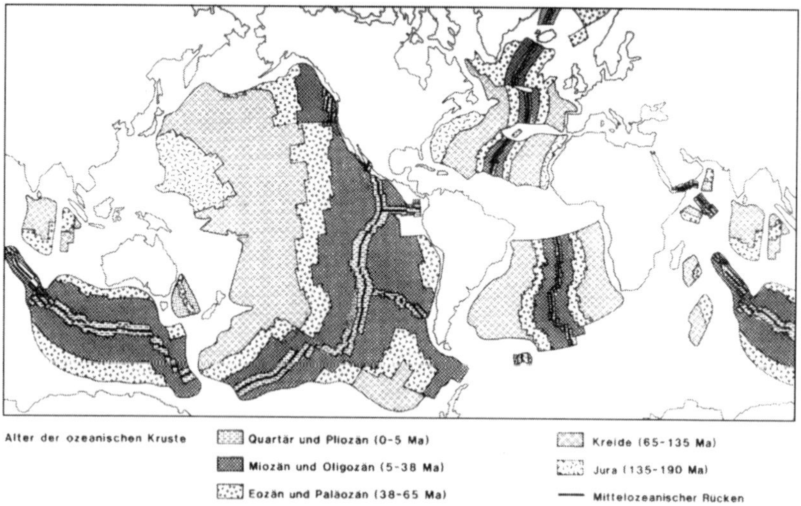


Abb. 10.2 Alter der Ozeanbecken. Datierung mit Hilfe der Polarität der Magnetisierung (aus Frisch, Loeschke 1986).

tischer Anomalien, das die Polarität des Erdfeldes widerspiegelt. Mit der z. B. in Abb. 8.18 dargestellten Polwechsel-Zeitskala ist so das raumzeitliche Wachstum der ozeanischen Kruste wie auf einem Magnetband dokumentiert (Abb. 10.2). Mehr als 30 Polwechsel können individuell identifiziert und datiert werden. Die über viele Millionen Jahre recht gleichmäßige **Wachstumsgeschwindigkeit** beträgt für den Nordatlantik etwa 2 cm/Jahr, für den Südatlantik ≈ 3 cm/Jahr, für den südlichen Indischen Ozean und den Nordpazifik ≈ 6 cm/Jahr. Die höchsten Werte von 10–12 cm/Jahr weist die Ostpazifische Schwelle (engl.: East Pacific Rise) auf. Durch Abkühlung nimmt mit zunehmendem Alter, d. h. mit zunehmendem Abstand von der Rückenachse, die Mächtigkeit der festen ozeanischen Lithosphäre zu (Abb. 10.8). Das Forschungsbohrschiff *„Glomar Challenger“* hat im Rahmen des *“Deep Sea Drilling Project”* an vielen Punkten die ozeanischen Sedimente durchteuft. Das Alter der jeweils ältesten marinen Sedimente hat das paläomagnetische Alter der darunterliegenden basaltischen Kruste bestätigt. Das überraschende Resultat ist, daß keiner der heutigen großen Ozeane Sedimente enthält, die älter als Mittlerer Jura (≈ 200 Ma) sind. Dies sind kaum 5 % der Erdgeschichte! Die Indizien sind so zahlreich und gewichtig, daß an der Realität des “sea floor spreading” als fundamentalem geodynamischem Geschehen kaum noch gezweifelt werden kann. Kontinente mit tektonisch ruhigen, erdbebenfreien, **passiven Kontinenträndern** bilden mit der angrenzenden ozeanischen Lithosphäre gemeinsam eine in sich relativ starre **Lithosphärenplatte.** Der Kontinent führt dann genau die Bewegungen aus, die im ozeanischen Bereich in den magnetischen Anomalien dokumentiert sind. Hier liegt der entscheidende Unterschied zur Wegenerschen Kontinentdrifthypothese, wonach die Kontinentblöcke wie driftende Eisschollen die plastisch nachgiebige ozeanische Kruste durchpflügen. Die Kritik an Wegeners Hypothese kam von seiten der Geophysiker. Die Steifigkeit der ozeanischen Lithosphäre ist viel zu hoch, um bei allen erdenklichen Antriebskräften ein Driften der Kontinente durch die Ozeane zu ermöglichen. Der Kern der Wegenerschen Aussage ist aber ein paläogeographischer Indizienbeweis für große Kontinentverschiebungen. In diesem Sinne wurde Wegener durch die geophysikalischen Daten der Plattentektonik im Ganzen und oft auch im Detail weitgehend bestätigt.

## 10.2 Subduktion ozeanischer Lithosphäre

Trotz mancher diesbezüglicher Spekulationen gibt es kein stichhaltiges Argument für eine wesentliche **Expansion** oder **Kontraktion** der Erde in den zur Diskussion stehenden zurückliegenden 200 Ma. Dann aber muß es **Konvergenzzonen** geben, in denen, komplementär zum Zuwachs an den

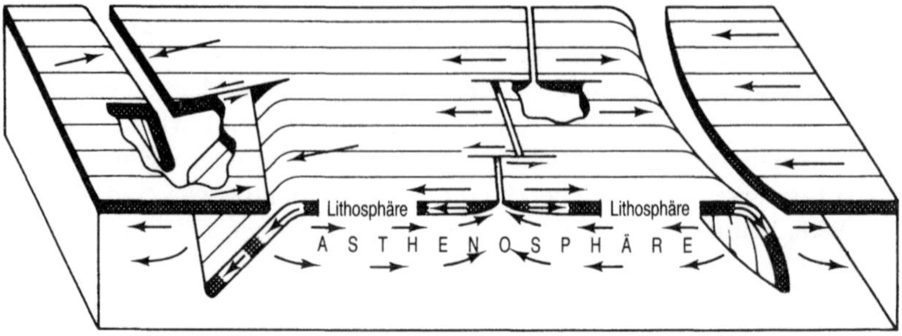


Abb. 10.3 Schematische Skizze der Plattentektonikprozesse (nach Isacks, Oliver, Sykes 1968).

ozeanischen Schwellen, Lithosphäre entweder eingeengt oder im Erdmantel verschluckt **(subduziert)** wird. Letzteres geht sicher nicht ohne dramatische geodynamische Begleiterscheinungen vor sich. Der Verdacht fiel deshalb auf die durch ihre hohe Seismizität und eigentümliche Herdtiefenverteilung ausgezeichneten **Benioff-Zonen** (vgl. Kap. 5.3). Diese sind physiographisch meist durch ozeanwärts vorgewölbte Inselketten (engl.: island arcs) mit vorgelagerter **Tiefseerinne** (engl.: deep sea trench) und aktivem Vulkanismus gekennzeichnet. Auf der Rückseite sind sie durch flache **Randmeere** (engl.: back arc basins) vom Kontinent oder anderen Inselbögen abgesetzt. Dies trifft zu für weite Teile der west- und nordpazifischen Umrandung, Indonesien, die Antillen, den Hellenischen Inselbogen.

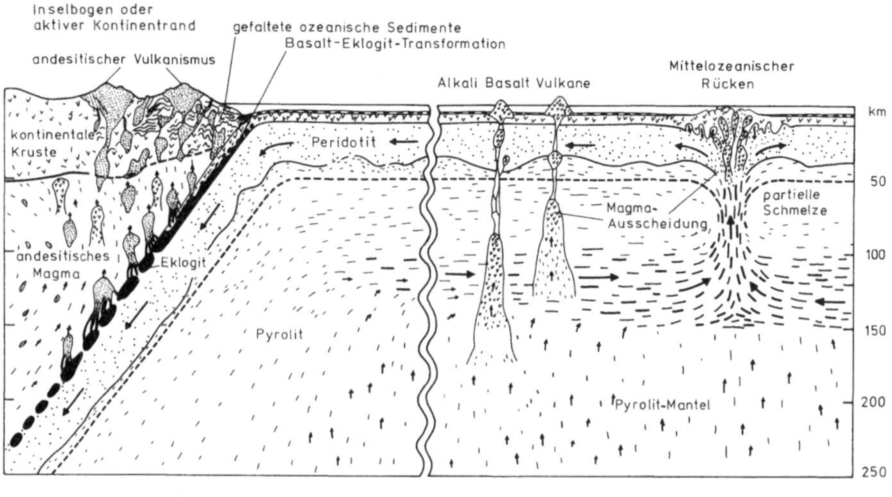


Abb. 10.4 Petrologisches Modell der Plattentektonikprozesse (nach Ringwood 1975).

Benioff-Zonen finden sich auch unter den Anden. Die Vermutung, daß Benioff-Zonen in den plastisch fließfähigen Erdmantel abtauchende kühlere ozeanische **Lithosphärenzungen** (engl.: slab) markieren, wurde von *J. Oliver* und Mitarbeitern 1968 ausgesprochen und seither als fester Bestandteil in das Konzept der Plattentektonik aufgenommen. Dennoch sollte der Subduktionsprozeß, zumindest im Detail, trotz vieler überzeugender Daten vorsichtigerweise als Arbeitshypothese betrachtet werden, denn das subduzierte Material ist, im Gegensatz zum "sea floor spreading", naturgemäß der direkten Beobachtung entzogen. Die Hauptmechanismen der Plattentektonik sind grob schematisch in der schon klassischen Abb. 10.3 skizziert. Das mögliche petrologische Geschehen kommt in Abb. 10.4 zum Ausdruck. Aus dem peridotitischen Mantel (siehe Kap. 5.9) wird ein basaltisches Magma ausgeschmolzen, das aufsteigt und im ozeanischen Rücken erstarrt. Bei der Subduktion sinkt kalte, ozeanische Lithosphäre in den heißeren Erdmantel zurück. Dies ist nur möglich, wenn die Dichte der Lithosphärenzunge größer ist als diejenige des umgebenden Mantels. Hier dürfte die Druckumwandlung des Basalts in den dichteren Eklogit (Kap. 5.9) eine wesentliche Rolle spielen. Die Zunge zieht sich selbst in die Tiefe und bildet damit eine mögliche Antriebskraft für die Plattenbewegung. Beim Aufschmelzen der ozeanischen Kruste in 100–150 km Tiefe entsteht eine besondere Art von $SiO_2$-reichem Magma, das aufsteigt und den „andesitischen" Inselbogenvulkanismus speist. Leichte, nicht subduktionsfähige ozeanische Sedimente werden abgeschert und lagern sich an den Inselbogen an (engl.: accretion).

## 10.3 Dynamik der kontinentalen Lithosphäre und die Gebirgsbildung

Wird ein von zwei Kontinenten berandeter inaktiver Ozeanbereich vollkommen subduziert, so **kollidieren** die Kontinente. Da die weniger dichte kontinentale Oberkruste nicht subduktionsfähig ist, kommt es zur Ablösung, Überschiebung, Stauchung und komplizierten Verfaltung der beiden kontinentalen Krusten bei gleichzeitigem Absinken der tieferen Lithosphäre in den Mantel. Das großartigste Beispiel ist das Eindringen des indischen Subkontinentes in den asiatischen Kontinent und die Bildung des Himalaya-Gebirges. Die **„Verschluckung"** tieferer „Erdrinden"-Partien im Erdmantel wurde bereits 1911 von *O. Ampferer* im Zusammenhang mit der **„Alpenauffaltung"** postuliert. Die Frage ist, ob Gebirgsbildung wirklich die totale „Verschluckung" ganzer Ozeane zur Voraussetzung hat oder ob auch im Innern oder am Rand von Kontinenten Gebirge durch gravitatives Absinken schwerer Lithosphäre in den Erdmantel und entsprechender Konvergenzbewegung der oberen Kruste entstehen können. Auch der Prozeß kontinentaler Gebirgsbildung ist mit Spannungsansammlung und folglich mit Erdbeben verbunden (alpidisch-himalayischer Erdbebengürtel [Abb. 5.3]).

## 10.4 Das kinematische Modell der globalen Plattentektonik

Das Konzept geht davon aus, daß die feste Erdrinde sich aus etwa einem Dutzend in sich relativ starrer **Lithosphärenplatten** zusammensetzt. Gegensinnige Bewegungen erfolgen an den durch Erdbebenherde markierten Plattenrändern. Es gibt die bereits besprochenen **divergenten** und **konvergenten** Plattenränder, aber auch **flächenneutrale** mit Parallelverschiebung, wie etwa an der San-Andreas-Verwerfung in Kalifornien (siehe Kap. 5.3) oder der Nordanatolischen Verwerfung. Bewegungssinn und Bewegungsgeschwindigkeit werden aus "sea floor spreading", paläomagnetischer Bestimmung der scheinbaren Polbewegung für einzelne Kontinente (siehe Kap. 8.5.3), seismischen Herdflächenlösungen (Kap. 5.4) und tektonischen Informationen ermittelt. Die Relativbewegungen aller Platten müssen zu jeder Zeit ein in sich verträgliches, geschlossenes System bilden. Zunächst können grundsätzlich nur Relativbewegungen der Platte angegeben werden. Es gibt jedoch eine Anzahl offenbar sehr tief im Mantel sitzender und

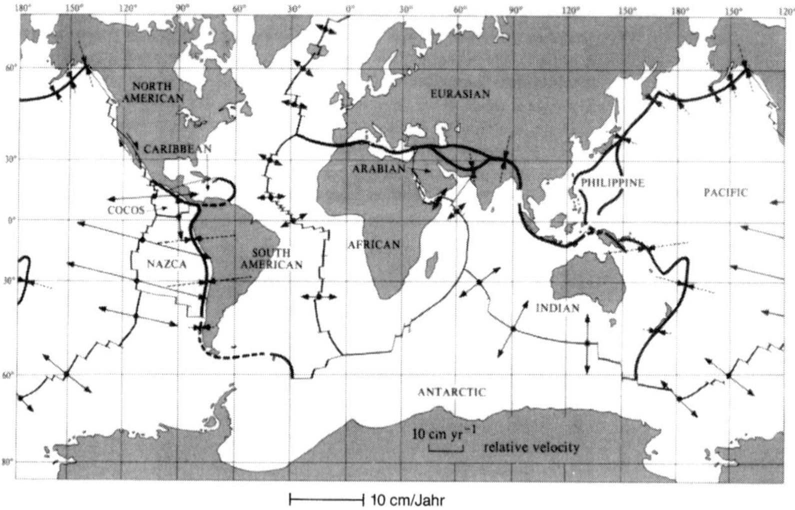


Abb. 10.5 Die 12 wesentlichen Lithosphärenplatten und die Relativbewegung an den Plattengrenzen (nach Minster et al. 1974).

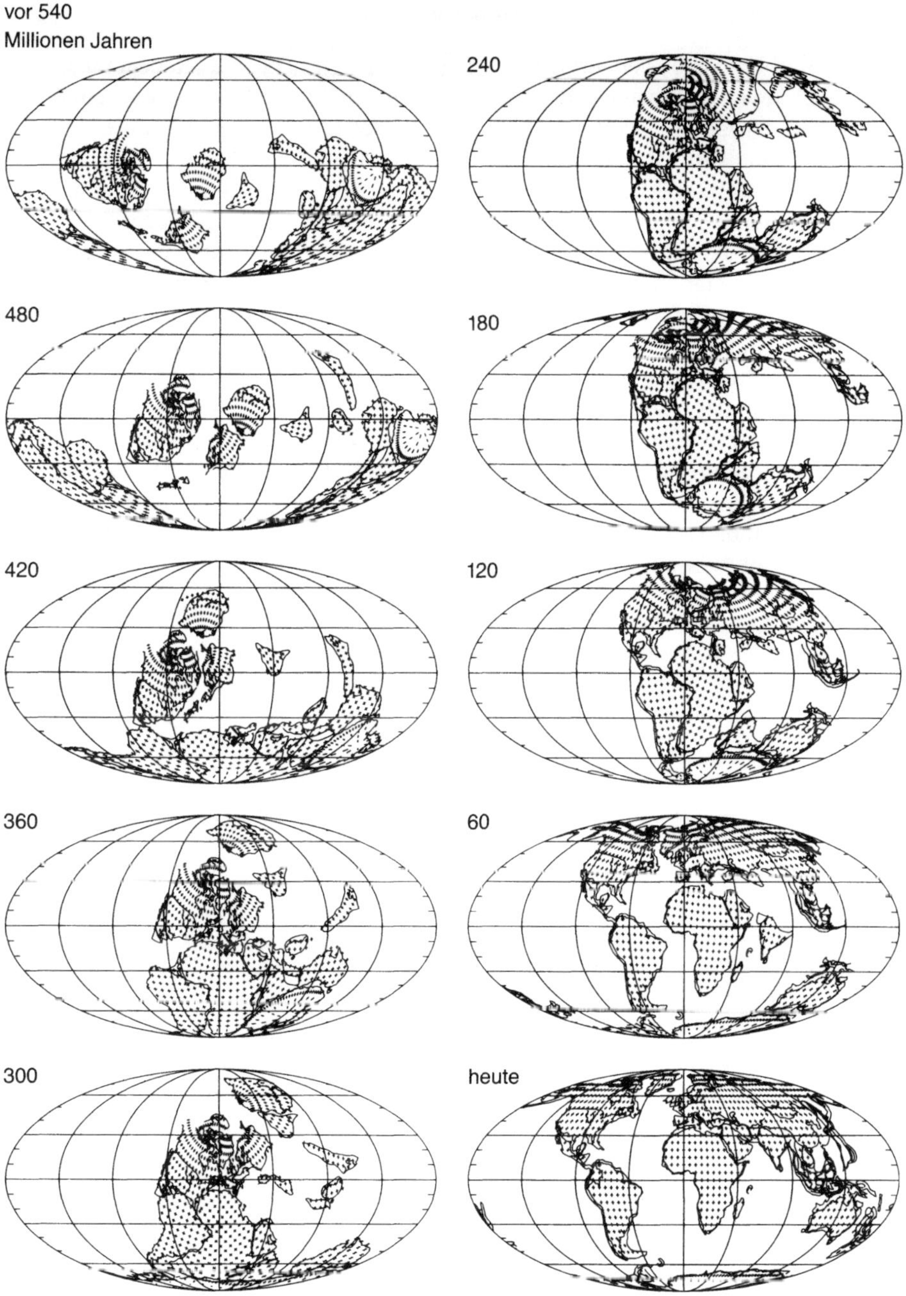


Abb. 10.6 Kontinentverteilung während der vergangenen 500 Ma aufgrund paläomagnetischer Daten (nach Ziegler und Scotese 1983).

dort über lange Zeit ortsfester Magmenquellen. Die wie Rauchfahnen (engl.: **plumes**) aufsteigenden Magmen brennen ihre Spur (engl.: **hot spots**) in die darüber weggleitende Lithosphärenplatte. In diesem Sinne werden die Vulkankette des Hawaii-Rückens und der anschließenden Emperor Seamounts als Wirkung eines "hot spots" gedeutet. In Abb. 10.5 sind die wesentlichen Lithosphärenplatten und ihre derzeitige Bewegungsgeschwindigkeit in bezug auf ein ortsfestes System von "hot spots" dargestellt. Abb. 10.6 zeigt eine Rekonstruktion der Kontinentlagen für die vergangenen 500 Ma. Die Rekonstruktion führt auf die Existenz des schon von Wegener postulierten Großkontinents **„Pangäa"** vor etwa 200 Ma. Aus dem Nordkontinent **Laurasia** sind Eurasien, Nordamerika und Grönland hervorgegangen, der Südkontinent **Gondwana** ist in Südafrika, Südamerika, Indien, Australien und Antarktika zerbrochen. Für die Rekonstruktion weiter zurückliegender Zeiträume sind Informationen allein im Bereich der Kontinente zu erwarten. Auch hier hilft die paläomagnetische Rekonstruktion der scheinbaren Polbahnen. Offenbar war auch Pangäa nicht der „Urkontinent", sondern nur eine Episode im Lauf der Erdgeschichte, während der alle Kontinentschollen zu einem Riesenkontinent zusammengeschwemmt waren. Diese wechselvolle Geschichte der Kontinente erklärt auch die Vielfalt und Komplexität der kontinentalen Erdkruste.

## 10.5 Deformationsverhalten von Krusten- und Mantelgesteinen

Der Ablauf geodynamischer Prozesse wird weitgehend durch das Deformationsverhalten der Gesteine unter den Bedingungen der Tiefe bestimmt. An der Erdoberfläche kennen wir Gesteine als elastisch-spröde Stoffe. Das heißt, wird eine Gesteinsprobe bis an ihre Festigkeitsgrenze belastet, so bricht sie. Dazu sind meist Spannungen von einigen hundert MPa erforderlich. Natürliche Gesteinskörper sind aber stets von einer Vielzahl großer, kleiner und kleinster Risse durchsetzt. Dies trifft zumindest für die oberen 5–10 km der Kruste zu, möglicherweise aber auch bis in 20 km Tiefe. Bleibende Verformungen erfolgen hier durch Gleiten entlang vorhandener Rißflächen, bis es zur Bruchneubildung kommt. Dazu ist die Reibung an den Rißflächen zu überwinden. Die hierzu erforderliche Schubspannung ist etwa proportional dem Druck $p_n$, mit dem die Rißflächen zusammengepreßt werden. Hinzu kommt noch ein Betrag, den man als innere Festigkeit bezeichnen kann. Weitgehend unabhängig vom Gesteinstyp läßt sich das bei Raumtemperatur bis zu $p_n \approx 2$ GPa gültige Ergebnis durch das sogenannte **„Byerlee-Gesetz"** (z. B. in: Meißner 1986, berichtigt)

$$\tau \approx 0{,}05 + 0{,}6 \cdot p_n \ [\text{GPa}] \qquad 10.1$$

ausdrücken. Sind Klüfte und Risse wassergefüllt und miteinander vernetzt, so bildet sich der Porenwasserdruck $p_w = g \cdot z$ aus, der die Flächenpressung $p_n$ an den Rissen und damit den Reibungswiderstand vermindert. Liegt der Reibungswiderstand unter dem Wert der Gesteinsscherfestigkeit, so kann Gleiten an den Rißflächen und Bruchbildung spontan erfolgen (engl.: stick slip). Solches **Sprödbruchverhalten** zeigen Gesteine bei Umgebungsdrukken unterhalb von 300–700 MPa (3–7 kbar), d. h. in Tiefen bis zu 10–20 km (Gl. 6.14). In diesem Bereich liegen auch die meisten Erdbebenherde. Eine Sonderstellung nehmen Tiefbeben in der subduzierten Lithosphäre ein.

Bei höherem Umgebungsdruck, wenn die Reibung an den Rißflächen etwa den Wert der Scherfestigkeit des Gesteins erreicht, verformt sich dieses bei hinreichend hoher Schubspannung plastisch, **„duktil“.** Die Deformation erfolgt jetzt im Kristallkorn oder an den Korngrenzen. Hierbei spielt das Wandern von Gitterbaufehlern, insbesondere von „Versetzungen“, im Kristall eine dominierende Rolle. Die Energie, die zum Wandern von Fehlstellen erforderlich ist, heißt Aktivierungsenergie. Diese wird bei Temperaturen oberhalb der halben Schmelztemperatur $T_s$ im wesentlichen von den thermischen Schwingungen der Gitteratome geliefert. Das Gestein verformt sich bei solchen **thermisch aktivierten Prozessen** auch schon bei kleinen Schubspannungen, wobei die Verformungsgeschwindigkeit mit der Spannung nach einem niedrigen Potenzgesetz mit Exponenten zwischen 1 und 3 wächst, aber sehr rasch (exponentiell) mit steigender Temperatur. Zeitabhängige Deformationsprozesse werden als **Kriechen** bezeichnet. Es gibt eine Reihe unterschiedlicher Kriechmechanismen mit unterschiedlichen Kriechgesetzen. Ist die Kriechgeschwindigkeit (engl.: creep rate) der Schubspannung proportional, so spricht man von **Newtonschem Kriechen.** Entsprechend dem in Abb. 5.13d skizzierten elastischen Scherungsexperiment läßt sich Kriechen dann durch die Gleichung

$$d\gamma/dt = \frac{1}{\eta}\tau \qquad 10.2$$

darstellen, wobei $d\gamma/dt$ die Verformungsgeschwindigkeit, $\tau$ die Schuspannung und $\eta$ die (dynamische) **Viskosität** ist. Die Einheit von $\eta$ ist im SI-System Pa·s und im cgs-System Poise, wobei 1 Pa·s = 10 Poise. $\eta$ ist nicht nur vom Material, sondern, wie oben bemerkt, besonders stark von der Temperatur abhängig. Dies kann nach *J. Weertman* (1970) näherungsweise in der Form

$$\eta \approx \eta_0 \cdot \exp\left(C \cdot T_s/T\right) \qquad 10.3$$

ausgedrückt werden, wobei $T_s$ (in K) die Temperatur des Schmelzbeginns (Solidustemperatur) und C ein empirischer Faktor zwischen 15 und 30 ist. $\eta_0$ ist von der Mineralzusammensetzung und der Korngröße des Gesteins abhängig. $\eta_0$ und $T_s$ können durch **flüchtige Bestandteile** im Gestein ($H_2O$, $CO_2$) drastisch erniedrigt werden. Einerseits wird dabei die Diffusionsgeschwindigkeit von Atomen zwischen benachbarten Kristallkörnern erhöht, andererseits werden die Atombindungen im Kristall selbst durch Einbau von OH-Gruppen geschwächt (hydrolytische Schwächung von Quarz). Durch Wassersättigung sinkt z. B. $T_s$ für Granit und Gabbro von etwa 1000°C auf etwa 600–700°C. Langsame plastische Deformationen von Kristallingesteinen werden damit bereits bei Temperaturen von 400–500°C möglich.

Entsprechend den Geothermen der Abb. 7.2 ist in tektonisch aktiven Gebieten in der kontinentalen Kruste schon in Tiefen von 10–20 km mit thermischem Kriechen zu rechnen. Es kann zur Abscherung der Oberkruste und zur Ausbildung von Fließstrukturen in der Unterkruste kommen. An der Kruste-Mantel-Grenze ist beim Übergang von $SiO_2$-reicherer Kruste in den bei höherer Temperatur schmelzenden olivinreichen Mantel mit einem kräftigen Anstieg der Viskosität zu rechnen. Aus der Extrapolation von Labormessungen und aus isostatischen Ausgleichsbewegungen (vgl. Kap. 4.7) kann im obersten Teil des Mantels mit Viskositäten von $10^{21}$–$10^{23}$ Pa·s gerechnet werden. Die unter der hochviskosen, „festen“ **Lithosphäre** folgende **Asthenosphäre** ist dadurch charakterisiert, daß dort, temperaturbedingt, $\eta$ auf $10^{19}$–$10^{20}$ Pa·s zurückgeht. Obwohl mit einigen Prozent Schmelzanteil zu rechnen ist, liegen die Viskositätswerte immer noch sehr weit über denen reiner basaltischer Schmelze ($\eta \approx 10^3$ Pa·s) und, zum Vergleich, über der Erweichungsgrenze von Glas ($\eta \approx 10^{12}$ Pa·s).

Das scheinbare Paradoxon, daß der Erdmantel und speziell die Asthenosphäre einerseits elastisches und andererseits fließfähiges Verhalten zeigt, löst sich, wenn die Belastungsdauer betrachtet wird. Gegenüber kurzzeitiger Beanspruchung (1s–1 Std.) beim Durchgang seismischer Wellen verhalten sich Kruste und Mantel wie elastische Medien, wenn auch besonders in der Asthenosphäre dabei Energieverluste auftreten. Bei langzeitiger Einwirkung tektonischer Kräfte ($10^3$–$10^8$ Jahre) jedoch reagieren zumindest

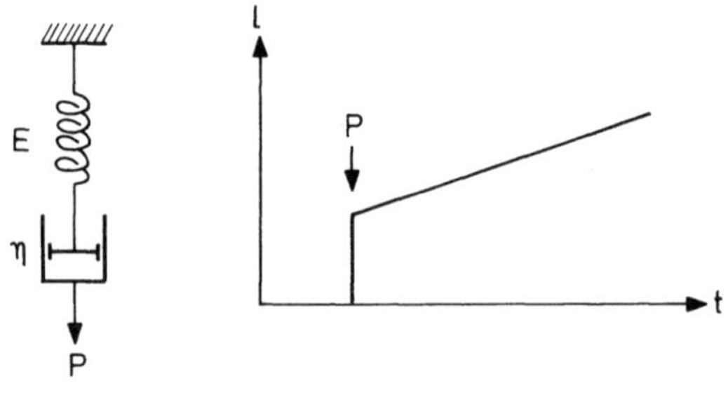


Abb. 10.7 Maxwellscher Körper mit Reaktion beim Anlegen einer Kraft P.

Teile von Kruste und Mantel wie eine sehr zähe Flüssigkeit. Man kann beides formal und stark vereinfacht darstellen im Verhalten eines sogenannten **Maxwell-Körpers,** bestehend aus einem **Hookeschen** elastischen Element in Reihe mit einem **Newtonschen** viskosen **Element** (Abb. 10.7). Einer angreifenden Kraft folgt auf die spontane elastische Deformation ein langsames zeitproportionales Kriechen. Typische geologische Deformationsgeschwindigkeiten sind äußerst klein. Bewegt sich z. B. beim "sea floor spreading" eine Lithosphärenplatte mit 3 cm/Jahr über einer 100 km mächtigen Asthenosphäre, so reicht dafür mit $\eta = 10^{20}$ Pa·s nach Gl. 10.2 eine Scherspannung von 1 MPa – 10 bar aus.

**Merke:** Im oberen Bereich der Kruste sind Gesteinskörper von Rissen und Klüften durchsetzt. Dort erfolgt Deformation durch Überwinden der Gleitreibung an existierenden Rißflächen und Rißneubildung durch Bruch, teils in Form von Erdbeben (Sprödbruchverhalten). Bei Temperaturen über der halben Schmelztemperatur deformieren sich Gesteine durch thermisch aktivierte Kriechprozesse in den Kristallen und an den Korngrenzen (duktiles Verhalten). Ist die Verformungsgeschwindigkeit der Schubspannung proportional, so spricht man von Newtonschem Kriechen. Viskosität ist der Widerstand, den ein Körper dem Kriechen entgegensetzt. Voraussetzungen für thermisches Kriechen sind besonders in der Unterkruste und in der Asthenosphäre des Mantels gegeben.

## 10.6 Antriebsmechanismen geodynamischer Prozesse

Motor aller Bewegungsvorgänge im Erdinnern und damit auch an der Erdoberfläche ist die Schwerkraft. Sie wird in diesem Sinne aber nur dort wirksam, wo das gravitative Gleichgewicht gestört ist. **Statisches Gleichgewicht** fordert, daß in jeder beliebigen Tiefe das Gewicht der überlagernden Gesteinssäule überall denselben Auflastdruck erzeugt. Diese Bedingung ist offenbar strenger als diejenige für **isostatisches Schwimmgleichgewicht** (Gl. 4.40), welche nur für die Ausgleichstiefe $H_A$ erfüllt sein muß. Ungleichgewicht entsteht durch **laterale Dichteunterschiede**. Diese können insbesondere durch unterschiedliche Temperatur und entsprechende thermische Ausdehnung, durch polymorphe Phasenumwandlungen, durch chemische Umwandlungen und durch stoffliche Trennung im Schwerefeld (gravitative Differentiation) verursacht werden. *Stabiles* Gleichgewicht erfordert zudem, daß die Dichte mit wachsender Tiefe zunimmt. Ist dies nicht der Fall, so neigt das System zum „Umkippen", zur **Instabilität.**

In Kap. 7 haben wir gesehen, daß die physikalischen Voraussetzungen für langsame thermische Konvektion im Erdmantel gegeben sind, d. h., daß

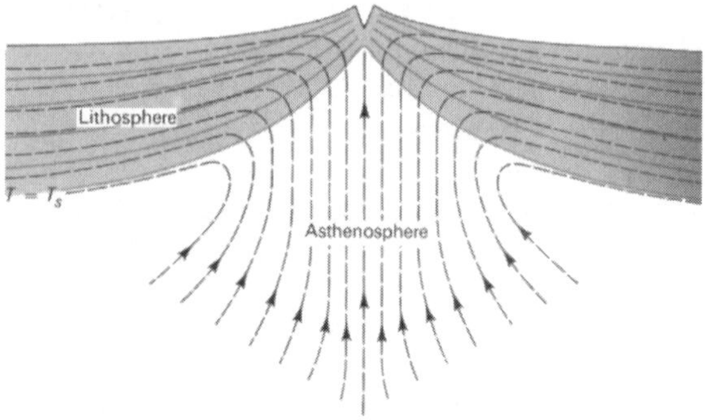


Abb. 10.8 Materialfluß und Isothermen im Bereich ozeanischer Rücken.

heißes, weniger dichtes Material aufsteigt und kühleres, dichteres Material absinkt. Die noch sehr spärlichen Daten für das Erdinnere und die historische Entwicklung sprechen jedoch eher gegen eine einfache und stationäre Zellenkonvektion im Sinn von Abb. 7.1. Vielmehr werden sich im Mantel durch Wärmestau Dichteinversionen und Instabilitäten entwickelt haben, die zu räumlich und langzeitlich variablem Aufstieg heißer Massen führen, die bis an die Krustenbasis gelangen können und sich dort pilzartig ausbreiten **(Diapirismus)** (Abb. 10.9). So zeigen erste Ergebnisse der sogenannten **Seismischen Tomographie** des Erdmantels insbesondere im Bereich der ozeanischen Schwellen im oberen Mantel Bereiche verringerter **P**-Wellen-Geschwindigkeit, die als heiße Zonen verminderter Dichte interpretiert werden. Das Ausschmelzen basaltischen Magmas aus dem olivinreichen primitiven Mantelmaterial des Diapirs führt zur Neubildung der ozeanischen Lithosphäre im Zentrum der ozeanischen Rücken. Diese gleitet auf den Flanken des Manteldiapirs gravitativ ab (Abb. 10.8) und übt einen Schub auf die gesamte Lithosphärenplatte aus (engl.: **ridge push**). Umgekehrt sinkt in den Subduktionszonen am anderen Plattenrand erkaltete und schwere ozeanische Lithosphäre in den Mantel ab. Dieser Prozeß wird wahrscheinlich noch dadurch wirkungsvoll unterstützt, daß unter zunehmendem Umgebungsdruck der Basalt bzw. Gabbro der ozeanischen Kruste in die dichtere, granatreiche Mineralassoziation des Eklogit übergeht. Dieser Übergang, der in mehreren Schritten in etwa 100 km Tiefe erfolgen kann, ist von einer Dichtezunahme um 10 % begleitet. Die gravitativ abgleitende Lithosphärenzunge zieht die ozeanische Platte nach sich (engl.: **slab pull**). Platten mit hoher Bewegungsgeschwindigkeit sind solche mit einem großen Anteil aktiver Subduktionszonen. Dies spricht für die Bedeutung des slab pull als Antriebsmechanismus der Plattenbewegung. Die **viskose Kopplung** (engl.: viscous drag) von Lithosphärenplatte und Mantel erzeugt ebenfalls Kräfte, die die Plattenbewegung beeinflussen. Ob aber Mantel-

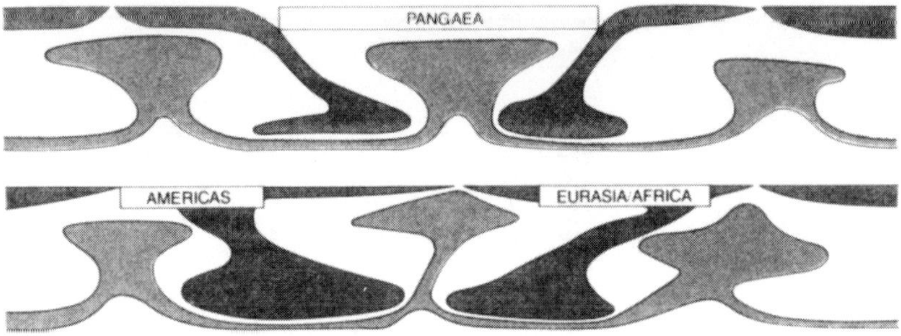


Abb. 10.9 Schematische Darstellung des Auseinanderbrechens von Pangäa durch aufsteigende Manteldiapire (Anderson und Dziewonski 1984), hell: geringe Dichte; dunkel: hohe Dichte.

konvektion die Platte passiv mitzieht oder ob umgekehrt einer aktiv angetriebenen Platte die Mantelströmung passiv folgt, läßt sich derzeit noch nicht entscheiden.

Außer in den Subduktionszonen mag es auch im Bereich der Kontinentkollision zum gravitativen Absinken (Verschlucken) dichter Lithosphäre kommen. Die mit diesem Sog verbundene Einengung der nicht subduzierbaren, weniger dichten Oberkruste führt dort zu Überschiebung und Faltung. Aufschmelzung an der Basis kontinentaler Kruste durch aufsteigende Manteldiapire wird auch als Erklärung für kontinentale Beckenbildung herangezogen.

**Merke:** Die Antriebskräfte geodynamischer Prozesse sind laterale Dichteunterschiede im Schwerefeld der Erde. Sie können durch unterschiedliche thermische Ausdehnung oder durch stoffliche Dichteunterschiede entstehen.

# GRÖSSEN UND EINHEITEN

In dieser Tabelle sind Zusammenhänge zwischen den älteren **cgs-Einheiten** und den jetzt international eingeführten **SI-Einheiten** (**S**ystème **I**nternational d'Unités) für einige geophysikalisch wichtige Größen angegeben.

Schwere: „g"

$$1 \text{ Gal} = 1 \text{ cm/s}^2 = 10^{-2} \text{ m/s}^2$$
$$1 \text{ g (mittlere Schwere)} = 9{,}81 \text{ m/s}^2$$

Kraft: „P"

$$1 \text{ dyn} = 10^{-5} \text{ N (Newton)}$$

(Kraft-)Moment: „$M_o$"

$$1 \text{ dyn} \cdot \text{cm} = 10^{-7} \text{ N} \cdot \text{m}$$

Druck: „p", Normalspannung: „σ", Schubspannung: „τ"

$$1 \text{ bar} = 10^5 \text{ N/m}^2 = 10^5 \text{ Pa (Pascal)} = 0{,}1 \text{ MPa}$$
$$1 \text{ kbar} = 0{,}1 \text{ GPa (Giga-Pascal)}$$
$$1 \text{ bar} = 0{,}981 \text{ at (Atmosphäre)}$$

Energie: „E, W", Arbeit: „A"

$$1 \text{ erg} = 1 \text{ dyn} \cdot \text{cm} = 10^{-7} \text{ N} \cdot \text{m} = 10^{-7} \text{ J (Joule)}$$
$$1 \text{ cal} = 4{,}19 \text{ J}$$
$$1 \text{ eV (Elektronenvolt)} = 1{,}6 \cdot 10^{-19} \text{ J}$$

dynamische Viskosität: „η"

$$1 \text{ P (Poise)} = 10^{-1} \text{ Pa} \cdot \text{s}$$

Wärmeflußdichte: „Q"

$$1 \text{ HFU (heat flow unit)} = 1\ \mu \text{ cal/s} \cdot \text{cm}^2 = 41{,}9 \text{ mW/m}^2$$

Wärmeproduktion: „A"

$$1 \text{ cal/cm}^3 \cdot \text{s} = 4{,}19 \text{ W/m}^3$$

Magnetfeldstärke (Flußdichte): „B"

$$1\ \gamma \text{ (Gamma)} = 10^{-5}\ \Gamma \text{ (Gauß)} = 1 \text{ nT (nano-Tesla)} = 10^{-9} \text{ V} \cdot \text{s / m}^2$$

magnetische Felderregung: „H"

Einheit: 1 A/m

Magnetisierung (pro Volumeneinheit): „M"

Einheit: 1 A/m

magnetisches Moment: „m“
Einheit: 1 A · $m^2$

magnetische Suszeptibilität: „$\varkappa$“
Einheit: 1

spezifischer elektrischer Widerstand: „$\varrho$“
Einheit: 1 Ω · m (Ohm-Meter)

*Dezimale Vielfache und Teile von Einheiten*

| Multiplikator | Vorsatz | Vorsatzzeichen | Multiplikator | Vorsatz | Vorsatzzeichen |
|---|---|---|---|---|---|
| $10^{12}$ | Tera | T | $10^{-3}$ | Milli | m |
| $10^{9}$ | Giga | G | $10^{-6}$ | Mikro | μ |
| $10^{6}$ | Mega | M | $10^{-9}$ | Nano | n |
| $10^{3}$ | Kilo | k | $10^{-12}$ | Piko | p |

# DIE ERDZEITALTER

| Mio Jahre | Zeitalter Tiere | Zeitalter Pflanzen | System/ Periode | Serie | Mio Jahre |
|---|---|---|---|---|---|
| 0 | Känozoikum | Neophytikum | Quartär | Holozän<br>Pleistozän | 1,5–2 |
| 50 | | | Tertiär | Pliozän<br>Miozän<br>Oligozän<br>Eozän<br>Paläozän | 5<br>24<br>34–36<br>53–54<br>65 |
| 100 | Mesozoikum | Mesophytikum | Kreide | obere<br>untere | 100<br>136 |
| 150 | | | Jura | Malm<br>Dogger<br>Lias | 195 |
| 200 | | | Trias | Keuper<br>Muschelkalk<br>Buntsandstein | 225 |
| 250 | Paläozoikum | Paläophytikum | Perm | Zechstein<br>Rotliegendes | 280 |
| 300 | | | Karbon | oberes<br>unteres | 320<br>345 |
| 350 | | | Devon | oberes<br>mittleres<br>unteres | 358<br>370<br>395 |
| 400 | | | Silur | | 430 |
| 450 | | Eophytikum | Ordovizium | oberes<br>unteres | 450<br>500 |
| 500<br>550 | | | Kambrium | oberes<br>mittleres<br>unteres | 570 |
| 2500 | Präkambrium | | Proterozoikum | | |
| 4000 | | | Archaikum | | |

# LITERATUR

## Quellennachweis


Ahorner, L. (1975). Tectonophysics 29, 233–249.

Allègre, C. J. (1982). Tectonophysics 81, 109–132.

Anderson, D. L., A. M. Dziewonski (1984). Sci. Amer. 251/4, 58–66.

Anstey, N. A. (1970). Geoexploration Monographs, Series 1, No 3 (Bornträger, Berlin, Stuttgart).

Baier, B. (1984). Erdbeben in der Bundesrepublik Deutschland 1981 (Bundesanstalt f. Geowiss. u. Rohstoffe, Hannover), 24.

Balmino, G., Ch. Reigber, B. Moynot (1976). Amer. Geophys. Union, Fall Meeting 1976, San Francisco.

Berckhemer, H. (1968). Vom Erdkern bis zur Magnetosphäre. Hrsg.: H. Murawski. (Umschau Verlag, Frankfurt a. M.), 131–146.

Berckhemer, H. (1969). Tectonophysics 8, 97–105.

Bolt, B. A. (1976). Nuclear explosions and earthquakes (W. H. Freeman and Co., San Francisco).

Bolt, B. A. (1982). Inside the earth (W. H. Freeman and Co., San Francisco).

Brown, G. G., Mussett, A. E. (1981). The inaccessible earth (Allen & Unwin, London).

Busse, F. (1975). Geophys. J. R. Astr. Soc. 42, 437–459.

Cagniard, L. (1953). Geophysics 18, 605–35.

Cameron, A. G. W. (1959). Physics and Chemistry of the Earth 3, 199–223.

Clark, S. P. (1966). Handbook of physical constants (Geol. Soc. Amer., New York).

CNEN-ENEL Commission on seismic problems associated with the installation of nuclear plants (1976). Contribution to the study of Friuli earthquake of May 1976.

Dziewonski, A., D. L. Anderson (1981). Phys. Earth and Planet. Inter. 25, 297–356.

Elsasser, W. M. (1958). Sci. Amer., May, 44–48.

Flathe, M., W. Leibold (1976). The smooth sounding graph (Bundesanstalt f. Geowiss. u. Rohstoffe, Hannover).

Frisch, W., Loeschke, J. (1986). Plattentektonik (Wissensch. Buchges., Darmstadt).

Garland, G. D. (1979). Introduction to geophysics (Saunders, Philadelphia).

Gutenberg, B. (1935). Gerlands Beiträge zur Geophysik 45, 282–358.

Gutenberg, B. (1945). Bull. Seismol. Soc. Amer. 35, 3–12.

Gutenberg, B. (1959). Physics of the earth's interior (Academic Press, New York, London).

Gutenberg, B., C. F. Richter (1956). Ann. di Geofis. 9, 1–15.

Hasegawa, A., M. Umino, A. Takagi (1978). Geophys. J. Roy. Astro. Soc. 54, 281–296.

Heirtzler, J. R. (1970). The Sea, Vol. 4/1 (Wiley-Interscience, New York).
Herrin, E. (1968). Bull. Seism. Soc. Amer. 58, 1193–1352.
Isacks, B., J. Oliver, L. R. Sykes (1968). J. Geophys. Res. 73, 5855–5899.
Jeffreys, H. (1970). The Earth (Cambridge University Press).
Jeffreys, H., K. Bullen (1958). Seismological tables (Brit. Assoc. Adv. Sci., London).
Jordan, P. (1966). Die Expansion der Erde (Vieweg, Braunschweig).
Julian, B. R., D. L. Anderson (1968). Bull. Seism. Soc. Amer. 58, 329–336.
Jung, K., H. Schaaf, H. G. Kahle (1969). Geologica Bavarica 61, 337–344.
Kern, H., A. Richter (1981). J. Geophys. 49, 47–56.
Kertz, W. (1969). Einführung in die Geophysik I (B.I. Hochschultaschenbücher 275).
Kertz, W. (1971). Einführung in die Geophysik II. Obere Atmosphäre und Magnetosphäre (B.I. Hochschultaschenbücher 535).
Knopoff, L. (1972). Tectonophysics 13, 497.
Knopoff, L., R. J. Uffen (1954). J. Geophys. Res. 59, 471–484.
Larson, R. L., W. C. Pitman III (1972). Geol. Soc. Amer. Bull. 83, 3645–3662.
Liebau, F. (1985). Structural chemistry of silicates (Springer, Berlin, Heidelberg).
Makris, J. (1971). Hamburger Geophysikalische Einzelschriften 15.
McElhinny, M. W. (1973). Paleomagnetism and plate tectonics (Cambridge University Press).
Meißner, R. (1986). The continental crust (Academic Press, Orlando).
Meißner, R., U. Vetter (1976). Explosion seismology in Central Europe. Hrsg.: P. Giese, C. Prodehl, A. Stein (Springer, Berlin, Heidelberg), 396–400.
Minster, J. B., T. H. Jordan, P. Molnar, E. Haines (1974). Geophys. J. R. Astr. Soc. 36, 541–576.
Müller, G., R. Kind (1976). Geophys. J. R. Astr. Soc. 44, 699–716.
Mundry, E., J. Homilius (1979). Dreischichtmodellkurven für geoelektrische Widerstandsmessungen (Bundesanstalt für Geowissenschaften und Rohstoffe, Hannover).
Nafe, J. E., D. C. Drake (1959). J. Geophys. Res. 64, 1545–1555.
Nettleton, L. L. (1939). Geophys. 4, 176–183.
Parasnis, D. S. (1979). Principles of applied geophysics (Chapman and Hall, London).
Pavoni, N. (1980). Rock Mechanics, Suppl. 9, 63–68.
Plaumann, S. (1965). Z. f. Geophys. 31, 327–331.
Pollack, H. N., Chapman, D. S. (1977). Tectonophysics 38, 279–296.
Press, F. (1970). Phys. Earth Planet. Int. 3, 3–22.
Reid, H. F. (1911). Bull. Dept. Geology, Univ. California 6, 413.
Ringwood, A. E. (1975). Composition and petrology of the Earth's mantle (McGraw-Hill, New York).
Rocard, J. (1964). Le signal du sourcier (2. Auflage, Dunod, Paris).
Schmucker, U. (1985). Landolt-Börnstein, Neue Serie V/2b, 370–397.
Schopper, H. (1981). Verhandl. Ges. Deutscher Naturforscher und Ärzte. 111. Versammlung (Springer, Berlin, Heidelberg), 46–52.
Spohn, T. (1984). J. Geophys. 54, 77–96.

Stacey, F. D. (1977). Phys. Earth Planet. Int. 15, 341–348.
Stacey, F. D. (1981). In: Evolution of the earth. (Edit.: R. J. O'Connell, W. S. Fyfe.) Amer. Geophys. Union, Geodynamics Ser. 5, 272–276.
Stacey, F. D. (1984). Amer. Geophys. Union, Geodynamics Series 5, 272–276.
Talwani, M., M. Ewing (1960). Geophys. 25, 203–225.
Torge, W. (1975). Geodäsie (Sammlung Göschen 2163).
Turekian, K. (1976). Oceans (Prentice Hall, London).
van Dam, J. C., J. J. Meulenkamp (1969). Standard graphs for resistivity prospecting (Europ. Assoc. Explor. Geophys.).
Voppel, D., K. Wienert (1974). Deutsche Hydrographische Zeitschrift 27, 49–56.
Weertman, J. (1970). Rev. Geophys. Space. Phys. 8, 145–168.
Wetherill, G. W. (1980). Ann. Rev. Astron. Astrophys. 18, 77–113.
Wyllie, P. J. (1971). The dynamic earth (J. Wiley and Sons, New York).
Ziegler, A. M., C. S. Scotese (1983). Sci. Amer. 249/3, 35.

## Empfehlenswerte ergänzende und weiterführende Literatur

**Physik des Erdkörpers**

M. H. P. Bott: The interior of the earth. (2. Ed.) London 1982, 403 S.
F. D. Stacey: Physics of the earth. (2. Aufl.) New York 1977, 414 S.
W. Kertz: Einführung in die Geophysik I. (B. I. Hochschultaschenbücher 275.) Mannheim 1969, 232 S.
R. Meißner: The continental crust, a geophysical approach. Internat. Geophys. Series, Vol. 34. Orlando 1986, 426 S.
G. Schneider: Erdbeben. Stuttgart 1975, 406 S.

Nachschlagewerk:
Landolt-Börnstein, Neue Serie, Gruppe V: Geophysik und Weltraumforschung. Hrsg.: G. Angenheister. Band V, 1a und b: Physikalische Eigenschaften der Gesteine. Band V, 2a und b: Geophysik der festen Erde, des Mondes und der Planeten. Berlin, Heidelberg 1982–1985.

**Angewandte Geophysik**

D. S. Parasnis: Principles of Applied Geophysics. (4. Aufl.) London 1986, 403 S.
E. S. Robinson, C. Coruh: Basic exploration geophysics. New York 1988, 562 S.

**Geodäsie**

W. Torge: Geodäsie. (Sammlung Göschen 2163.) Berlin 1975, 275 S.

**Entwicklung, Struktur und Stoffbestand der Erde**

F. Press, R. Siever: Earth. (5. Aufl.) San Francisco 1988, 832 S.
G. G. Brown, A. E. Musset: The inaccessible Earth. London 1981, 235 S.
W. Frisch, J. Loeschke: Plattentektonik. Darmstadt 1986, 190 S.
P. J. Wyllie: The dynamic earth. New York 1971, 417 S.
W. G. Ernst: Earth materials. Englewood Cliffs, N. J. 1969, 150 S.

# REGISTER

## *Sachverzeichnis*

## *Englisches Fachwörterverzeichnis*